KB195913

박설호

자연법과
유토피아

에른스트 블로흐 읽기·III

울력

울력에서 펴낸 지은이의 책

라 보에티의 『자발적 복종』
『작은 것이 위대하다. 독일 현대시 읽기』
『라스카사스의 혀를 빌려 고백하다』
『꿈과 저항을 위하여』 에른스트 블로흐 읽기 I
『마르크스, 뮌처, 혹은 악마의 궁둥이』 에른스트 블로흐 읽기 II
『망각의 시대에 명작 읽기』

자연법과 유토피아: 에른스트 블로흐 읽기 III

지은이 | 박설호
펴낸이 | 강동호
펴낸곳 | 도서출판 울력
1판 1쇄 | 2014년 10월 25일
등록번호 | 제10-1949호(2000. 4. 10)
주소 | 서울시 구로구 고척로4길 15-67 (오류동)
전화 | 02-2614-4054
팩스 | 02-2614-4055
E-mail | ulyuck@hanmail.net
가격 | 16,000원

ISBN | 979-11-85136-12-7 93800

「이 도서의 국립중앙도서관 출판예정도서목록(CIP)은
서지정보유통지원시스템 홈페이지(http://seoji.nl.go.kr)와
국가자료공동목록시스템(http://www.nl.go.kr/kolisnet)에서 이용하실 수 있습니다.
(CIP제어번호: CIP2014029262)」

차례

III.

서문

"인간은 항상 초보자이다." (블로흐)

"일곱 번 깊이 생각해야 영특한 사고가 태동한다. 그런데 그 사고는 다른 시간 다른 장소에서 떠올리면, 동일한 명제라 하더라도 다른 의미를 전해 준다." (블로흐)

"사랑이란 완전히 새로운 어떤 삶으로 향하는 여행이다." (블로흐)

친애하는 J, 쉽사리 의식되지 않지만, 남한은 정치, 경제, 그리고 문화적으로 삼중고를 겪고 있습니다. 그것은 삼겹살, 즉 세 겹의 망각으로 둘러싸인 살(殺)입니다. 첫째로 우리가 세월호의 비극으로 애통해 하는 동안, 지구상에는 끔찍한 사건들이 발생하였습니다. 우크라이나 사태, 이슬람국가(IS)의 급진 테러와 미국의 공습 등이 그것들입니다. 안타까운 것은 우크라이나와 시리아가 마치 장기판의 병졸처럼 고래 싸움에 새우 등 터지는 형국에 처해 있다는 사실입니다. 한반도 역시 정치적 완충지대로서 언제 터질지 모르는 거대한 휴화산과 같습니다. 그런데도 남북한 정치가들은 긴장 완화를 위해 노력하기는커녕 가만히 앉아서, 대북 전단 살포 내지 미사일 발사 등에 혈안이 되어 있습니다. 둘째로 남한에는 황금만능주의가 그야말로 극에 달해 있습니다. 당신과 같은 산업 노동자들은 여전히 힘들게 살아가고, 대기업들은 자신의 이익을 위해서 문어발을 펴 나가면서, 시나브로 정리 해고만을 계획하고 있습니다. 셋째로 학문, 사회정의, 역사, 예술 등 찬란한 인간 정서의 산물은 이제 망각의 대상으로 전락하고 있습니다. 대학은 기업화되고, 예술가들은 가난의 늪에서 헤어나지 못 하고 있습니다. 탈역사의 시대에 망각은 고통조차 무의미하게 만드는 것처럼 보입니다. 그렇다면 우리는 어떻게 하면 우리의 몸통을 옥죄는, 이러한 세 겹의 살기를 끊어 낼 수 있을까요? 그것은 무엇보다도 생존을 도모하는 일입니다. 이에 조금이라도 보탬이 되기 위해서 아기는 태어나야 했습니다. 나는 아기의 이름을 "자연법과 유토피아"로 명명해 보았습니다.

이 책에 실린 글의 내용과 출처를 간략하게 서술할까 합니다. 제1부 맨처음의 글 「사상의 보석은 아직 숨어 있다」는 미발표 글로서 블로흐의 문헌에 관한 나의 개인적 체험을 담고 있습니다. 「유토피아의 정신 1, 2」 그리고 「혁명의 신학자 토마스 뮌처」는 블로흐의 초기 작품에 관한 간략한 소개의 글입니다. 「문학과 환상에 관한 12개의 고정관념」은 『실천문학』 2000년 겨울호에 게재된 바 있습니다. 사람들은 환상을 대체로 부정적인 관점에서 고찰하는데, 논문은 이에 대해서 부분적으로 이의를 제기하고 싶었습니다. 이어지는 글은 「자연법과 계층 사회」입니다. 이 글은 에른스트 블로흐의 『자연법과 인간의 존엄성』의 번역을 계기로 집필된 미발표 글입니다. 동서고금의 역사를 고찰하면 인간은 언제나 신분 차이 내지 계층 차이의 사회적 구도 속에서 살아왔으며, 지금도 그것을 당연히 여기고 있습니다. 필자는 법과 정의가 실제로 어떻게 활용되며, 만인의 평등을 지향하는 자연법의 이상이 어떻게 끊임없이 의식되었는가? 하는 문제를 구명하고 싶었습니다.

제2부에 실린 글들은 모두 미발표 문헌들인데, 유토피아 연구의 일환으로 집필된 것입니다. 「천년왕국의 사고와 유토피아」, 「유토피아의 시간화, 혹은 시간 유토피아」, 그리고 「유토피아, 디스토피아 그리고 주체 유토피아」 등은 5권으로 이루어진 필자의 미발표 문헌, 『서양 유토피아의 역사』

에 수록될 것입니다. 여기서 필자는 유토피아의 역사에서 꼭 정리되어야 하는 개념들, 특성들, 역사철학적 전제 조건들 등을 해명하려고 하였습니다. 마지막에 첨부된 「블로흐의 유토피아에 관한 반론과 변론 (2)」는 필자의 저서 『꿈과 저항을 위하여. 블로흐 읽기 I』에 수록된 문헌의 속편과 같습니다. 여기서 필자는 20세기 후반에 활동한 미하엘 빈터, 헬무트 빌케, 부르크하르트 슈미트, 롤프 슈벤터, 슈토킹거, 이매뉴얼 월러스틴, 마빈 클라다, 한스 프라이어, 바르바라 홀란트-쿤츠 등의 유토피아에 대한 견해를 피력하고 블로흐와의 상관관계를 추적하였습니다. 테오도르 아도르노와 미셸 푸코의 글은 수정 보완해 함께 싣게 되었습니다.

제3부에 실린 글은 얼핏 보기에는 블로흐 연구와 무관하게 보일지 모릅니다. 왜냐하면 연구 대상이 다양하기 때문입니다. 그러나 연구 대상이 혼란스럽다고 하더라도, 논의를 개진하는 저자의 시각은 한결같습니다. 이를테면 독자는 논의의 전개 및 방법론에 있어서 수미일관 에른스트 블로흐의 학문적 접근 방식을 도입했음을 유추하게 될 것입니다. 그것은 다름 아니라 낮꿈으로서의 "의식된 희망(docta spes)," 나아가 마르크스와 뮌처에게서 나타나는 미래지향적 의식입니다. 첫 번째 글 「이반 일리치의 젠더 이론 비판」은 미발표의 논문으로서 일리치의 저작물 『젠더』를 비판적으로 구명하고 있습니다. 이 글을 통해서 필자는 두 가지 사항을 지적하려 하였습니다. 그 하나는 일리치의 과거지향적 관점이 퇴행의 반동적 세계관을 불러일으킬 수 있다는 점이며, 다른 하나는 젠더에 대한 일리치의 시각이 페미니즘의 관점에서 고찰할 때 추상적이고 전근대적이라는 점입니다. 「푸리에의 유토피아 "팔랑스테르," 그 특성과 한계」는 『오늘의 문예비평』 2013년 여름호에 발표된 글입니다. 여기서 중요한 것은 푸리에의 팔랑스테르 공동체가 어떻게 인간의 향유와 노동을 함께 극복해 나가는가? 하는 물음입니다. 이어지는 글 「생존은 막힘없이 피어나는 우주의 꽃이다. 윤노

빈의 한울 사상」은 처음에는 연세대 대학원 신문에 발표된 작은 글이었는데, 이번에 대폭 수정한 것입니다. 필자는 『신생철학』의 주제가 1970년대의 한반도라는 시대정신과의 관계 속에서 파악되어야 하며, 그 이후의 생명 사상과는 거리감을 드러낸다는 점을 분명히 하였습니다. 왜냐하면 윤노빈의 책은 거짓을 참으로 곡해하여 널리 퍼뜨리는 악마의 술수 그리고 억압당하는 민초들의 협동과 생존의 문제를 일차적으로 다루고 있기 때문입니다. 다음은 벤야민에 관한 두 편의 논문입니다. 여기서도 독자들은 블로흐의 미래지향적 의식 그리고 의식된 희망의 모티프를 발견해 낼 수 있을 것입니다. 나아가 필자는 「유물론적 모더니스트, 발터 벤야민」과 「발터 벤야민의 "아우라" 개념에 관하여」를 통하여 블로흐와 벤야민 사이의 사상적 차이 그리고 그들이 표방하는 철학적·미학적 사상의 특성들을 구명하려고 했습니다.

필자는 본서의 제목을 『자연법과 유토피아』로 정했습니다. 비록 자연법에 관한 변변치 않은 글이 두 편밖에 되지 않지만, 부디 이 글들을 자연법의 이상이라는 관점에서 읽어 주시고, 한국 사회와의 관련성 속에서 이해해 주시면 감사하겠습니다. 왜냐하면 나의 글은 자연법이라는 법철학의 내용을 폐쇄적으로 추적하는 게 아니라, 자연법의 이상, 다시 말해서 만인의 자유와 평등의 문제와 현실적 조건 사이의 상관관계를 중시하기 때문입니다. 이 땅에서는 "우주의 꽃"(윤노빈)이어야 할 인간이 "힘들게 살아가고 무거운 짐을 진 채 생활하며, 경멸당하고 모욕당하는 존재로 취급받"으며 살지 않습니까? 그렇기에 만인의 자유와 평등을 하나의 목표로 설정한 자연법의 이상은 하나의 당위적 명제로서 우리의 마음속에 각인되리라 믿습니다. 자연법의 이상이 우리 앞에서 방향을 설정해 주는 기준이라면, 유토피아는 우리가 미래에 발견할 수 있는 배후의 경험적 상으로 이해될 수 있을 것입니다.

마지막으로 독자들에게 한 가지 양해의 말씀을 전합니다. 원래 필자는 '블로흐 읽기' 시리즈를 통하여 아비센나, 아베로에스 아비케브론으로 이어지는 아리스토텔레스 좌파의 사상 및 이에 관한 블로흐의 연구를 게재하려고 했습니다. 그러나 물질에 관한 철학적 구명 작업은 나에게 주어진 시간과 능력을 고려할 때 단기간에 완결될 사항이 아니며, 더 많은 시간을 요하는 것이었습니다. 이에 관해서는 시간을 두고 깊이 천착해야 할 필요성을 느낍니다. 블로흐는 "인간은 항상 초보자이다(Homo semper tiro)"라고 말했습니다. 나 역시 그러합니다. 계속 배우면서 모자라는 점을 보충해 나간다면, 아리스토텔레스와 아리스토텔레스 좌파 그리고 이에 관한 블로흐의 입장 등을 추후에 한 권의 책으로 간행할 수 있으리라고 생각됩니다.

친애하는 J, 블로흐는 "사랑이란 완전히 새로운 어떤 삶으로 향하는 여행이다(Love is a journey into a totally new life)"라고 말했습니다. 마찬가지로 새로운 무엇을 하나씩 하나씩 배워 나가게 되면, 마치 사랑하는 자의 눈앞에 완전히 새로운 세계가 전개되듯이, 우리를 맞이하는 것은 놀라운 신천지일 테니까요. 새로운 삶으로 향하는 여행을 마다할 자가 어디 있으랴마는, 어디엔가 안주하고 싶은 게으름 내지 나약함이 때로는 마음속 한 구석에서 솟구치는 것도 사실입니다. 그래도 삶 자체가 누구를 그리고 무엇을 사랑하는 과정이라면, 또 다른 출산을 꿈꾸어야 한다고 나 자신을 다독이곤 합니다. 앞으로도 계속 일곱 번 깊이 사고하도록 노력하겠습니다. 부디 인지된 삼 겹의 살이 독자들의 마음속에 더 나은 삶을 위한 자극제로 활용되기를 바랍니다.

안산의 우거에서
박설호

I

사상의 보석은 아직 숨어 있다

"블로흐 전집은 수많은 학문 서적들과 비교할 때 군계일학의 문헌입니다. 그 이유는 다음과 같은 두 가지 사항에서 발견됩니다. 첫째, 블로흐의 학문은 주어진 연구 대상의 틀을 현재로 확정하여 하나의 결론을 도출하는 것으로 끝나지 않습니다. 블로흐에게 중요한 것은 현재, 과거, 미래를 이어나가게 하는 인간의 내적 충동입니다. 또한 희망과 관련된 사회 변화 내지 인간 삶의 제반 영역을 규명하는 작업입니다. 둘째, 블로흐 철학의 모티프는 미래 지향성에 있습니다. 블로흐는 플라톤 이후의 대부분 철학자들이 중시하는 과거지향적 '재기억(anamnesis)'의 특성을 배격하고, '미래'를 새로운 철학의 대상으로 설정하고 있습니다." (박설호)

1. 블로흐를 처음 접하다: 에른스트 블로흐를 처음으로 접한 때는 74년 경이었습니다. 독재와 민주화의 기운이 태동하여 서로 부딪치던 시기에 어떤 친구가 나에게 얇은 책자 한 권을 빌려 주었습니다. 그것은 박종화 교수님이 번역한 부광석(브라이덴슈타인)의 『인간화(人間化)』였습니다. 기억하건대 외국인의 눈으로 바라본 한국 사회의 분석 내지 신학적 견해 등이 개진된 것 같습니다. 이 책의 부록에는 놀랍게도 블로흐의 삶과 철학이 간략히 소개되어 있었습니다. 블로흐 철학은 당시에도 미개척의 영역이었습니다. 그러나 나의 지식은 일천하였고, 당시에는 블로흐 사상의 중요성을 전혀 알지 못했습니다. 그렇기에 책의 내용은 당시로서는 어떤 막연한 신선함으로 다가왔을 뿐입니다.

2. 뮌헨에서의 만남: 에른스트 블로흐의 『희망의 원리』를 처음으로 읽기 시작한 때는 그 후 십 년 뒤였습니다. 뮌헨 대학교 독문과 위르겐 샤르프 슈베르트(Jürgen Scharfschwerdt) 교수님은 "에른스트 블로흐와 동독 문학" 이라는 주제로 세미나를 개최했는데, 나는 누구보다 먼저 수강 신청을 마쳤습니다. 세미나에 자극을 받아, 붉은 색으로 간행된 『자유와 질서』(주어캄프 문고판)를 읽기 시작했습니다. 그러나 독서는 여간 힘들고 고통스러운 게 아니었습니다. 당시의 나의 독일어 능력이 형편없었기 때문만은 아니었습니다. 나의 사고는 반공 이데올로기에 의해 경직되어 있었으며, 새로운 문화적 코드를 받아들이기에는 학문적 내공이 매우 빈약하였습니다. 블로흐는 문체 면에 있어서 언제나 "신비로운 압축 문장"을 선호하고 있었습니다. 이때 나는 토머스 모어 이후의 국가 소설이 유토피아의 모델로 정착되었다는 사실 그리고 블로흐는 이러한 협소한 유토피아의 개념을 확장시켰다는 사실 등을 처음으로 접할 수 있었습니다.

3. 빌레펠트 대학교: 1986년 여름 나는 여러 가지 이유에서 독일 중북부에 위치한 도시, 빌레펠트로 대학을 옮겼습니다. 빌레펠트 대학은 학제적 연구를 무척 중시했습니다. 그렇기 때문에 문헌학 외에도 사회과학, 특히 역사철학 영역을 집중적으로 공부하지 않으면 도저히 수업을 따라갈 수 없었습니다. 학위 과정에서 나는 라틴어를 처음부터 배워야 했고, 역사철학과 심리학 등을 부전공으로 공부해야 했습니다. 좌절감과 심리적 고통은 오랫동안 나를 괴롭혔습니다. 한마디로 나의 무능함이 원인이었습니다. 이때 블로흐에 대해 눈을 뜨게 해준 사람은 독문과 교수이자 학제적 연구소의 연구소장이었던 빌헬름 포스캄프(Wilhelm Vosskamp) 교수님이었습니다. 지금도 나는 그분의 유익한 조언을 잊을 수 없습니다. 이 시기에 에른스트 블로흐의 책들을 읽고, 또 읽었습니다.

4. 동독이 사라지다: 80년대를 독일에서 보낸 뒤 1989년에 우여곡절 끝에 한신대학교에서 직장을 얻게 되었습니다. 바로 그해 말에 베를린 장벽이 무너졌습니다. 기존 사회주의국가가 서서히 몰락하자, 전 세계의 많은 지식인들이 실망감과 좌절을 겪었습니다. 동독 작가들은 서로 격렬하게 논쟁을 벌였고, 상대방에게 국가 상실의 책임을 전가하였습니다. 이때 슈타지 문제가 불거져 나왔습니다. 일반 독자들은 구동독 출신의 지식인들에게 아예 관심을 끊거나, 그저 싸늘한 시선을 보냈습니다. 문제는 구동독 지식인들의 실망감에 있었습니다. 동독 붕괴는 사랑하는 임의 상실 그 이상으로 이해되었으니까요. 만약 사회주의적 이상이 실제 현실과 일치되지 않는다는 사실을 처음부터 알고 있었다면, 그들은 그렇게 크게 실망하지는 않았을 것입니다. 게다가 현실 사회주의자들은 "목표를 망치는 것이 가장 나쁜 것이다(Corruptio optimi pessima)"라는 정언적 진리를 등한시하였는지 모릅니다. 심지어 게오르크 루카치마저도 "그래도 결함을 지닌 사회주의가 자본주의의 폭력보다는 낫다"고 생각하였습니다. 그리하여 그는 목표 대신에 과도기적 체제를 수정주의적으로 용인하지 않았던가요?

5. 『희망의 원리』의 교훈: 그렇다면 『희망의 원리』는 오늘날 어떠한 의미를 전해 주는 문헌일까요? 그 속에 과연 미래의 구체적 해결책을 담은 대안이 서술되어 있을까요? 그렇지는 않습니다. 블로흐의 문헌은 문학, 예술, 법, 사회학, 그리고 철학 등의 영역에서 나타난 모든 인류의 노력이 개인의 가장 사소한 갈망에서 비롯되었다는 사실을 전해 줍니다. 실제로 인류 역사는 갈망을 성취하는 과정으로 이해될 수 있습니다. 또한 이러한 갈망은 앞으로도 지속되리라는 것을 증언해 줍니다. 희망은 전적으로 실현되지 못하기 때문에 때로는 차단되고, 우리에게 환멸을 안겨줍니다. 다시 말해서, 희망은 실현의 아포리아를 탄생시키고, 대부분의 경우 완전한 성취를 이룰 수 없게 만듭니다. 이로 인하여 우울 내지 불만족의 정서를 태

동시키는 게 바로 희망의 정서입니다. 동독의 붕괴 이후에 우리가 블로흐의 사상을 긍정적으로 대할 수 있는 까닭은 바로 그 때문입니다.

6. 인문학은 당의정 알약이 아니라 거름이다: 따라서 『희망의 원리』는 지금 여기의 확고한 대안을 담고 있지 않습니다. 만약 누군가 『희망의 원리』에서 사회주의 이념의 당면한 대안을 찾으려고 한다면, 그는 그것을 발견하지 못할 것입니다. 블로흐 사상은 마치 거름과 같이 간접적으로 깊은 효력을 발휘할 뿐, 단기간에 특정한 병을 치료할 수 있는 당의정 알약이 아닙니다. 그러나 거름의 효능은 일회적이 아니며, 오래 지속됩니다. 비근한 예를 들어 봅시다. 사람들은 고등 수학이 실생활에서 쓰이지 않는다고 성급하게 판단하면서 수학 공부를 불필요하다고 단정합니다. 또한 영어만 배우면 족하다는 이유로 제2외국어를 폐기 처분해도 좋다고 성급하게 판단합니다. 그들은 어리석게도 눈앞의 통계 자료에만 의존하므로, 기초 인문학이 그리고 기초 자연과학이 얼마나 놀라운 잠재적 영향을 끼치는지를 피부로 절감하지 못합니다. (이를테면 고대 철학자 탈레스가 돈이 된다는 이유로 사물의 근본을 연구하지 않고, 오로지 태양의 흑점과 올리브 수확 사이의 상관관계만 추적했더라면, 그의 이름은 결코 서양 철학사에 남지 않았을 것입니다.)

7. 동양 의학과 된장찌개: 그래, 블로흐의 철학은 기능적인 측면에서 고찰할 때 오늘날 문제를 치유할 수 있는 직접적인 치료제는 못됩니다. 그것은 비유적으로 말해서 병자를 단 한 번으로 완치시키는 수술 행위와는 근본적으로 다릅니다. 그렇지만 블로흐의 사상은 (인문학의 영향이 그러하듯이) 마치 간접적이지만 은근히 병을 낫게 하는 동양 의학과 같은 힘을 지니고 있습니다. 아니 그것은 된장찌개와 같은 효능을 발휘합니다. 구체적으로 말하자면, 병의 원인 그리고 사회의 근본적인 문제 내지 바람직한 목표 설정에 대해 엄청나게 커다란 영향을 끼칠 수 있습니다. 앙리 르페브르

를 제외한다면, 블로흐가 유일하게 예수의 혁명 사상과 마르크스주의의 긍정적 운동을 접목시켰습니다. 어디 그뿐일까요? 블로흐의 희망 철학과 예술론을 모르고서는 발터 벤야민, 아도르노, 헤르베르트 마르쿠제 등을 근본적으로 이해할 수 없으며, 자연법 철학, 르네상스 이후의 유토피아의 변천 과정, 남미의 혁명적 해방신학의 흐름 등을 논할 수 없을 것입니다.

8. 그래, 바로 이 책이다: 상기한 내용이 희망의 원리를 번역하게 된 결정적인 동기로 작용하였습니다. 솔 출판사에서 제4권 『자유와 질서』가 1993년에, 제1권 『더 나은 삶에 관한 꿈』이 1995년에 간행된 바 있었습니다. 1996년에 안식년을 맞이하여 브레멘, 빌레펠트에 1년간 머물면서 공부했습니다. 그때 나는 블로흐의 아들, 얀 로베르트 블로흐 박사, 그리고 루드비히스하펜의 블로흐 자료실에서 일하던 쿠르트 바이간트 박사 등과 서신을 교환했습니다. 독일의 문헌학자 한스 마이어를 만나려고 시도했지만, 한스 마이어 교수는 90세의 나이에 병상에서 의식 불명의 상태에 있어서 만날 수 없었습니다. 어쨌든 블로흐 번역서는 안타깝게도 출판사의 사정으로 더 이상 간행될 수 없었습니다.

9. 약 7년 동안 번역에 몰두하다: 약 3년의 공백 기간을 거친 뒤, 1999년에 다시 번역에 착수하였습니다. 그리하여 나는 그 후 4년간 꼬박 번역에 몰두하였습니다. 방학이 되면, 노트북과 함께 도서관에서 살다시피 했습니다. 하루 종일 내용 파악과 각주 정리 그리고 표현에 몰두하면 하루가 그냥 훌쩍 지나갔습니다. 하루 종일 일해도 한 페이지 이상을 번역할 수 없었습니다. 약간 초조해져서 작업을 서두르면, 하루에 두 페이지의 번역 역시 가능했는데, 다음 날 읽으면 엄청난 오역이 드러나는 게 아니겠습니까? 다시 마음을 가다듬고 하루에 한 페이지의 번역을 고수하기로 작심했습니다. 이 시기에 아리스토텔레스와 정약용 선생이 자주 떠올랐습니다.

수백 권의 책을 쓰다가 엉덩이가 문드러져 꼿꼿이 선 채 붓놀림을 했다던 다산 정약용. 식음을 거의 전폐하다시피 하고 정진에 정진을 거듭했던 아리스토텔레스. 그들에 비하면 나는 애송이라고, 나의 고통은 사치스러운 엄살에 불과하다고 스스로 책망하곤 하였습니다. 이 와중에 에른스트 블로흐 선집 『토마스 뮌처, 카를 마르크스, 혹은 악마의 궁둥이』가 완성되기도 했습니다.

10. 『희망의 원리』 영어판: 번역을 위해 많은 책을 참고하였습니다. 한신대 이준모 교수님은 오래 전에 『희망의 원리』 영어판을 빌려 주었습니다. 그러나 영어판에는 오역이 많았고, 외래어 표기를 위해 조금 참조하였을 뿐입니다. 또한 『희망의 원리』는 프랑스어 판으로도 간행되었다고 합니다. 제라르 롤레(Gérard Raulet), 브루크하르트 슈미트(Burghart Schmidt) 교수 등이 지적하건대 프랑스어 판에는 내용상 하자가 많다고 합니다. 불어 능력이 형편없는 나로서는 이를 감히 평가할 수 없었습니다. 어쨌든 "영어만 알면 서양의 모든 학문적 내용이 해결된다"는 생각은 그 자체 오류임을 뼈저리게 체험하였습니다. 솔직히 고백하건대 1600여 페이지의 대작을 번역하는 데 가장 많은 도움을 준 것은 1985년 주어캄프 출판사에서 간행된 블로흐 전집이었습니다. 2002년 6월, 드디어 블로흐의 번역이 완결되었습니다. 그렇지만 말이 완결이지, 그것은 초벌구이에 불과했습니다. 다시 들여다볼 때마다 용어 및 내용상의 문제점이 속출하는 게 아닌가요!

11. 학문은 폐쇄적인 것이 아니다: 블로흐 사상의 중요성을 새삼스럽게 다시 논할 필요는 없을 것 같습니다. 여기서 한 가지 사항만 첨가하도록 하겠습니다. 블로흐가 피력하는 방대한 학문적 내용들은 상호 주제상의 관련성을 지닙니다. 블로흐는 자유의 나라에 대한 마르크스의 유토피아를 지상의 천국에 관한 기독교적 유토피아와 동일한 맥락에서 파악합니다.

이는 연구 대상 중심주의와는 거리가 먼, 오로지 주제 중심적인 학문 접근
방법과 관계됩니다. 비근한 예로 남한에서 어느 학자가 정치경제학의 내
용을 신학의 내용과 관련시킨다고 가정해 봅시다. 그러면 그는 세인의 비
난을 감수해야 합니다. 왜냐하면 남한에서는 학문적 영역이 제각기 나누
어져 있기 때문입니다. 사람들은 자기 전공이 마치 밥그릇이라도 되는 양,
남이 자신의 전공 영역을 침범하면, 몹시 기분 나빠합니다.

12. 문제는 학제적 연구이다: 이를테면 사회과학자들은 인문과학자들이
오랫동안 연구한 결론만을 자신의 영역에 대입할 뿐, 인문과학자들이 추
구하는 과거, 현재, 그리고 미래를 관통하는 사상적 발전 과정에 대해 더
이상 알려고 하지 않습니다. 이는 마치 제2차 산업에 종사하는 사람들이
제1차 산업에 종사하는 사람들을 무시하는 것과 대동소이합니다. 사회과
학자들은 정확한 자료를 근거로 지금 여기의 문제점만 정확히 밝히고 하
나의 패러다임을 찾아내는 것으로 자신의 임무를 끝냅니다. 그렇기 때문
에 일부의 학자들은 "전문 백치"의 길을 마다하지 않습니다. 어쩌면 인문
학의 경우도 마찬가지일지 모릅니다. 헤겔 전공자는 괴테 혹은 실러에 대
해서 몰라도 되고, 신학자는 마르크스의 정치경제학 혹은 사회학을 외면
해도 괜찮다고 여깁니다. 문헌학자가 법학과 신학을 거론하면, 사람들은
그를 남의 잔치에서 서성거리는 낯선 이방인으로 간주하고 쩨려봅니다.
이로써 모든 학문 영역은 폐쇄적으로 변하고, 토론의 가능성은 사라지고
맙니다. 그러나 블로흐의 철학은 이러한 폐쇄성의 바리케이드를 일거에 무
너뜨립니다. 만약 우리가 블로흐의 신학적 논의에서 신학 외적인 문제를
깨닫거나 철학적 논의에서 철학 외적인 중요 사항을 간파한다면, 우리는
블로흐 사상의 고유한 독창적 상호 연계성을 충분히 납득할 수 있을 것입
니다.

13. 전달, 혹은 염화시중의 미소: 누가 말했던가요, "번역은 반역이다"라고? 학생들을 가르친 경험을 지닌 분이라면 누구나 학생들의 눈빛을 통해서 자신의 강의가 어떠했는가를 금방 알 수 있습니다. 그들은 무언의 미소 내지 눈빛으로 강의에 대한 만족 여부를 표명합니다. 가령 철저하고도 힘든 준비 작업 뒤에 나타나는 명쾌한 강의는 반드시 좋은 결과를 낳습니다. 그러나 대충 준비한 다음의 힘들고 난해한 강의는 항상 뒤가 씁쓸하고 가르치는 자와 배우는 자들의 고개를 절레절레 젓게 만듭니다. 번역도 마찬가지입니다. 한 언어를 다른 언어로 무심결에 옮기면, 번역자는 편할지 모르지만, 독자는 무슨 말인지 몰라 몹시 당황해 합니다. 이와는 반대로 번역자가 원 작품의 내용을 완전히 이해하여 이를 쉽게 풀어 쓰기란 너무나 힘듭니다. 게다가 행과 행 사이에는 (수용미학 연구가, 볼프강 이저Wolfgang Iser가 말한) "빈 공간(Leerstelle)"이 존재하지 않습니까? 다시 말해, 이 세상에 완벽한 이해는 있을 수 없을지 모릅니다. 인간과 인간 사이에는 말과 글이 존재하나, 이것들은 서로 다른 사상 감정을 연결시켜 주고 그것을 재확인시켜 주는 매개체일 뿐입니다. 우리는 공통의 견해를 표방할 수 있지만, 이 경우 그것은 전적으로 일치되는 것은 아닙니다. 그렇다면 염화시중(拈華示衆)의 미소는 사상·감정의 완전한 일치, 완전한 이해를 꿈꾸는 몇몇 사람들의 갈망에 대한 비유란 말일까요?

14. 태평양을 헤엄치는 것 같았다: 약 십 년 동안 나는 태평양 한 모퉁이를 관통하여 헤엄치던 늦깎이 수영 선수였습니다. 물론 그사이에 번역만 행한 것은 아니었습니다. 연금술의 장을 번역할 때 나는 세상을 기독교적 황금으로 정화하려는 경건한 연금술사였으며, 콜럼버스의 장을 번역할 때 나는 애 타는 마음으로 바다 위의 앵무새 떼를 바라보는 집요한 항해사가 되어 있었습니다. 마침내 어느 섬의 해안에서 물을 털고 육지를 대할 때의 감동이란…. 그렇지만 아직 지구를 한 바퀴 돈 것은 아닙니다. 어쩌면 태평

양을 헤엄쳤다는 것은 과장일지 모릅니다. 겨우 해협을 거쳐 하와이에도 도착하지 못한 애송이 주제에 감히 그런 말을 하다니. 그러나 수영은 본격적으로 시작한 셈입니다. 왜냐하면 사상의 보석은 십여 권의 책 속에 여전히 감추어져 있기 때문입니다. 블로흐의 물질론 강의인『물질의 제반 문제』, 4권으로 이루어진『라이프치히 철학 강의』, 두 가지 판본으로 구성된『유토피아의 정신』, 놀라운 헤겔 연구서인『주체와 객체』, 블로흐의 카테고리 이론을 담은『세계의 실험(Experimetum mundi)』, 미완성의 글을 담은『경향성, 잠재성, 유토피아』, 나치의 심리적 근본을 사회학적 관점에서 서술한『이 시대의 유산』,『문학 논문집』,『철학 논문집』, 놀라운 에세이 모음집『흔적들』, 블로흐의 철학적 에스키스에 해당하는『물질의 로고스』 등은 아직도 발굴(번역)되지 않은 사상적 보물이 아닐 수 없습니다.

15. (사족의 말씀)『희망의 원리』일어판: 최근에 일본의 백수사(白水社)라는 출판사는『희망의 원리』를 간행하고 있습니다. 지금까지 나온 책은 2권, 3권, 그리고 5권입니다. 목차를 읽어 보니, 내가 번역한 책의 목차와 자구적으로 거의 동일한 게 아니겠습니까? 나의 번역서가 중역본으로 활용되었는지에 관해서는 직접 확인해 보지 못 했습니다. 이 문제는 언젠가 뜻있는 후학에 의해서 밝혀지게 되겠지요.

에른스트 블로흐의 『유토피아의 정신』

1. 처음부터 끝까지: 블로흐의 사상적 궤적은 시간이 흐름에 따라 서서히 발전 변모한 게 아니라, 20대에 이미 확정되어 있었습니다. 20세기 초에 출현한 블로흐의 사상적 특징은 1960년대 말에 이르러서도 별반 차이를 보이지 않기 때문입니다. 물론 평생에 걸친 피눈물 나는 노력이 그를 위대한 사상가의 반열에 들어서게 한 것은 사실이지만, 블로흐의 사상적 정수는 — 마치 여성들이 처음부터 400여 개의 난자를 가지고 태어나는 것처럼 — 젊은 시절 그의 내면에 잠재되어 있었습니다. 블로흐는 1918년에 뮌헨/라이프치히에서 초판본을 발표하였습니다. 『유토피아의 정신』에서 유토피아는 한마디로 이상 사회 내지 이상 국가에 대한 설계를 고려한 게 아닙니다. 그것은 다음과 같은 원칙으로 이해될 수 있습니다. 다시 말해서, 모든 개인과 모든 존재의 근원 속에는 유토피아의 정신적 · 형이상학적 면모가 도사리고 있다고 합니다. 이를 고려한다면 우리는 블로흐가 국가 소설이라는 유토피아의 모델을 넘어서서 가능성과 갈망의 사고 영역 속에서 유토피아의 특징을 찾으려고 한다는 점을 알 수 있습니다.

2. 블로흐, 폐쇄적으로 차단되어 있는 철의 자본주의 체제에 이의를 제기하다: 블로흐는 20세기 초의 시민사회를 하나의 철제 건물로 비유하였습니

다. 눈먼 자본의 횡포로 인하여 암담할 정도로 폐쇄되어 있는 철제 건축물을 연상해 보십시오. 이러한 건물의 안과 밖에는 어떠한 자연스러운 움직임도, 일말의 생명력도 자리하고 있지 않았습니다. 유대인 출신의 젊은 지식인, 에른스트 블로흐는 당시의 사람들과 마찬가지로 이러한 사회의 군건한 폐쇄성으로 인하여 거의 질식할 것 같은 숨 막힘을 느끼곤 하였습니다. 놀라운 것은 당시에 횡행했던 유럽의 정신과학 내지 사회과학의 학문 풍토 역시 이러한 끔찍한 현재 상태에 대해 아무런 이의를 제기하지 않았다는 사실입니다. 기껏해야 문학의 영역에서 당시의 숨 막히는 상황을 표현주의적으로 드러내었을 뿐입니다. 그래, 당시의 대부분의 학자들은 후기 자본주의의 삶의 양식을 온건하고도 체제 옹호적인 프로테스탄트주의의 시각으로 미화하고 있었습니다. 사회학자 막스 베버를 생각해 보십시오. 베버는 스스로 엄정중립성을 표방하면서 사회를 공정하게 분석한다고 자부하고 있었지만, 젊은 에른스트 블로흐의 눈에는 권력에 완강하게 저항하지 못하는 온건한 백면서생으로 비쳤습니다. 블로흐가 『유토피아의 정신』에서 무엇보다도 막스 베버의 사회학적 논거에 대해서 예리한 비판의 칼날을 겨누게 된 것도 상기한 사회적 · 정치적 분위기와 무관하지 않습니다.

3. 질풍과 노도의 문체: 블로흐는 청춘의 열정과 진보의 분위기로 생동하던 표현주의의 시대에 젊은 시절을 보냈습니다. 당시 프로이센은 늦게 배운 도둑 밤새는 줄 모른다고, 뒤늦게 제국주의 정책에 동참하여 열강들과 경쟁하기 시작하였습니다. 사람들은 전쟁 이데올로기에 혈안이 되어 참전을 부르짖었으며, 로자 룩셈부르크, 카를 리프크네히트 등은 반전 · 평화를 외치다가 베를린의 대로에서 암살당했습니다. 블로흐의 책은 바로 이런 어수선한 전환기인 표현주의 시대에 집필되었으므로, "질풍과 노도"의 문체를 고스란히 담고 있습니다. 에른스트 블로흐는 유토피아의 철학

을 개진하였으며, 이는 나중에 (40년대에 미국에서 집필되어 1959년에 라이프치히에서 완결된) 『희망의 원리』에서 완전한 사상적 형태를 갖추게 됩니다. 그는 동시에 "미적 체험"에 어떤 유토피아의 기능을 부여함으로써 30년대 중엽에 불붙었던 모더니즘 논쟁에 상당히 기여하였습니다.

4. 미적 체험과 자신과의 만남: 미적 체험이란 에른스트 블로흐에 의하면 회화, 문학, 음악 등의 예술 작품을 접하는 인간의 "자기와의 만남(Selbstbegegnung)"으로 설명될 수 있습니다. 블로흐는 자기와의 만남의 진행 과정을 구체적으로 — "장식의 생산"이라는 제목을 지닌 — 빈센트 반 고흐의 그림으로 설명합니다. 예술 작품을 감상하는 자는 그림의 한가운데 위치하고 있으며, 그곳에서 자신을 발견합니다. "우리는 갑자기 그림 속에 있었고, 바로 이 모습이 순식간에 그려졌습니다." 이로써 예술 감상자와 예술적 대상 사이에는 어떠한 차이 내지 간극이 자리하지 않게 된 것입니다. 미적 체험은 예술 작품을 마치 하나의 거울로 만들고, 그 속에서 인간은 자신의 미래를 발견하게 됩니다.

5. 예측된 상 속에 담겨 있는 주관적 예견: 미적 체험은 (인간이 맞이할지 모르는) 현실적 상을 통해서 예술 작품 속에 미래상을 전달하게 기능합니다. 이로써 예술적 (가)상은 멀리 떨어진, 그러나 도달할 수 있는 어떤 미래로 향해 있습니다. 유토피아의 주관적 예견은 예술 작품에서 객관적으로 실현될 수 있는 모습으로 재현됩니다. 여기서 유토피아란 하나의 문학적 장르도, 그렇다고 해서 사회학적 개념도 아닙니다. 그것은 블로흐에 의하면 오히려 현실의 단순한 반영을 뛰어넘으려는 인간의 의지로 이해될 수 있습니다. 바로 이러한 주관적 의지로 인하여 미적 체험은 결국 유토피아의 기능을 발휘하게 되는데, 그것은 또한 어떤 가능한 미래에 스스로 영향을 끼치려는 하나의 창조적 동기를 지니게 됩니다. 미적 체험은 나중에 블로

흐의 예술론이라고 말할 수 있는 예측된 상 내지 "선현(Vorschein)"을 형성시키는 모티프가 됩니다.

6. 갈망과 꿈 그리고 비극: 일단 『유토피아의 정신』의 내용을 약술해 보기로 하겠습니다. 첫째로 문학에 관한 장, 「우스꽝스러운 영웅」은 세르반테스의 돈키호테를 심도 있게 분석하고 있습니다. 여기서 블로흐는 사적인 유토피아, 다시 말해 단순한 꿈들, 주어진 현실을 비판적으로 반추하려는 노력을 담지 않은 사고를 예리하게 비판합니다. 그 밖의 내용은 게오르크 루카치와의 의견 대립 그리고 비극에 관한 루카치의 내적 입장에 대한 반론 등으로 이루어져 있습니다. 비극이란 블로흐에 의하면 관객들에게 거역과 저항의 정서를 불러일으킵니다. 이러한 정서는 결국 사람들로 하여금 "친절함의 선험철학 그리고 현존재의 신적 충만함"을 지향한다고 합니다.

7. 고통당하거나 갈구하는 인간에게 가장 절실하고 직접적인 예술 양식은 무엇보다도 음악이다: 블로흐는 바흐로부터 구스타프 말러와 슈트라우스에 이르는 음악 이론 및 음악사를 토대로 하여, 자신의 고유한 「음악의 철학」을 발전시킵니다. 음악이란 블로흐에 의하면 미학의 영역 속에 있는 유토피아적 요소를 가장 이상적으로 전해 주는 매개체입니다. 음악 속에 "들리는 음성"은 인간의 "역사적 · 내적 방향"을 보여 주기에 가장 적합한 것이라고 합니다. 이는 그림(미술)과 글(문학)에 비할 바 아니라고 합니다.

8. 거역과 저항 그리고 마르크스주의: 그럼에도 블로흐는 자신의 미적 개념이 오로지 미학의 영역에 국한되어 이해되지 않기를 바랍니다. 미적 체험과 미의 개념은 — 「카를 마르크스, 죽음, 그리고 묵시록」에서 기술되어 있듯이 — 역사적 · 정치적 사회 과정에 원용되는 무엇이라고 합니다. 따라

서 아름다움의 개념은 블로흐에 의하면 참다움과 선함과 결부될 때 비로소 제 기능을 수행한다는 것입니다. 이를테면 예술적 혁명이 진선미의 결합으로 설명될 수 있다면, 정치적 혁명은 평등사상(마르크스주의)의 실천이라는 것입니다. 블로흐의 이러한 미학 이론은 표현주의의 차원에 국한되지 않고, 러시아혁명의 철학과 결부될 수밖에 없었습니다. 왜냐하면 인간의 끝없는 도전 정신 내지 프로메테우스의 격노함의 감정은 1918년 전선에서 돌아온 무산계급의 항거로 표출되었기 때문이라고 합니다.

9. 부설, 문헌학적 특징: 블로흐의 『유토피아의 정신』은 1923년에 그리고 1964년에 다른 판으로 발표되었습니다. 그렇다고 해서 작품의 기본 골격이 완전히 뒤바뀐 것은 아닙니다. 1923년도 판은 비교적 긴장감을 지닌 조직적 구도를 지니고 있습니다. 특히 「이 시대의 사상적 분위기에 대하여 (Über die Gedankenatmosphäre dieser Zeit)」라는 장은 1923년도 판에서는 생략되어 있습니다. 1964년도 판은 1923년도 판을 약간 개작한 것입니다. 작품은 때로는 격정적으로, 때로는 비약적으로, 때로는 예언자적 어조로 기술되어 있습니다. 그럼에도 불구하고 『유토피아의 정신』은 이후의 저작물에 비해서 일관된 내용을 보여 주고 있습니다. 1964년도 판의 후기에서 블로흐는 이 책이 자신의 사상을 예견하는 의향을 지니고 있었다고 술회한 바 있습니다. 『유토피아의 정신』은 표현주의 출현 당시 열광적으로 찬사를 받았습니다. 그러나 그의 발언은 음악 비평가들의 반론에 부딪히기도 했습니다. 이 책은 나중에 신비로우며 비약적인 언어 구사 때문에 독자들에게 거부반응을 불러일으켰습니다. 그러나 예술의 유토피아적 입장은 나중에 아도르노의 『미학 이론』에 커다란 영향을 끼쳤습니다. 비록 그의 이론이 아도르노에게서 비판적으로 수용되긴 했지만 말입니다.

에른스트 블로흐의 『유토피아의 정신』(제2판)

1. 유토피아의 정신은 두 가지 서로 다른 판본으로 구성되어 있다: 에른스트 블로흐의 대표작 가운데 하나인 『유토피아의 정신』 제2판은 20세기 초의 유럽을 염두에 두면서, 시대와 예술에 관한 명상을 반성적으로 기술하고 있습니다. 블로흐가 쓴 대부분의 글이 그러하듯이, 이 책 역시 짧은 단상으로 시작됩니다. 블로흐는 예컨대 항아리, 유리, 그리고 가구 등과 같은 가시적이고 지엽적인 사물들을 다루면서, 자신의 생각을 단편적으로 개진해 나갑니다. 뒤이은 논의는 예술에 대한 개념적인 해명입니다. 이로써 우리는 다음의 사항을 확인할 수 있습니다. 즉, 블로흐는 주어진 연구 대상을 체계적으로 정리하여 객관적인 틀로써 양식화하는 사상가가 아니라, 주어진 일상의 사물로부터 깊은 새로움을 도출해 내는 사상가에 속한다고 말입니다. 이로써 그는 모든 것을 체계화시키는 루터, 헤겔 등의 서술 방식 대신에, 사소한 무엇에서 깊은 의미를 찾아내는 카발라 신비주의자 내지 에크하르트 선사의 방식을 학문의 수단으로 채택하고 있습니다.

2. 예술의 두 가지 특성: 블로흐는 예술을 철학적으로 논하면서 예술의 두 가지 특성을 일차적으로 구분하고 있습니다. 그 하나는 예술의 "목적 형태(Zweckform)"이며, 다른 하나는 "넘쳐흐르는 예술적 표현

(ausdrucksvolle Überschwang)"입니다. 전자는 실천적 생산 원칙으로서 예술 작품을 생산하게 된 예술가의 직접적 계기 및 생업을 위한 수단으로 이해될 수 있습니다. 이에 비하면 후자는 미적 생산 원칙으로서 작품 속에 훌륭하게 형상화된 예술적 표현을 지칭합니다. 블로흐에 의하면, 과거의 예술은 상기한 두 가지 원칙들이 서로 혼합되어 있습니다. 그러나 현대인들은 예술적 생산의 계기로서의 목적 형태를 "넘쳐흐르는 예술적 표현"으로부터 분리시킬 수 있습니다. 이를 가능하게 한 것은 다름 아니라 과학기술의 발전입니다. 기술 문명의 발전은 예술 작품의 실천적 생산 원칙과 미적 생산 원칙을 분리시키도록 작용합니다. 왜냐하면 예술은 기술 발전을 통해서 특정한 사람뿐 아니라 만인을 위해 제 기능을 다할 수 있게 되기 때문입니다.

  3. 예술의 역사, 그것은 갈구하는 인간이 찬란하게 만들어 낸 유산의 과정으로 이해될 수 있다: 이어지는 장에서는 예술의 역사에 관한 내용이 거론되고 있습니다. 첫 번째, 고대 그리스 예술은 행복 추구의 균형 감각을 반영하고 있습니다. 그것은 바로 "삶과 엄밀성 사이에 도사리고 있는 이른바 행복 추구의 균형 감각"입니다. 이에 대립되는 것은 두 번째 고대 이집트의 예술입니다. 고대 이집트인들은 "돌과 같은 기하학적인 죽음의 경직된 상"을 열광적으로 추구하였습니다. 여기에는 자신의 유한한 삶을 말하자면 어떤 무한한 죽음 이후의 세계와 동질적인 것으로 파악하려는 이집트인들의 내세관이 반영되어 있다는 것입니다. 나중에 예술적인 형이상학적 상의 세 번째 형태가 출현하게 됩니다. 그것은 바로 "마치 부활과 같은 새로운 변화된 삶을 갈구하는 고딕 형식"을 가리킵니다. 나중에 블로흐는 『희망의 원리』에서 이집트의 피라미드와 중세의 고딕 건축물에 반영된 생명의 나무의 정신을 모든 건축의 모범적 범례라고 규정하였습니다.

4. 변화, 해방, 그리고 유토피아: 상기한 사항과 관련하여 블로흐는 표현주의라는 예술 사조를 "고딕의 선험적 정신을 그대로 간직한 하나의 형태"라고 단언합니다. 그 이유는 다음과 같습니다. 즉, 표현주의와 고딕은 자아의 어떤 종교적이고 형이상학적인 초월을 강력하게 갈구한다는 것입니다. 다시 말해서, 그것들은 한결같이 아직 완성되지 않은 공동체의 기본적인 비밀을 시사해 주고 있습니다. "자기 자신의 변화," "우리 존재 속에 도사린 비밀" 내지 "우리에 관한 문제" 등은 블로흐의 핵심적 개념으로 이해될 수 있습니다. 블로흐는 이러한 개념을 거론함으로써 자아라는 협소한 영역으로부터 탈출하고, 부자유로부터 해방(Exodus)되어, 마침내 신을 섬기는 공동체로서의 묵시론적 공동체 내지는 유토피아로서의 자유의 나라로 향할 수 있다고 주장합니다. 스스로 은폐된 자아는 여전히 자신 속에 숨어 있을 뿐 바깥에서 활개 치지 못하고 있습니다. 만약 그가 상기한 방식으로 해방된다면, 자아는 마침내 인간의 면모를 지니게 되리라고 합니다. 블로흐는 기존하는 세계를 변화시키기 위해서는 무엇보다도 자아의 해방을 통해서 역사 전체가 전복되는 게 중요하다고 믿고 있습니다. 역사는 블로흐에 의하면 "그리스도의 삶을 마지막으로 실천하는 오메가의 공동체"로 향해 나아가는 무엇입니다.

5. 구성될 수 없는 질문의 형체로서의 음악: 블로흐는 「음악의 철학」이라는 상당히 방대한 장에서 예술적 장르 가운데 특히 음악의 장르를 강조합니다. 음악은 부자유의 질곡을 벗어나서 해방으로 나아가게 하는 갈망의 고유한 특성을 지니고 있다는 것입니다. 음은 문학에서 나타나는 단어들과는 달리 그 자체로는 아무런 의미를 담지 않습니다. 음이라는 순수성과 빈약한 의미론적 차원을 견지한다는 점에서 음악은 다음의 사항을 가능하게 합니다. 즉, 음악은 오래 전부터 어떤 다른 진리를 찬양하고, "구성적 환상"을 떠올리게 해준다는 것입니다. 따라서 블로흐는 모든 예술 가운데

가장 원초적이고 새로운 철학을 제시하는 장르로서 음악을 꼽고 있습니다. 음악이 지향하는 미지의 무엇은 결국 철학의 영역에서 거론되는 "구성될 수 없는 질문의 형체"로 이해될 수 있으며, 나아가 "우리는 우리를 어떻게 이해하는가?"라는 물음과도 관계됩니다.

6. 문제는 주체의 자연스러운 노력과 희망의 자세이다: 상기한 내용을 통하여 블로흐는 이러한 문제의 윤리적·인식론적 입장을 그대로 드러냅니다. 블로흐에 의하면, 헤겔은 범논리적 조직 체계를 너무 일찍, 너무 성급하게 완성한 철학자이며, 칸트는 순수이성, 특히 실천이성의 제한된 가능성을 서술할 때 존재와 당위를 너무 확고하게 구분하려 했다고 합니다. 그렇기 때문에 도덕적 요구의 논리학으로 향한 길 그리고 시대의 진정한 주관적 윤리의 형이상학으로 향한 길 등은 신으로부터 멀리 동떨어지게 되었다는 것입니다. 이로 인하여 칸트가 가상적으로 떠올린 정언적 명제는 현실에서 실현될 수 없는 것처럼 보이게 되었다고 합니다. 그렇지만 칸트의 정언적 명제 속에는 어쩌면 미래의 희망으로서의 "아직 아니다"가 도사리고 있는지 모릅니다.

7. 문제는 사물의 핵심을 관찰하지 못하는 너 자신에게 있다: 그렇지만 인간은 여전히 스스로 갈피를 잡지 못하고 있습니다. 인간 동물은 기억과 예언 사이에서 서성거리지 않습니까? 인간은 스스로 자신이 바라보지 못하는 어떤 맹점(盲点) 속에, 충만한 삶의 순간이라는 어둠 속에 도사리고 있습니다. 바로 이러한 문제를 해결하는 게 철학의 가장 중요한 관건이라고 합니다. "우리 자신에 대한 질문이 유일한 문제이다. 그것은 가치에 관한 모든 문제를 결합시킨 것이며, 자신과 우리에 관한 모든 문제가 하나로 요약된 것이다. 이에 대한 해결은 철학의 기본 원칙에 대한 궁극적 해명이 아닐 수 없다."

8. 자유의 나라, 묵시록, 그리고 마지막 장소로서의 고향: 『유토피아의 정신』의 마지막 장에는 "카를 마르크스, 죽음, 그리고 묵시록"이라는 제목이 붙어 있습니다. 여기서 블로흐는 넓은 범위에서 마르크스의 경제 이론이 끼친 성과를 높이 평가합니다. 마르크스의 이론은 더욱더 완전한 국가를 낳게 하기 위한 초석이 되었다는 것입니다. 그렇지만 블로흐는 마르크스의 무신론적이고도 현세 지향적인 입장 대신에 "자유의 나라"라는 진정한 형이상학적 이데올로기를 내세웁니다. 바로 이러한 자유의 나라에서 인간은 비로소 자신을 발견할 수 있으며, 자유를 실현할 수 있다고 합니다. 자유의 나라는 묵시록의 특성을 표방하고, 유토피아적 의미에서의 마지막 상태를 가리킵니다. 역사 내지 과정으로서의 세계는 ─ 마지막에는 절대적 목표로 귀결된다는 전제하에서는 ─ 어떤 절대적인 전체성 속에서 자신의 메타 우주적인 경계선을 분명히 긋게 되리라고 합니다.

에른스트 블로흐의
『혁명의 신학자 토마스 뮌처』

1. 거역하고 저항하는 프로메테우스, 혁명의 신학자: 에른스트 블로흐의 뮌처 전기 작품 『혁명의 신학자 토마스 뮌처(Thomas Münzer als Theologe der Revolution)』는 1921년에 간행되었습니다. 우리는 이 작품을 블로흐의 초기 작품 『유토피아의 정신』에 실린 역사철학에 대한 역사적 증거물이라고 명명할 수 있습니다. 토마스 뮌처는 블로흐에 의하면 천년왕국을 실현하려던 개혁적 신학자이자 1525년 독일 농민 혁명의 주동자입니다. 그렇기 때문에 그의 이상은 블로흐의 신비적·유토피아적 사회주의에 대한 입장과 밀접한 유사성을 지니고 있습니다.

2. 전기를 넘어서는 전기: 토마스 뮌처가 지니고 있는 사회혁명적·신학적 사고는 종교적 천년왕국설과 사회주의를 서로 결합시키려는 블로흐의 고유한 의향을 반영하고 있습니다. 이러한 점을 고려할 때, 블로흐의 뮌처 연구는 하나의 역사적 작품일 뿐 아니라 역사철학적·종교철학적 작업으로 이해될 수 있습니다. 그렇기에 블로흐의 책은 한 인간의 생애를 다룬 전기의 차원을 넘어서고 있습니다. 맨 처음 블로흐는 1490년에서 1525년까지의 토마스 뮌처의 변모 과정, 그의 출신, 학창 시절, 그리고 브라운슈바이크, 츠비카우, 알트슈테트 등지에서의 목회자로서의 활동 등을 추적

합니다. 1523년경에는 뮌처의 사상의 실천이 이루어집니다. "뮌처는 바로 이 시기부터 본질적으로 계급을 의식하는, 혁명적 천년왕국설을 굳게 신봉하는 공산주의자가 된다."

3. 루터는 먹물, 그 이상도 그 이하도 아니었다: 블로흐는 토마스 뮌처가 어떻게 루터를 비판했는가를 서술합니다. 마르틴 루터는 뮌처에 의하면 오로지 성서에만 의존하고, 오로지 성서 해석에만 골몰했을 뿐이라고 합니다. 그렇기 때문에 루터는 "신으로부터 선택받은 자들에게 지속적으로 광명을 던지려고 애썼을 뿐"입니다. 마르틴 루터는 자신의 목숨을 위해서 변절한 다음 지배계급을 옹호하였고, 급기야는 무장봉기를 일으킨 농민들을 강도 내지는 역적의 무리라고 기술하였습니다. 마르틴 루터는 결국 농민을 배반했으며, 스스로 "제후 계급을 돕는 하수인"이 되었습니다. 이렇게 함으로써 마르틴 루터는 제후들이 바라는 대로 변절하였다고 합니다. 그렇다면 어째서 면죄부 발급이라는 불법을 95개조의 반박문으로 고발한 정의의 사도인 마르틴 루터가 불과 몇 년 사이에 수구적·체제 옹호적인 지식인으로 급선회하였을까요? 블로흐는 이에 관해서 한 가지 사항만을 암시합니다. 즉, 루터는 보름스 성당에서 죽음에 대한 극심한 두려움에 사로잡혔는데, 이것이 그로 하여금 안락한 삶의 길을 택하게 했다는 것입니다. 블로흐는 루터 대신에 뮌처를 옹호합니다. 뮌처는 지식인의 길을 마다했습니다. 그에게 중요한 것은 성서가 아니라, 기도를 통한 영성적 가르침이었습니다. 실제로 그의 행적은 가난한 사람들을 교화하고 그리스도의 삶을 본받아 이를 실천하는 설교자의 길과 다를 바 없습니다. 말하자면 뮌처가 지니고 있는 신비주의적 천년왕국설이라는 혁명의 신학 그리고 타협을 원치 않는 뮌처의 정치적 자세 등은 사회주의의 유산과 다름이 없다는 것입니다.

4. 정의를 실천하는 자는 고통을 감내해야 한다. 세상이 죄악으로 오염되어 있기 때문이다: 이 책의 제2부는 독일 농민전쟁 당시 토마스 뮌처의 역할, 농민 혁명의 실패, 그리고 추종자들과 함께 생을 마감해야 했던 뮌처의 비극적 최후 등을 간략하게 기술하고 있습니다. 뮌처의 아내, 오틸리에 폰 게르젠은 만삭의 몸으로 농민전쟁 당시에 정규군에 의해서 겁탈당하고 맙니다. 이후 그미는 정신착란증을 일으킨 뒤에 수녀원으로 들어가서 겨우 목숨을 부지하였습니다. 몇 달 후에 오틸리에 폰 게르젠은 아기를 낳았습니다. 그러나 사람들은 토마스 뮌처를 처형하는 것으로 부족하다고 판단했습니다. 더 이상 농민들이 반란을 일으키도록 하지 않으려면, 뮌처의 모든 가족, 즉 삼족을 멸해야 한다고 여겼기 때문입니다. 그럼에도 뮌처의 자손들은 끝내 살아남게 됩니다. 그들은 당국의 이어지는 탄압 속에서 살아남기 위해서, 자신들의 이름을 "뮌첼(Münzel)"로 개명하였다고 합니다.

5. 카를 카우츠키에 대한 비판: 블로흐는 토마스 뮌처의 테마를 사회주의적 시각으로 다루고 있습니다. 그렇지만 그는 예컨대 카를 카우츠키를 비판하며 다음과 같은 견해를 제기합니다. 첫째로, 누군가 제반 역사적 현상을 분석할 때, 경제학적인 관심사만으로는 충분하지 않다는 것입니다. 그런데도 카우츠키는 경제적 생산양식과 계급 문제를 부각시켜서, 독일 농민 혁명을 계급 혁명이 아니라 종교개혁의 차원에서 서술했다고 합니다. 둘째로, 종교는 블로흐에 의하면 하나의 순수한 상부구조의 현상으로 못박고, 이를 정치경제학으로부터 구분시킬 수는 없다고 합니다. 왜냐하면 종교적 열정 속에도 어떤 유토피아의 잠재성, 다시 말해서 사회적 변화를 불러일으킬 수 있는 동력이 자리하기 때문이라고 합니다. 마르크스 역시 이를 정확하게 간파하지 못했습니다. 왜냐하면 마르크스는 종교가 지니고 있는 체제 옹호적 권위를 무너뜨리는 일을 우선적으로 생각한 나머지, 믿음이 가져다주는 신앙인의 엄청난 에너지를 제대로 간파하지 못했다는 것

입니다. 블로흐는 이어서 다음과 같은 견해를 피력합니다. 즉, 교회는 예수 그리스도와 세계의 권력자 사이에서 필연적으로 타협하였다는 것입니다. 천민과 가난한 자들을 위한 복음은 권력자에게는 항상 적대적으로 비치기 때문에, 교회의 존립을 위해서 그리스도의 말씀을 체제 옹호적으로 수정했다고 합니다. 이와 관련하여 블로흐는 루터, 뮌처, 칼뱅, 그리고 갈등에 대한 가톨릭주의의 해결책 등을 비판적으로 구명하고 있습니다. 마지막으로 기독교와 세속적 권력 사이의 편안한 타협을 허용하지 않는 신비적·민주주의적 천년왕국설 등은 무엇보다도 긍정적으로 평가되어야 할 사상적 조류라고 합니다.

6. 천민에게 다가가는 종교, 기독교: 블로흐는 토마스 뮌처의 설교와 그의 실천 행위 등을 매우 중시합니다. 왜냐하면 그 속에는 가난과 억압에 처절하게 대항하는 농부와 광부들의 반역의 정신 그리고 보다 심원한 원시 기독교적인 희망이 도사리고 있기 때문입니다. 자고로 기독교는 누구보다도 가난하고 못 배운 사람들에게 가까이 다가가려는 종교입니다. 이와 관련하여 뮌처는 만인이 하나님의 의지에 귀를 기울이고, 그것을 실천하는 수단 및 가능성을 품을 수 있다는 사실을 강조합니다. "부활 (…) 마음의 황폐함으로부터 신의 말씀을 열심히 기대하는 태도를 견지하는 일, 이러한 부활이야말로 외부적이자 형이상학적인 형체 속에 담긴 의미일 것이다." 아닌 게 아니라 뮌처와 그의 추종자들은 복음을 믿는 자들에게 직접적인 방향을 제시하였습니다. 그것은 다름 아니라 종말의 시간에 상승하는 묵시록의 기대감을 가리킵니다. 그러나 이러한 기대감은 모든 혁명의 메타 정치적이고 메타 종교적인 원칙에 의해서 자양을 얻고 있다고 합니다. 블로흐의 책은 어떤 사회혁명적·종교적 낭만주의의 열정으로 끝을 맺고 있습니다. "이렇듯 국가는 우리에게 악마의 모습을 나타내지만, 신의 아들이 누리게 될 자유는 하나의 실체 내지 본질일 것이다. 기독교인 토마

스 뮌처의 내면에 도사린 반역은 우리 주위를 환하게 빛나게 하고, 우리의 의지를 더욱 결속시키게 만들 것이다.”

7. 블로흐의 유연하고 독자적인 역사철학적 관점: 블로흐는 먼 훗날 “뮌처의 서적”이 지니고 있는 의미를 약간 낮추어서, 어쩌면 비판적인 어조로 경미한 것으로 지적하였습니다. 『토마스 뮌처』는, 방법론적으로 성숙된 면모를 지닌 대작 『희망의 원리』의 관점에서 본다면, 하나의 척도 내지는 미리 내세운 입장 표명이라고 말할 수 있습니다. 그렇지만 뮌처의 서적은 독자적인 역사철학의 내용을 담고 있습니다. 다시 말해, 블로흐는 역사주의의 결함을 극복하고, 현재의 시각에서 과거의 사실을 비판적으로 규명하려는 의도를 분명히 설정합니다. 역사주의는 과거의 사실을 밝히는 것을 역사학의 목표라고 규정하는 태도를 가리킵니다. 마이네케 방식의 역사주의는 주어진 현실과 단절되고, 미래에 대한 아무런 관련성을 찾지 않고 있다는 비판을 듣게 됩니다. 그러나 블로흐는 현재의 문제점을 분명하게 구명하기 위해서 역사를 추적하는 작업을 선호합니다. 과거의 사실에 대해 무작정 현재의 판단이라는 잣대를 들이대는 게 아니라, 비판적 관점에서 역사를 찾아서 해석하려는 게 블로흐의 태도입니다. 가령 블로흐는 마르크스주의자들이 무작정 시민주의의 유산을 외면할 게 아니라, 그 가운데 좋은 것이 있다면 그것을 부분적으로 구출해야 한다고 주장하였습니다. 이러한 태도는 서구 내지 동구의 좌파 지식인들에게 전하는 바가 큽니다. 어쩌면 『유토피아의 정신』보다 오히려 『혁명의 신학자 토마스 뮌처』가 블로흐 자신의 마르크스주의에 대한 인식에 더 커다란 자극제로 작용한 게 분명합니다.

8. 천년왕국과 유토피아의 관련성에 관한 논의: 블로흐의 『토마스 뮌처』는 1920년대에는 “묵시록의 방식으로 구명한 공산당 선언”이라는 혹평을

받았습니다. 그러나 카를 만하임(Karl Mannheim), 알프레트 도렌 등의 블로흐 연구서는 다음의 내용을 예리하게 지적하고 있습니다. 즉, 비록 블로흐가 당파적이기는 하지만, 토마스 뮌처의 천년왕국설의 현상에 나타난 어떤 본질적인 요소를 분명하게 거론하고 있다는 게 바로 그 내용입니다. 그러나 몇몇 종교 연구가들은 다음과 같이 논평하고 있습니다. 즉, 블로흐는 60년대에 이르러 토마스 뮌처의 전기를 다시 간행하게 했는데, 여기서는 최근의 뮌처에 관한 신학적 연구 결과가 충분히 고려되지 않았다는 것입니다.

문학과 환상에 관한 12개의 고정관념

1. 환상이란 헛된 상인가?: 21세기 초 한국에서 환상이 유행하고 있습니다. 더욱이 정보산업의 발달은 환상에 보다 적절한 사이버공간을 마련해 줄 뿐 아니라, 현실도피적 삶의 양태에 정당성을 부여하고 있는 듯합니다. 우리가 유행의 계기와 이유를 모조리, 동시적으로 해명하는 작업은 복잡하고도 난해합니다. 왜냐하면 개개인마다 지향하는 바가 다를 뿐 아니라, 관심사와 수준 역시 편차를 보이고 있기 때문입니다. 나아가 동시대인으로서 이 문제를 제반 이해관계로부터 벗어나 공정하게 평가하기란 너무나 어렵습니다. 필자는 "환상을 추구하는 동시대인들의 태도"에서 어떤 보편적 특성을 — 적어도 현재로서는 — 발견할 수는 없습니다. 대신에 환상의 기능 및 문학에 담긴 환상의 특성을 최소한 몇 가지 테제들로 약술할 수는 있을 것 같습니다.

2. 환상은 문학적 소재가 아니다. 문학이 바로 판타지이다: 지금까지 환상의 개념은 미시적으로 하나의 문학적 소재 내지는 용어로서 설명되었습니다. 예컨대 환상이란 이른바 리얼리즘과 반대되는 창작 기술적인 특성이라고 합니다. 가령 몽환적 특성, 현실을 초월하려는 꿈과 동화의 내용은 서구의 경우 낭만주의 문학과 문예학에서 주도적으로 나타났다는 것입니

다. 그리하여 환상 문학은 사실 문학 내지는 리얼리즘과 구분되므로, 이른
바 미메시스(Μίμησις)의 반대되는 특성을 지닌 개념으로 규정되곤 하였습
니다. 그러나 환상은 문학적 소재 내지는 용어의 차원을 넘어서, 그 자체
문학의 본질을 밝혀 주는 개념입니다. 환상 속에는 — 허구성과 진실성을
동시에 지닌다는 점에서 — 문학의 본질적 특성이 도사리고 있습니다. 문
학이 가상과 진리의 아포리아라고 단언할 수는 없지만, 문학 속에는 판타
지의 속성이 부분적으로 내재해 있는 것은 사실입니다. 필자의 견해에 의
하면, 판타지는 문학의 소재가 아니라, 문학 자체가 판타지입니다. 문학은
가능성, 다시 말해 있을 수 있는 이야기를 다룬다는 점에서 무엇보다도 환
상의 거대한 요소를 포괄하고 있습니다.

  그렇다면 (본질이 아니라) 창작 원칙으로서 거론되는 리얼리즘의 문학은
어떠할까요? 혹자는 리얼리즘 문학이 환상과 전혀 무관하지 않는가 하고
반문할지 모릅니다. 문학적으로 형상화된 현실은 일견 주어진 현실과 무
척 유사하나, 두 개의 현실은 결코 동일하지 않습니다. 가령 르포르타주
문학을 생각해 보세요. 르포 작가의 창작 이유가 주어진 현실 묘사에만 국
한되지는 않습니다. 게다가 문학적으로 형상화된 현실 속에는 작가(혹은
최소한 등장인물)의 고뇌와 희망이 경미하나마 반영되어 있지 않습니까? 문
학이 본질상 현실을 초월하려는 속성을 내재하고 있는 한 "환상 문학"이
라는 용어는 엄밀히 말해 동어반복적 오류를 그대로 드러내고 있습니다.

  3. 미메시스는 환상에 반대되는 개념인가?: 캐스린 흄은 환상을 미메시스
와 반대되는 개념으로 설명합니다. 환상이란 흄에 의하면 (자연과 작품 내용
사이의 동질성을 가리키는) 이른바 "등치적 리얼리티로부터의 일탈"이라고
합니다. 그러니까 환상이란 미메시스로부터의 일탈이요, 나아가 리얼리즘
으로부터의 일탈이라고 합니다.

  미리 말하자면 환상은 미메시스와 같은 소개념으로 다루어질 수 없습

니다. 마찬가지로 리얼리즘 역시 미메시스로 축소될 수 없습니다. 왜냐하면 그것은 "모방"뿐 아니라, "추종(Ζελος)"의 기능을 중시하기 때문입니다. "젤로스(추종)"는 정적이고 시각적인 "미메시스"와 구분되는 동적이고 가상적인 개념입니다. 그러니까 그것은 (작가가 모범으로 삼아야 할) 모델의 정신 속에서 추론되는 방식을 따르는 제반 행위를 지칭합니다. 여기서 "모델의 정신"이 과연 작가가 머릿속에서 이상적으로 파악하는 하나의 상인가 아니면 특별히 사숙해야 할 특정 작가인가? 이 물음에 관해서는 아직도 의견이 분분합니다.

　분명한 것은 다음의 사항입니다. 즉, 학자들은 지금까지 리얼리즘을 논의하면서 "추종"의 개념을 거의 무시했다는 점입니다. 예컨대 루카치 같은 학자는 미메시스를 중시하여, 리얼리즘의 창작 기술 내지는 방법론에 비중을 두었습니다. 이로써 토마스 만, 발자크, 레오 톨스토이 등의 문학은 어느 정도 해명될 수 있지만, 카프카, 스탕달, 도스 파소스 등의 문학은 미메시스 개념으로부터 벗어나고 있습니다. 만약 "젤로스" 속에 작가가 추종하고 모범으로 삼아야 할 이상적 작가상 및 세계관이 담겨 있다고 가정한다면, 이는 우리에게 두 가지 중요한 사항을 가르쳐줍니다. 첫째, "추종"의 개념은 오늘날 출구가 차단되어 있는 리얼리즘 문학의 방향에 어떤 활로를 찾게 해줄 것입니다. 둘째, 그것은 블로흐가 언급한 낮꿈이라든가 유토피아의 요소를 포함하고 있다는 점에서 환상의 특성을 부분적으로 내재하고 있습니다. "미메시스"가 가능성을 내재하고 있는 유토피아 문학을 포괄할 수 없다면, 우리는 "젤로스"를 빌어서 이를 밝혀낼 수 있을 것입니다. 과연 "젤로스(추종)" 속에 담긴 가상적 상의 구도는 환상과 어떤 관계를 지니고 있을까요? 이에 관해서는 별도의 연구가 필요합니다. 그렇지만 분명한 것은 다음과 같습니다. 즉, 환상은 미메시스와 대립되는 게 아니라, 미메시스 나아가 리얼리즘마저 포괄한다는 점 말입니다.

4. 문학과 환상은 일차적으로 유희적이고 현실도피적인 기능을 수행한다
(환상의 부정성 1): 문학은 (기원을 고려할 때) 두 가지 서로 배타적 기능을 지니고 있습니다. 그 하나는 유희적이자 현실도피적인 기능이요, 다른 하나는 "기존 질서"를 파괴하는 기능 내지 그것을 비판하는 기능입니다. 첫 번째 사항을 집중적으로 언급해 봅시다. "유희적 인간(Homo ludens)"의 어원은 우리에게 많은 것을 시사합니다. 고대 리디아의 폭군은 중우정치(衆愚政治)의 일환으로 식민지 사람들로 하여금 축제 및 연극 등을 거행하게 하였습니다. 술과 광란에 찌든 리디아 사람들에게는 독재와 폭정에 대해 생각할 겨를이 없었습니다. 그러니까 특정한 문학과 예술은 일시적으로 인민을 바보로 만드는 데 기여했습니다. 축제와 연극에 관한 이러한 비유는 문학예술의 기원과 직접적 관련성을 지니지는 않으나, 문학예술의 유희적, 현실도피적 경향을 암시합니다. 현실과 직접 관련되지 않는, 칸트(Kant)의 미의 개념 "목적 없는 합목적성"을 생각해 보세요. (선악이 공존하는) 주어진 현실과 무관한 미의 개념은 이미 프리드리히 테오도르 피셔(Fr. Th. Vischer)에 의해 공식화되었으며, 카를 프리드리히 로젠크란츠(K. Fr. Rosenkranz)에 의해 변증법적 "추(醜)"의 개념으로 돌변하기도 했습니다.

예술적으로 형상화된 현실은 주로 시민사회에서 주어진 현실과 무관한 것으로 간주되었으며, 주어진 현실을 간접적으로 비판하기 위해 설계된 추상적 이상을 그린 작품은 처음부터 비난당했습니다. 가령 아리스토파네스의 「새」를 생각해 보세요. "꿈나라"의 상은 일차적으로는 유희적이자 현실도피적인 상에 불과했습니다. 아리스토파네스는 관료주의의 시각에서 그곳에 담긴 굶주림과 강제 노동에 시달리는 자들의 내적인 욕망을 이해하지 못하고, "꿈나라"를 그저 비아냥거리기만 했습니다.

5. 문학은 삶의 대리적 기능을 담당하는가(환상의 부정성 2): 문학의 유희적, 현실도피적 특성은 무엇을 뜻할까요? 마치 대중 잡지라든가 통속소설

처럼, 본격 문학작품도 (부분적 측면에 있어서는) 일상 삶을 대리 만족시키는 매개체로 이해될 수 있습니다. 이 경우 문학은 일상적 권태로부터 벗어날 수 있는 수단에 불과하며, 기껏해야 삶을 보충하고 대리하는 역할밖에 수행하지 못할 것입니다. 이는 ― 유감스럽기는 하지만 ― 어쨌든 문학의 기능 가운데 하나입니다. 그러나 문학보다도 더 중요한 것은 인간 동물의 삶이요, 평화 공존입니다. 자고로 짖는 개는 물지 않는 법입니다. 짖지 않는 개가 예기치 않은 순간에 주인을 물어뜯지요. 그러니까 삶이 행위 내지는 실천에 비유될 수 있다면, 문학은 말과 글로 비유될 수 있습니다. 말과 글은 근본적으로 행위와 실천에 종속됩니다. 그 때문인지는 몰라도 문학은 실제 역사 속에서 권력과 금력에 봉사하고 굴복당해 왔습니다.

당연한 말이겠지만 문학의 사회적 영향력은 경미합니다. 물론 예외도 있습니다. 예컨대 『엉클 톰스 캐빈』은 노예의 문제를 다루었고, 이는 (여러 가지 다른 요인들도 있었지만) 특히 남북전쟁이 일어나는 촉매제 역할을 수행했습니다. 뮌헨의 문학 이론가, 크리스티안 엔첸스베르거(Chr. Enzensberger)의 주장에 의하면 문학은 전적으로 실제 삶에 대한 보상에 불과하다고 합니다. 따라서 문학은 (권력 이데올로기가 횡행하는) 실제 삶에 종속되지만, 본질적으로 실제 삶과는 무관하다는 것입니다. 필자는 이러한 보상 이론에 무조건 동의하지는 않습니다. 왜냐하면 우리는 문학 속에 담긴 또 하나의 다른 긍정적 기능을 외면하거나 간과할 수 없기 때문입니다.

6. 문학은 가능성을 타진한다(환상의 긍정성). 문학의 기능은 공포와 동정심이 아니라, 거역과 희망이다: 문학의 또 다른 기능은 무엇일까요? 그것은 다름 아니라 주어진 현실의 모순을 지적하고, 하나의 대안을 암시해 주는 것입니다. "현재 상태(Status quo)"를 부정하고 파괴하며, 나아가 더 나은 삶의 가능성을 설계하기 위해서 문학은 무엇보다도 상상을 필요로 합

니다. 이로써 형상화되는 현실은 가능성의 세계입니다. 그것은 일견 황당한 것 같지만, 근본적으로 주어진 현실을 비판하는 기능을 지닙니다. 이로써 "기존하는 것(das Gewordene)"은 파괴되고, 주어진 여건에 합당한 대안이 간접적으로 정립될 수 있습니다.

무릇 문학은 인간 동물의 편협한 정서를 수정하게 해주고, 사고의 융통성을 키워 줍니다. 자신을 다른 사람의 삶 속에 투영시키게 해주고, 타인에 대한 이해심을 넓혀 줍니다. 이에 기여하는 것은 동정심의 정서입니다. "낯선 것에 대한 두려움(Xenophobie)"은 무지와 편협성에서 출발한다는 것을 생각해 보세요. 창조자는 또 다른 생경한 현실을 묘사하고, 수용자는 새롭고도 낯선 문학적 현실을 대하며, 자신의 현실 인식의 편협성으로부터 벗어납니다.

동정심의 정서는 오늘날까지도 유효합니다. 그러나 그것은 그 자체 현대의 문학예술에 대한 충분조건은 되지 못합니다. 레싱과 실러가 활동하던 군주제의 시대에 동정심의 기능은 충분했을지 모릅니다. 아리스토텔레스의 용어, "공포"와 "동정심"은 더 이상 제반 현대적 문제를 수렴할 수 있는 정서가 아닙니다. 가령 오늘날 극예술에서 영웅과 비극의 비중은 약화되지 않았습니까? 자고로 새 술은 새 부대에 담겨져야 합니다. 문학의 유효한 기능은 — 블로흐도 말한 바 있지만 — 어쩌면 "저항"과 "희망"에서 발견될 수 있습니다.

7. 환상은 야누스의 얼굴을 지니고 있다: 문학이 서로 배타적인 기능을 지니고 있듯이, 환상 역시 — 비유적으로 말하면 — 야누스의 얼굴을 가지고 있습니다. 환상은 한편으로는 (거짓, 속임수, 현혹 등과 관련되는) "환영(Illusion)"을 지칭하며, 다른 한편으로는 (가능성, 낮꿈, 미래 등과 관련되는) "상상(Vision)"을 지칭합니다. 그러니까 두 가지 대립되는 특성이 하나로 결합되어 있는 셈입니다. 다시 말해, 환영이 부정적 환상이라면, 상상은 긍

정적 환상입니다.

환상이라는 만화경 속에 비친 알록달록한 상 속에는 두 가지 방향이 내재해 있습니다. 그 하나는 과거이고, 다른 하나는 미래입니다. 왜 사람들은 "1월(January)"을 두 개의 얼굴을 지닌 야누스에서 명명했을까요? 우리는 1월에 앞으로 다가올 일 년 계획을 세우기도 하고, 지나간 일 년을 반성하기도 합니다. 야누스의 한 개의 얼굴은 과거로 향한 채 지나간 세월을 아쉬워하고, 다른 한 개의 얼굴은 미래로 향한 채 도래할 세월을 기대하고 있습니다. 이와 마찬가지로 환영은 과거로 향하고, 상상은 미래로 향합니다.

8. 부정적 환상은 밤꿈처럼 과거로 회귀한다: 부정적 환상은 블로흐에 의하면 하나의 밤꿈으로 비유될 수 있습니다. 밤에 꾸는 꿈은 프로이트에 의하면 지나간 경험을 토대로 축조됩니다. 물론 무언가를 예언하고 예견하는 밤꿈도 있을 수 있습니다. 그러나 이는 드뭅니다. 밤꿈은 잠의 신(神), 모르페우스에 의해서 과거로 향하며, 지옥의 아혜론 강(江)을 끊임없이 탐색해 나갑니다.

거기서 만나는 상(像)은 무엇일까요? 이에 관해서는 다양한 견해들이 존재합니다. 가령 자유주의자를 표방하는 프로이트는 그것을 "억압된 리비도가 전이된 수많은 양태"라고 말했습니다. (정확한 검증은 아직 이루어지지 않았지만, "반동적 파시스트"로 비난당하는) 카를 구스타프 융은 그것을 "인간의 보편적 삶을 구상적으로 보여 주는 태고의 원형"이라고 주장하였습니다. 알프레트 아들러는 그것을 "억압과 반발로 무장되는 자아 충동"이라고 말했습니다.

꿈을 연구하는 대부분의 심리학자들은 꿈을 그저 과거지향적인 것으로 판단하였습니다. 그들은 굶주림과 강제 노동에서 비롯하는 낮꿈을 핵심적 연구 대상으로 삼지 않았습니다. 블로흐를 제외한 모든 심리학자들과 철학자들에게 굶주림이란 심리학적 연구 대상이 아니라, 지극히 자연스러운 현상에 불과했습니다. 그렇기에 빈의 정신분석학 연구소 앞에는 다음과 같은 쪽지가 붙어 있었습니다. "행상인과 거지들은 출입을 금합니다."

부정적 환상은 반드시 밤꿈에서만 드러나는 것은 아닙니다. 그것은 몇몇 시민주의 예술철학자들에 의해 "상상력"의 개념으로 호도(糊塗)되곤 하였습니다. 가스통 바슐라르(G. Bachelard)를 생각해 보세요. 그들의 미적 상상력은 일견 사물의 근본에 바탕을 두고 있는 것처럼 보입니다. 그러나 바슐라르의 네 가지 원소 이론은 "주어진 현실의 경제적·사회적 영역 저편"에 도사린 미의 세계에 불과할 뿐입니다. 따라서 우리는 긍정적 환상으로서의 상상의 개념을 오로지 사회 개혁적 낮꿈에서 발견해야 하지, 사회 의식이 약화된 바슐라르의 유미주의에서 찾을 수 없습니다.

9. 문학은 학문을 대신하여 "재기억"을 배격한다: 가끔 인상 깊은 체험을 다시금 접할 때가 있습니다. 이때 우리는 마음속에 깊이 박힌 체험을 바탕으로 잊힌 기억을 뇌리에 떠올리려 애씁니다. 이는 다름 아니라 "재기억(ἀνάμνησις)"의 행위입니다. 생각해 보세요. 과거의 인상 깊은 체험은 주로 문학작품에 반영됩니다. 작가가 묘사하는 현실은 (가상적이든 아니든 간에) 대체로 과거의 사실, 혹은 현재의 사실입니다. 미래의 사실이 작품에 형상화되는 경우는 무척 드뭅니다. 그래, 인간은 한 치 앞도 내다보지 못합니다. 또한 미래에 도래할 사항을 예측하기란 몹시 어렵습니다. 그 때문일까요? 미래는 지금까지 언제나 아지랑이 내지는 신기루(Fata Morgana)와 같은 속성으로 설명되었습니다.

지금까지의 학문은 과거와 현재의 사항을 연구 대상으로 다루었습니다. "이미 본 것(déjà-vu)"을 다시 환기시키는 행위 — 그것은 주로 학문의 행위였습니다. 학문의 이러한 행위는 (의도적이든 아니든 간에) 플라톤의 재기억 이론에서 출발하고 있습니다. 과거에 있었던 것, 원초적 상 등을 추구하는 일은 플라톤의 "재기억"에서 조금도 벗어나지 않습니다. 따라서 미래의 영역은 이 경우 학문적 대상이 전혀 될 수 없었습니다.

앞으로 학문은 미래를 적극적 연구 대상으로 끌어들여야 할지 모릅니다. 유토피아를 학제적으로 연구하는 작업은 하나의 예일 수 있습니다. 이를 위한 선봉장은 문학인들입니다. 이미 언급했듯이 문학은 가능성의 기능을 중시합니다. 문학(文學)은 학문(學文)의 뒤집혀 표현된 용어로서 학문의 우위에 설 수도 있고, 학문에 종속될 수 있습니다. 다시 말해, 그것은 (한편으로는) 문헌학의 의미에서 학문을 보조하며, 다른 한편으로는 학문 연구의 방향을 미래로 치환시키는 데 공헌할 수 있습니다.

학문은 대체로 "유(有)"를 체계화시키나, 문학은 "무(無)"에서 "유(有)"를 창조합니다. 엄밀히 따지면 창의력은 학자나 작가에게 공히 필요합니다. 그런데 창의력이 미약한 학자는 분석 능력으로써 자신의 취약점을 보충할 수 있지만, 창의력이 없는 작가는 결코 생명력 넘치는 작품을 창조할 수 없습니다.

10. 통속소설은 소시민의 꿈을 반영하고 있다: 일상 권태로부터의 탈출, 욕구의 대리 만족으로서의 문학의 부정적 기능은 베스트셀러 문학에서 잘 드러납니다. 마찬가지로 통속적인 이야기들은 소시민들의 환상적 욕망을 일시적으로 채워 주기도 합니다. 스포츠 신문의 연재소설들을 생각해 보세요. 아니면 비디오테이프 속의 멜로드라마를 생각해 보세요. 계급과 돈의 문제는 으레 멜로드라마의 감초 격으로 등장합니다. 이를테면 주인공은 30대의 가난한 남자입니다. 그는 어느 회사에서 말단 직원으로 일하며 어렵게 살아갑니다. 주인공은 우연히 백만장자를 도울 수 있는 절호의 기회를 맞이합니다. 길거리에서 거액의 수표가 꽂혀 있는 지갑을 줍거나, 아니면 애완견을 찾아서 돌려주는 경우가 바로 그 기회입니다. 이로써 그는 재벌의 딸을 사귀게 됩니다. 졸부의 소유물들이 엄청나게 값비싸지만 삶에 직접적인 도움을 주지 않는데도 주인공은 이를 깨닫지 못합니다. 그들

의 우연한 만남은 서서히 사랑과 결혼으로 이어집니다. 재벌 딸과의 결혼은 바로 계급 상승을 의미합니다. 이러한 이야기는 찬란한 보석 가게를 서성거리는 소시민에게 얼마나 달콤한 환상을 제공하고 있습니까?

이렇듯 통속소설은 천편일률적으로 소시민들의 계급 상승에 대한 막연한 꿈을 대리 만족시켜 줍니다. 어디 수많은 베스트셀러 소설만 그럴까요? 유행하는 대부분의 영화 역시 욕구를 대리 만족시키는 도구에 불과합니다. 소시민들은 이렇듯 부귀영화를 꿈꿀 뿐, 계급 차이에 대한 근본적 해결책에 관해서 골몰하지 않습니다.

11. 긍정적 환상은 낮꿈처럼 미래로 향해 방향을 설정한다: 긍정적 환상은 낮꿈 내지 백일몽으로 출현합니다. 밤꿈 대신에 낮꿈의 동적이고도 사회적인 특성을 지적한 사람은 철학자 에른스트 블로흐였습니다. 그렇지만 블로흐를 인용하지 않더라도 우리는 낮꿈 내지 백일몽에 관해서 직감적으로 잘 알고 있습니다. 벤치에 앉아 있을 때, 숲 속을 거닐 때, 우리는 몽상에 잠기지 않습니까? 이러한 몽상들 가운데에는 불필요하고도 사적인 것도 있으며, 주어진 현실에 대한 불만으로부터 파생되는 것도 있습니다. 전자가 환영이라면, 후자가 상상 내지 낮꿈입니다. 밤꿈이 무엇보다도 성적·심리적 내용으로 퇴행해 나간다면, 낮꿈은 경제적·사회적 내용으로 전진해 나갑니다. 그리하여 밤에 꾸는 꿈속에서는 자아가 일탈하지만, 낮에 꾸는 꿈속에서는 언제나 자아가 머물고 있습니다.

꿈꾸는 자는 주어진 현실 속에서는 불행하게 살아가고 있습니다. "행복한 자는 결코 환상을 떠올리지 않는다. 오로지 불행한 자만이 낮꿈을 꾼다"는 프로이트의 말을 생각해 보세요. 이와 관련하여 낮꿈은 미래지향적인 특성을 지니고 있습니다. 낮꿈을 꾸는 자에게 주어진 현실은 불만스럽기 짝이 없습니다. 개개인은 스스로 일한 만큼 경제적 대가를 얻지 못합니다. 그렇기 때문에 소외된 노동을 계속해야 합니다. 굶주림과 강제 노동으로 가득 찬 세상. 이러한 세상에 대한 불만은 더 나은 삶에 관한 꿈을 떠올리게 합니다. 요약하자면 낮꿈은 유토피아의 상에 대한 모태로서, "참으로 비참하게 살고 있구나"라는 깨달음에서 비롯합니다. 그것은 자아의 비참한 삶뿐 아니라, 이를 둘러싼 경제적·사회적 모순을 직시하게 해줍니다.

낮꿈만으로 모든 게 성취될 수 있을까요? 사회 개혁적 백일몽이 결실을 맺으려면, 실천의 과정에 앞서 두 가지 일이 선행되어야 합니다. 그 하나는 개개인들 사이에 구체적 갈망의 내용에 대한 공동적 합의가 이루어져야 하고, 다른 하나는 목표와 계획에 관한 설계가 완성되어야 합니다.

12. 차단된 현재 상태는 환상이라는 자극을 필요로 한다: 삶은 두 가지의 시기로 구분될 수 있습니다. 격동의 시기와 정체된 시기가 바로 그것들입니다. 격동의 시기에는 사건 자체가 문학의 소재가 됩니다. 현장성, 긴박함, 변화, 저항, 생존, 투쟁 등등을 생각해 보세요. 그러나 적막이 감도는 정체 속에서 사람들은 주어진 현실과는 다른 무엇을 찾아 나섭니다. 그렇다면 구름 한 점 없는 맑은 나날로 이어지는 정적의 시기에는 과연 무엇이 문학의 소재가 될 수 있을까요? 그것은 긍정적 환상 속에 펼쳐진 가상적인 세계, 미래의 더 나은(아니면 더 나쁜) 세상일지 모릅니다.

브레히트(Brecht)도 『부코 비가(Bukower Elegien)』에서 술회한 적이 있지만, 정적이 감돌면, 필요한 것은 바람입니다. 어부들은 풍랑을 원하지 않으나, 최소한의 바람을 필요로 합니다. 바닷물은 날씨가 더울 경우 적조 현상을 띠기도 합니다. 그런데 적조 현상을 사라지게 하는 것은 태풍입니다. 어쨌든 바람이 있다면, 우리는 "나무와 거적으로(라도) 돛을 만들"어야 할지 모릅니다. 오늘날 낮꿈으로서의 환상은 어떤 진취적 바람을 끌어내고 이로 인해 움직일 수 있는 하나의 "돛"으로서 기능할 수 있습니다.

13. 기존 사회주의의 종말은 미래 소설을 낳게 한다: 마르크스의 이론에

의하면, 자본주의는 오래 전에 멸망해야 했는데, 아직도 건재하고 있습니다. 특히 미국 자본주의는 "로마의 평화(Pax romana)"를 자랑하던 로마제국처럼, 최고의 번영을 구가하지 않습니까? 그러나 거대한 로마도 변방의 유태인에 의해 전파된 종교에 의해 침몰하였습니다. 물론 세상의 문제는 학문적 이론으로 순식간에 해결되지는 않습니다. 여러 가지 복합적 변수가 작용하는 게 세상사입니다. 가령 인종 문제, 생태계 파괴 현상, 그리고 핵 문제 등을 생각해 보세요. 그렇지만 미국 자본주의 역시 작은 계기에 의해 거대한 위기에 직면할 수 있습니다.

그렇다면 일반 사람들은 어째서 자본주의의 특성인 불가시성(不可視性)을 예리하게 투시하지 않을까요? 수많은 사람들이 자본주의의 위험에 대해 경고하지만, 정작 자본주의로부터 빠져나오려고 행동하기는커녕, 가난의 위험으로부터 벗어나기 위해서 안간힘을 쏟으면서 살아가는 이유는 과연 무엇 때문일까요? 우리 모두가 소시민이라는 구속된 존재 상태에서 벗어나지 못하는 이유는 무엇일까요? 기실 적(赤)과 흑(黑) 사이에는 언제나 회색 안개가 끼어 있습니다. 자고로 잿빛 곤충은 위험이 닥치면 고동색으로 변신하는 능력을 지닙니다. 그렇다면 인간인 우리도 자본주의의 폭력 앞에서 그렇게 변신하면서 살아가는 게 아닐까요? 지식인 또한 이러한 기회주의의 처사로부터 벗어나지 못합니다. 양비론을 표방하는 잿빛 지식인은 숨어서 고동색 소시민들과 비밀리에 결탁하곤 합니다. 역사를 고찰해 보세요. 소시민들은 가진 자와 가지지 않은 자 사이에서 언제나 방해 공작을 펴곤 하였습니다. 이를테면 유럽의 역사에서 적과 흑을 무해화(無害化)시킨 그룹은 다름 아니라 고동색 셔츠를 입은 돌격대(SA)였습니다. 우리는 파시즘이 과거에 단 한 번 나타났다고 단정할 수 없습니다. 그것은 마치 기생충처럼 언제 어디서나 재차 속출할 수 있습니다. 이를 부추기는 것은 황금만능주의를 부추기는 자본주의의 사회질서이며, 이에 부화뇌동하는 자들은 소시민일 수밖에 없습니다.

14. 새로운 시대는 새로운 갈망을 필요로 한다: 기존 사회주의는 종말을 고했습니다. 그렇다고 사회주의의 이상도 함께 사장되어야 할까요? 더욱이 남한에서는 사회주의적 장단점을 시험할 기회가 전혀 없었다는 사실을 생각해 보세요. 그렇기에 우리는 사회주의가 지니고 있는 부분적 장점마저 모조리 팽개칠 수는 없을 것입니다. 기존 사회주의가 종말을 고했다고 하더라도 더 나은 삶에 관한 꿈은 여러 형태로 나타날 수 있습니다. 이는 새로운 낮꿈, 새로운 유토피아 등의 설계에 의해서 가능합니다. 낮꿈이라고 해서 무작정 아름답고 찬란한 상을 띠지는 않습니다. 끔찍하고 두려운 상 역시 얼마든지 하나의 방법론으로 채택될 수 있습니다. 특히 후자의 경우 훌륭한 디스토피아의 문학으로 출현합니다. 자먀찐의 『우리』, 헉슬리의 『멋진 신세계』, 오웰의 『1984년』을 생각해 보세요.

예컨대 세계 금융 질서를 재편하려는 통일된 한국의 컴퓨터 프로그래머를 생각해 보세요. 미국 자본주의에 대항하는 유토피아의 상, 칼렌바크의 『에코토피아』를 고려해 보세요. 일본의 고래 사냥과 프랑스의 환경 파괴에 대항하여 남태평양에서 싸우는 그린피스 및 이들의 소규모적 무정부주의를 연상해 보세요. 그게 아니라면, 에이즈 퇴치를 위해 노력하다가 스스로 병에 걸리는 어느 UFO 연구가의 노력을 상상해 보세요. 마지 피어시(Marge Piercy), 혹은 어슐러 르귄(Ursula Le Guin)의 사이언스픽션 문학을 생각해 보세요. 질소의 자기장으로 핵에너지를 대체하는 미래의 사이언스픽션 등의 문학은 차제에 얼마든지 가능합니다. 이는 미래 사회를 전제로 한 상상의 소재들이 아닐까요? 환상의 "팬픽(Fanfic)," 추리 내지는 엽기 소설 등이 모조리 폐기 처분될 수는 없습니다. 왜냐하면 특정한 작품들은 그래도 일상과는 다른 미래의 삶 내지는 사회적 변모 가능성을 불러일으키기 때문입니다. 이에 반해 (온갖 사탕 발린) 이야기로 포장된 베스트셀러들은 일상에 지친 소시민들의 권태만을 일시적으로 가시게 해줍니다.

자연법과 계층 사회

"정의는 제반 국가들의 토대이다(Iustitia fundamentum regnorum)." (토마스 아퀴나스)

"형벌은 대부에게 적용되지 않으며, 예절은 서인에게 적용되지 않는다(刑 不上大夫 礼不下庶人)."

"급진적 자연법은 만인의 자유와 평등을 요구하는 주체의 저항에서 출발 한다." (블로흐)

1. 당신은 과연 자유롭고 평등한 땅에서 살아가고 있는가?: 미국의 마이클 샌델 교수의 책, 『정의란 무엇인가』가 한국에서 많은 관심을 끌었습니다. 인구의 5%가 남한 토지의 80%를 소유하고 있을 정도로 빈부 차이가 심한 나라에서 정의에 대한 관심이 끓어오르는 것은 어쩌면 당연한 귀결인지 모릅니다. 사실 샌델 교수가 바람직한 것으로 지향하는 공동선 사회는 거시적으로 고찰할 때 사회주의국가에서 추구하던 공동선과 별반 다르지 않습니다. 그런데도 모든 사항이 책에서 현상적으로 그리고 역사 연구의 차원에서 언급되고 있으니, 주어진 현실의 기준이 모호합니다. 논의의 결과는 어느 시대, 어떤 나라를 전제로 할 때 그리고 구체적으로 주어진 계층을 고려할 때 다르게 나타날 수 있습니다. 게다가 정의란 오늘날 자본주의 사회에서는 돈 문제 내지 계급 차이의 문제와 직결되는데, 샌델 교수는 공동선이라는 막연한 개념을 내세움으로써 특정한 구체적 현실을 전제로

한 어떤 논의의 가능성을 사전에 차단시키고 있습니다. 정의는 역사적으로 중개되어야 하고, 사회의 행보 속에서 자신의 경향성 내지 가능성으로 검증되어야 마땅합니다. 그렇지 않을 경우 이상으로부터 어떠한 정당성도 전해지지 않을 것이며, 추상적 전언만 공허하게 드러낼 것입니다.

2. 정의는 신분 차이를 전제로 의식되었다: 서양의 가장 오래된 법은 주지하다시피 로마법입니다. 그런데 로마법은 채권자의 권익을 보호하기 위한 의도에서 만들어졌습니다. 로마법은 비록 형식적이기는 하지만 "만인은 태어날 때부터 자유롭게 그리고 평등하게 태어났다"고 명시하고 있습니다. 그 이후로 대부분의 법은 만인의 자유와 평등을 형식적으로 기술하였습니다. 그렇지만 동서고금을 막론하고, 모든 인간은 자유롭고 평등하게 살아가지 않습니다. 그 이유는 어디에서 기인하는 것일까요? 미리 말하자면, 우리는 굳이 어떤 무엇을 법철학적으로 논할 때, "정의" 대신에 이상적인 법으로서의 자연법을 하나의 대상으로 삼아야 합니다. 왜냐하면 정의의 개념은 처음부터 계층 사회를 전제로 하고 있으며, "만인에게 자신의 것을 행하게 하라(Suum cuique)"(플라톤)는 기본적 사고에 바탕을 두고 있기 때문입니다(블로흐: 60). 이 말은 가령 "송충이는 솔잎을 먹고 살아야 한다"라는 계급 및 신분의 차이를 전제로 한 것입니다. 고대사회 사람들은 신분과 계층을 천부적인 것으로 간주하였습니다. 신분과 계층은 직업과 관련되는 것입니다. 사제 계급, 군인 계급, 평민 계급, 노예 계급을 생각해 보세요. 이러한 계급들은 고대에서는 천부적인 것으로 간주되었습니다. 어쨌든 우리는 미리 다음과 같이 말할 수 있습니다. 지금까지의 역사에서 실현된 정의는 오로지 동등한 계급 내에서만 어느 정도 유효할 뿐, 계급 차이를 지닌 두 인간 사이에서는 결코 적용될 수 없었다고 말입니다.

3. 누구를 위한 법인가?: 정의란 무엇인가요? 미리 말하자면 정의는 항

상 상류층 사람들의 권익을 전제로 하는 개념입니다. 그렇기에 가진 것 없고 힘없는 사람에게 적용되는 정의로움은 존재하지 않습니다. 정의를 외치면서 법대로 하자고 말하는 사람들은 자신이 법적 투쟁을 통해서 승리할 것을 잘 알고 있습니다. 왜냐하면 주어진 법 규정은 권력과 금력을 가진 자의 권익을 위해서 처음부터 제정된 것이기 때문입니다. 그렇기에 정의는 역사적으로 고찰하건대 정의와는 무관하게 사용되어 왔습니다. 미리 말하건대 나는 "정의는 서로 다른 계층 사이에서는 절대로 통용될 수 없는 개념이다"라는 명제를 내세우려고 합니다. 이러한 명제는 동서고금을 막론하고 얼마든지 적용될 수 있습니다. 예컨대 중국에서는 주나라 이래로 다음과 같은 말이 회자되었는데, 이것은 오늘날에도 얼마든지 통용될 수 있습니다. 즉, "형벌은 대부에게 적용되지 않으며, 예절은 서인에게 적용되지 않는다(刑不上大夫 禮不下庶人)"(신영복: 154). 다시 말해, 상류층 사람들은 형벌에 시달리는 경우가 없으며, 하류층 사람들은 예절을 알 필요가 없다고 합니다. 얼핏 보면 형벌과 예절의 상관관계를 시사하는 것 같지만, 가만히 들여다보면 모든 것은 신분 차이를 처음부터 용인하는 전제 하에서 이해될 뿐입니다. 주지하다시피 동양의 역사는 신분과 계급의 차이를 인정해 온 역사였습니다. 물론 사람들은 동서양을 막론하고 바람직한 법, 즉 자연법의 이상을 추구하려고 노력한 것은 사실이지만 말입니다.

4. 로마법과 채권자의 소유권: 일단 서양의 역사를 살펴보기로 하겠습니다. "인간은 예외 없이 자유롭게 태어난 존재이다." 이는 고대 로마 시대에 이미 국법의 기초의 하나로 작용하고 있었습니다. 그렇지만 이러한 토대는 법의 제정 과정에서 본래의 의미와는 전혀 다르게 기술되었습니다. 예컨대 울피아누스는 "모든 인간은 자연법에 의하면 자유롭고 평등하다"라는 문장을 맨 처음 사용하였습니다. 그렇지만 이것은 이어지는 문장을 위해서 끌어들인 하나의 허사에 불과합니다. 즉, 노예제도는 시민의 권한을

보충해 주는 수단이 된다는 것입니다. 한 인간이 얼마만큼 자유롭고 평등하게 살고 있는가? 하는 문제는 한 인간이 주어진 국가와 어떠한 관계를 맺고 살아가는가? 하는 물음과 직결됩니다. 따라서 중요한 것은 사람들이 인지하고 있는 국가관입니다. 로마의 법이 만들어진 궁극적 목적은 가진 자가 못 가진 자에 대해서 원래의 권한을 행사하고, 채권자가 채무자에 대해서 원래의 소유권을 행사하기 위함 때문이었습니다. 이를테면 "점유(占有)"라는 개념은 로마 시민의 소유권을 명확히 하려는 의도에서 비롯한 것입니다. 이러한 소유권은 노예로 살아가지 않는 시민에 한해서 적용될 뿐입니다(현승종: 497). 수많은 사상가들이 계약으로서의 국가를 명시적으로 언급했지만, 그들의 관심사는 실질적 이권을 누가 차지하는가? 하는 문제로 향하고 있었습니다. 다시 말해서, 그들에게 중요한 것은 근본적으로 주어진 현실에서의 권한, 그것도 경제적 권한이 과연 누구에게 주어져야 하는가? 하는 물음이었습니다.

5. 국가의 계약 역시 파기될 수 있다. 피지스와 테지스: 예컨대 에피쿠로스는 누구보다도 먼저 하나의 계약으로서의 국가에 관해서 언급하였습니다. 계약은 차제에 얼마든지 파기될 수 있음을 전제로 하는, 하나의 약속입니다. 다시 말해, 국가의 체제 역시 하나의 계약으로서 얼마든지 파기될 수 있습니다. 이는 매우 중요한 사항인데도 사람들은 그때부터 에피쿠로스의 말에 커다란 관심을 기울이지 않았습니다. 나아가 로마법 가운데 "만민법(iuris gentium)"은 인간과 인간 그리고 국가와 국가 사이의 계약에 관해서 처음으로 언급하고 있는데, 로마의 법 가운데 가장 늦게 제정된 것입니다(메인: 244). 인간이 원래 지니고 있던 자유에 관한 사상은 이론적으로 자유의 권리에 대한 요구 사항으로 발전하지 못했습니다. 서양의 고대 철학사를 읽으면 우리는 다음의 사항을 접할 수 있습니다. 즉, 소피스트들은 노모스에 대항하는 개념으로서 "피지스(φύσις)"를 내세운 바 있다고 말

입니다. 피지스는 문헌학적으로 구명한다면, 호메로스의 『오디세이』에 처음으로 언급된 바 있는데, 식물의 성장 방식으로 설명되고 있습니다. 모든 생명체는 이렇듯 피지스라는 자연의 법칙에 의해서 생성, 변화, 그리고 사멸된다는 것입니다. 이를 고려한다면, 우리는 소피스트들이 최소한 자연법의 근본적 정신에 근접하려고 노력했음을 잘 알 수 있습니다(Kaulbach: 430ff). 이들에 비하면 스토아사상가들은 상명하달의 법령으로서의 "명제(Thesis)"에 반대되는 개념으로서 피지스와 노모스라는 두 가지 개념을 제시했습니다. 이것들은 법 규정 속에 담긴 인습적인 내용을 반대하고 있습니다. 다시 말해, 피지스와 노모스는 아래로부터 유래하는 하나의 운동이라는 것입니다. 이를테면 크리시포스는 주어진 모든 법령들이 완전무결하지 못하고 무언가를 빠뜨리고 있다는 사실을 예리하게 통찰하였습니다. 그럼에도 그의 학파는 기존하는 실정법적 사항을 모조리 뒤집어엎으려고 의도하지는 않았습니다. 그렇기에 크리시포스는 다음과 같이 막연하게 생각했지요. 만약 어느 현자가 헤라클레스의 강력한 힘을 지니고 있다면, 그는 세계 전체를 철학적으로 축조할 수 있으리라고 말입니다.

6. 고대사회에서 정의는 오로지 자유 시민만을 위한 것이었다: 미리 말하건대 정의를 의식하는 고대인들의 뇌리에는 가부장주의와 전제주의 등의 사고가 뿌리를 내리고 있습니다. 이는 노예제도와 독재를 용인하는 고대 그리스와 로마 사람들의 태도에서 유래하는 특성입니다. 이로써 드러나는 것은 다음의 사항입니다. 즉, 정의는 자유로운 시민이 의식하고 실천해야 할 개념이지, 전쟁 포로 출신의 노예와 여자들이 견지해야 할 덕목이 아니라는 사항 말입니다. 물론 노예 보호법이라든가 가족 구성원에 관한 법적 보호 장치가 마련되지 않은 것은 아니지만, 이러한 법령들은 신분 차이와 성별 차이를 전제로 하여 제정된 것들입니다. 그런데 여기서 우리가 잊어서는 안 될 사항이 하나 있습니다. 그것은 다름 아니라 정의로움이 고대

역사 속에서, 다시 말해서 혁명과 무관한 시기에 하나의 불변하는 추상적 명제로서 그냥 상부에 머물러 있다는 사실입니다. 이를테면 정의는 신적 존재가 모든 것을 다스리던 정태적 시기에 모든 것을 관장하는 권력의 잣대로 활용되었습니다. 비록 정의 속에 불의와 불법에 대항할 수 있는 가치가 내재하고 있지만, 그럼에도 그것이 기존하는 법적 기준에 관한 어떠한 무엇도 근본적으로 변화시키지 못한 까닭은 바로 그 때문입니다.

7. 명령으로서의 상대적 자연법: 적어도 주어진 현실적 조건이 정태적으로 측정되고 아무런 계급적 변화를 불러일으키지 않는 한에서, 정의는 주어진 세상에 대한 하나의 근원적 척도로 그냥 머무를 수밖에 없습니다. 이 경우 정의는 균형을 유지하려는 쪽에 가담하여 어떤 무엇을 근본적으로 비판하지 않고, 우선적으로 권력자의 편에 서서, 그게 아니라면 중간 계급의 편에 서서 실정법의 조항을 만들어 내는 일에 어정쩡하게 동조할 뿐입니다. 이렇듯 정의는 처음부터 다양하고 애매한 의미를 포함하는 개념인데, 상기한 이유로 인하여 정의로움의 주관적이고 도덕적인 특징이 배제되었던 것입니다(Bloch: 57). 나중에 다시 언급되겠지만, 사람들은 인간의 원죄를 척결하고 죄를 지은 인간들을 처벌하기 위해서 정의로움을 원용하였습니다. 상대적 자연법이 어떻게 정의로움에 의해 강화되었는가? 하는 점을 파악하려면 우리는 토마스 아퀴나스의 글을 읽으면 됩니다.

8. 플라톤의 법 원칙, 각자의 것을 행하라: 가령 플라톤을 예로 들어 봅시다. 그는 다음과 같이 설파하였습니다. 즉, 인간의 영혼 속에 이미 정의로움이 주어져 있는데, 이는 하나의 지배하는 무엇 내지 질서 잡힌 무엇이라고 합니다. 정의로움은 모든 미덕을 가리키는데, 인간의 모든 내적인 능력, 가령 열망이라든가 용기 그리고 이성 등은 플라톤에 의하면 정의로운 과업을 성취시켜 주어야 하며, 이러한 목표, 그 이상을 넘어서지 말아야 합니

다. 플라톤은 국가에 관해 논하기 전에 이미 정의로움과 관련되는 여러 가지 다른 유사한 정서 내지 개념들을 분명하게 설명하려고 시도한 바 있습니다. 정의로움은 플라톤에 의하면 개인의 내면이 아니라, 오로지 국가 속에서 가장 훌륭하게 인식될 수 있다고 합니다. 뒤이어 플라톤은 정의로움과 구분되는 미덕들을 언급하며, 이들이 차지하는 공간을 비례적으로 분할하고 있습니다. 국가에 속하는 사람들은 제각기 직책을 지니고 있는데, 이들의 직책과 미덕 등은 마치 도표를 그려놓은 듯이 계층적으로 정리되어 있습니다. 플라톤은 국가의 정의로움을 다음과 같이 설명합니다. "어느 누구도 과도한 일을 수행하지 않고, 젊은이든 늙은이든, 소년, 여자, 노예, 수공업자, 그리고 통치자든 피지배자든 간에 모두가 자신에게 적합한 일을 행해야 하네." 플라톤은 여기서 국가의 구성원들이 자신에게 주어진 계층적 의무를 충실히 행하는가? 하는 물음을 정의로움과 관련시킵니다. 정의로움은 "인간이 각자의 것을 행하고, 여러 가지의 일을 행하지 않는다면 (τό τα αύτον πραττειν καὶ μὴ πολυπραγμονείν δικαιοσύνη ἐστί)" 얼마든지 실천될 수 있다고 합니다(『국가』 제4권 433a).

9. 계층 차이를 용인하는 아리스토텔레스의 법적 원칙: 이번에는 아리스토텔레스가 파악한 정의의 개념을 언급하도록 하겠습니다. 아리스토텔레스는 처음부터 권위적인 태도를 취하지는 않지만, 플라톤과 마찬가지로 정의로움을 정치적 측면에서 매우 중요한 미덕으로 규정합니다. 공동체는 스스로 존속하기 위해서 무엇보다도 정의로움에 근거하지 않으면 안 된다는 것입니다. 이러한 정의로움은 아리스토텔레스에 의하면 모든 계층 사이에 공통적으로 적용되어야 마땅한 덕목이라는 것입니다. 그러나 그의 정의는 경제적 이권의 측면에서 고찰할 때 얼마든지 다르게 적용될 수 있다는 것을 드러냅니다. 미리 말씀드리지만, 아리스토텔레스는 『니코마코스 윤리학』 제5권에서 오로지 정의로움에 관해 기술하는데, 정의를 두 가

지 차원으로 비비 꼬아 놓았습니다. 이는 극단이 아니라 중용을 지향하는 사고로서, 나중에 토마스 아퀴나스의 계층 간의 조화로움으로 발전된 바 있습니다(Aristoteles: 1133 b32). 다시 말해, 아리스토텔레스의 문헌은 이후의 시대에 이론적으로 커다란 영향을 끼쳤으며, 이로 인해서 토마스 아퀴나스는 상대적 자연법만이 타당성을 지닌다고 주장하게 되었습니다.

10. 아리스토텔레스가 파악한 이중적 개념으로서의 정의: 국가는 사회 내의 다양한 계급들로 하여금 국가 전체의 의미와 일치되는 이득을 분명하게 깨닫게 해야 하며, 그리하여 사회 구성원 각자가 국가 전체의 안녕을 위해 자발적으로 노력하도록 영향을 끼쳐야 합니다. 그렇게 함으로써 국가 전체는 가장 훌륭한 방식으로 영위되리라고 합니다. "법은 이에 따르면 어떤 균형 잡힌 무엇입니다." 여기서 말하는 균형이란 "국가 공동체 내에서 무엇보다도 행복감 그리고 이에 관한 주요 성분을 창출해 내고 보존하는 무엇"이라고 합니다. 바로 이 대목에서 아리스토텔레스는 역사상 처음으로 정의로움을 두 가지로 구분하고 있습니다. (나중에 토마스 아퀴나스는 이를 추종하게 됩니다.) 그 하나는 어떤 문제를 상호 조정하는(소통하는) 정의로움이며, 다른 하나는 국가가 창출해 낸 이득과 명예를 서로 나누는(분배하는) 정의로움입니다. 여기서 전자는 "시정적(是正的) 정의"로, 후자는 "분배적 정의"로 번역될 수 있습니다(아리스토텔레스: 180-189). 전자는 어떤 법적 피해 내지 보상의 문제가 출현할 때 발생하는 껄끄러움 내지 마찰을 서로 조정하기 위한 균형 내지 계약의 문제와 관련되는 반면에, 후자는 사회적으로 얻어낸 여러 가지 이득과 명예로움을 수요자의 품계에 따라서 정당하게 분배하는 일을 담당합니다.

11. 정치적 소통과 경제적 분할: 피타고라스 이후로 사람들은 정의로움을 생각할 때, 그것을 분명히 균형 잡힌 무엇으로 상정하곤 하였습니다.

그것은 이를테면 비유적으로 어떤 제곱수로 표현되었습니다. 다시 말해서, 정의의 개념은 고대 사람들의 사고 속에서는 동일한 것을 동일한 것으로 곱한 평방수 내지 제곱수로 각인되었던 것입니다. 그렇기에 법적 개념으로서의 "정의로움(δικαιοσύνη)"이 아리스토텔레스의 문헌에서는 항상 수학에서 말하는 **평방수**(平方數)로 묘사되고 있는 것은 결코 우연이 아닙니다. 정의는 한편으로는 모든 것을 조정하고 소통하는 역할을 담당하지만, 다른 한편으로는 모든 것을 나누고 분할하는 역할을 담당합니다(Huber: 151f). 첫 번째의 정의로움은 대수학의 비율에 의해서 모든 것을 조정하고 소통하며, 두 번째의 정의로움은 기하학의 비율에 의해서 모든 이득과 명예를 나누고 분할합니다. 첫째로 대수학의 비례에 의한 정의로움의 규칙은 다음과 같습니다. 많은 재화를 가진 사람들에게서 많은 재화를 얻어냄으로써 사람들의 재화는 균등하게 됩니다. 이는 형법과 채권법에도 그대로 적용되지요. 둘째로 기하학의 비례에 의한 정의로움의 규칙은 다음과 같습니다. A의 품계는 B의 그것과 관계를 맺고 있듯이, A가 얻어낸 명예와 이득은 B의 그것과 밀접하게 관계를 맺습니다. (이로써 실천되는 것은 계급에 따라 차등적으로 정해져 있는 평등, 바로 그것입니다.)

12. 공평성은 같은 계층 사이에만 존재한다: 두 번째의 분배하는 정의로움은 심지어 첫 번째의 조정하는 정의로움에도 개입하곤 합니다. 그렇지만 아리스토텔레스는 서로 다른 계급 내지 계층 사이에 시비가 발생했을 때, 엄정중립적으로 동등한 제재를 가하지 않습니다. 다시 말해, 그는 다른 계급 사이의 갈등을 동일한 방식으로 처벌하는 데 이의를 제기합니다. "만약 당국의 관원 한 사람이 누군가를 폭행한다면, 그는 이에 대한 처벌로서 다시 폭행당할 수는 없다. 그렇지만 누군가가 당국의 관원을 폭행한다면, 그는 반드시 똑같은 방식으로 폭행당해야 마땅할 뿐 아니라, 통상적인 규정에 의하여 처벌 받아야 한다." 이렇듯 아리스토텔레스가 생각한 정

의로움은 계층에 따라 달리 적용되는 무엇입니다. 그렇기에 "관용 내지 선처(ἐπιείκεια)"는 계층과 계층 사이에는 적용되지 않고 있습니다. 설령 그게 어떤 법적인 수정 사항이라 하더라도, 엄정중립적 공정함은 여기서 전혀 효력을 끼치지 못하고 있습니다. 아리스토텔레스는 공평성을 다음과 같이 규정합니다. "법적 내용이 너무 보편적으로 기술되어 무언가를 빠뜨리고 있는 대목에 한해서만, 공평성은 법적 수정 사항으로 적용될 수 있다." 한마디로 아리스토텔레스가 노예 및 계층 사회를 당연하게 여기면서 진지한 의문을 갖지 않았다는 사실이 여기서 백일하에 드러나고 있습니다.

13. 통치에 유리하게 활용되는 아리스토텔레스의 정의의 개념: 아리스토텔레스가 생각한 정의의 개념은 처음부터 가부장주의의 사고로부터 한 치도 벗어나지 않으며, 무엇보다도 인민이 아니라 지배자, 다시 말해서 통치 기관에 유리하도록 설정되어 있습니다. 물론 아리스토텔레스에게 개인으로서의 정당성 내지 개개인들의 사적 관계로서의 정의가 존재하지 않는 것은 아닙니다. 그렇지만 그것은 어떤 (마치 관대한 자선이라든가 고결한 마음씨와 같은) 정서 내지 지조와 관계되는 미덕이 아니라, 처음부터 오로지 외부적으로 드러난 행동으로 국한되어 있을 뿐입니다. 자고로 개인은 스스로 공명정대한 자세를 취하면서 얼마든지 불법적 행위를 저지를 수 있습니다. 다시 말해서, 정의라든가 불의를 허용하거나 허용하지 않는 것은 개인이 아니라, 오로지 객관성이라는 잣대뿐입니다. 비록 "정의"가 근본적으로 어느 쪽에도 편파적인 판정을 하지 않는 공정함의 모델을 지니고 있다고는 하지만, 공정함의 개념은 아리스토텔레스에 의하면 "권리를 희사하거나, 모든 사람들에게 그것을 나누어 주는" 탁월한 존재 내지 에너지에서 비롯하는 것이라고 합니다. 상기한 사항을 고려한다면, 아리스토텔레스가 생각한 공평성의 원칙은 권력자가 가진 것 없는 자 내지 힘없는 자들에게 베푸는 선처, 그 이상도 그 이하도 아닙니다.

14. 토마스 아퀴나스, 정의는 신의 선물이며, 인간에 대한 질곡으로 원용된다: 이제 토마스 아퀴나스의 정의의 개념을 언급하기로 하겠습니다. 그는 아리스토텔레스를 기독교적으로 해석한 중세 철학자입니다. 토마스 아퀴나스는 원죄를 전제로 한 상대적 자연법 속에서 정의로움의 개념을 예리하게 투시하였습니다. 그렇지만 이러한 정의는 결코 자유와 평등을 얻으려는 일반 대중들의 운동을 포괄하는 게 아니라, 오로지 상부로부터 전해진 신의 선물로 파악되었습니다. 그렇기에 정의로움은 마치 하나의 선물처럼, 어떤 귀족 내지 신에 의해 선택받은 사람들에게 하달된 물건처럼 간주되었습니다. 토마스의 정의의 개념은 천국으로부터 추방되기 이전에 아담이 지니고 있던 주체의 어떤 "정의"를 의미하지는 않습니다. 그것은 원초적 상태의 절대적 자연법에 대한 통합도 아니며, 인간의 본성을 정확하게 표현한 것도 아닙니다. 그것은 오히려 천국으로부터 추방된 이후로 유래한 객관적 정의입니다. 그렇기에 정의로움은 천국으로부터 추방된 인간의 죄를 씻고, 갱생시키기 위해서 상대적으로 변화시킨 자연법에 의거한 것으로서, 언제나 상부로부터 흘러내려오는 은총과 관련될 뿐입니다. 따라서 정의는 오로지 지배계급이 고수해야 할 덕목의 차원에서 이해될 뿐입니다.

15. 범죄에 대환 처벌과 치료: 보다 쉽게 말해 봅시다. 인간은 토마스 아퀴나스에 의하면 모두 죄인입니다. 왜냐하면 인간들은 천국에서 쫓겨난 아담의 후예들이기 때문입니다. 따라서 정의로움을 실현하는 일은 오로지 "범죄에 대한 처벌과 치료(Poena et remedium peccati)"를 통해서 가능하다고 합니다. 따라서 국가는 어떻게 해서든 범죄를 처벌하고 치료해야 하며, 이를 실행에 옮겨야 합니다. 인간이 지상에서 저지르는 모든 죄악을 처벌하고, 더 이상 끔찍한 짓을 저지르지 않도록 처음부터 겁박하는 것 — 바로 이것이 정의로움이라는 것입니다. 이로써 토마스 아퀴나스는 정의로움

을 국가의 모든 정책의 방향으로 설정합니다.

16. 능력 차이, 계층마다 달리 적용되는 정의로움: 나아가 정의로움은 경제 영역에 있어서 "정당한 가치"를 요구합니다. 여기서 말하는 정당한 가치란 동등한 가치가 아닙니다. 그것은 상품이 지니고 있는 고유한 "객관적 가치"에다 상인이 미리 지불한 재생산을 위한 비용을 추가한 가치를 가리킵니다. 따라서 토마스가 말하는 정당한 가치는 자본주의의 관점에서 언급하자면 어떤 유형의 "잉여가치"가 부가된 상품의 객관적 가치를 지칭합니다. 제각기 다른 계층의 사람들은 자신의 삶을 영위하기 위해서 제각기 다른 액수의 생활비를 필요로 합니다. 모든 사람들은 사회적으로 구분되어야 마땅하다고 합니다. 왜냐하면 인간은 천국에서도 그러했고, 원죄 이후에도 그러했듯이, 처음부터 불평등한 존재이기 때문입니다. 사람마다 다른 능력을 발휘한다는 것입니다. 그렇기 때문에 사람들이 단순 노동자로부터 제후에 이르기까지 제각기 다른 일을 행하는 것은 토마스 아퀴나스에 의하면 그 자체 합법적이며 당연하다고 합니다. 정의로움은 "자연의 합리성에 따라 영원한 법에 동참하는" 과업입니다. 그것은 지상의 행복과 천국의 구원을 위하여 모든 계층 간의 여러 가지 이해관계를 조정하고 다스립니다(Thomas: 75). 이렇게 주장함으로써 토마스 아퀴나스는 "만인에게 자신의 것을 행하게 하라(suum cuique)"는 플라톤의 원칙을 더욱 공고히 하였습니다. 이로써 송충이는 솔잎을 먹고 살아야 한다는 계층적 질서는 더욱 튼튼하게 확립되었습니다. 이것이 토마스 아퀴나스가 추구한 상대적 자연법입니다. 여기서 법은 계층적 질서를 유지하기 위한 도구이므로, 만인의 완전한 자유와 평등을 보장하지 않습니다.

17. 법의 여신이 들고 있는 천칭은 과연 공평함을 상징하는가: 중세의 조각가들은 정의로움과 법을 관장하는 로마의 여신, 유스티티아(Iustitia)에

관한 조각상 역시 자주 만들었습니다. 그미는 두 손에 칼과 천칭을 들고 있는데, 천칭의 의미는 특별한 것이지요. 흔히 법학도들은 공정한 판결을 갈구하는 의미에서 여신이 들고 있는 천칭의 의미를 되새기곤 합니다. 그러나 천칭은 평등과 공정한 판결을 상징하는 물건이 아닙니다. 다시 말해, 유스티티아(정의)는 "만인에게 자신의 것을 행하게 하라"는 원칙에 입각하여, 각자의 직책에 상응하는 판결을 내립니다. 법의 여신 유스티티아(정의)가 들고 있는 천칭은 점성술의 수대(獸帶) 가운데 하나로서, 언제나 하늘 위로 향하고 있습니다. 그것은 태양의 빛을 받아서, 그것을 지상과 어둠의 세계로 보냅니다. 천칭은 상부의 영향을 받아서 지하로 향하는 일방통행의 명령을 수행합니다. 바로 이러한 상명하달은 찬란한 왕관을 쓰고 있는 법의 여신, 유스티티아(정의)의 이상에 관한 알레고리가 아닐 수 없습니다. 이렇듯 실정법은 처음부터 가진 자와 힘 있는 자의 이익을 반영하는 것이었으며, 지금도 그러합니다. 정의 역시 같은 부류의 계층 사람들을 전제로 하여 개념화될 수 있었습니다. 다른 부류의 계층 사람들 사이에는 정의는 처음부터 존재하지 않고, 다만 명령 내리기와 복종하기만 존재할 뿐입니다.

18. 주체의 권리에 대한 개별적 인식: 르네상스 시대에 이르러 자연법은 중세의 경우와는 달리 다시금 체제 파괴적 태도를 취하면서, 야권 세력을 지지했습니다. 실제로 다음의 사항은 중세의 특징으로 부각됩니다. 즉, 자유와 평등에 대한 파토스가 강세를 이루고 정의로움은 뒷전으로 물러나게 되었지요. 다시 말해서, 최상의 재판관 내지 가부장으로서의 신은 신시대에 이르러 서서히 자취를 감추고, 인간은 더 이상 정의로움의 대상 내지는 객체이기를 거부하게 됩니다. 정의라는 단어는 완전히 사라지지는 않았지만, 정의로움 속에 도사리고 있던 (교황의) 자연법적 우선권은 서서히 자취를 감추게 됩니다. 특히 정의에 철저히 빌붙어 아양 떨고 있던 권력 지향적

이고 기회주의적인 성향들이 모조리 일탈된 것은 어쩌면 당연한 귀결인지도 모릅니다. 그 밖에 정의로움 속에 도사리고 있던 (거짓된 의식으로 가득차 있던) 공평한 상도 어디론가 사라졌으며, 이른바 상부의 신으로부터 내려온 것으로 인식되던 척도의 고수라는 애매한 의미도 이제는 시대착오적인 것으로 변하게 되었습니다.

19. 법의 원칙은 얼마든지 권력 이데올로기로 남용될 수 있다: 친애하는 J, 지금까지 유효했던 정의라는 외형적 개념은 권력층 내지 부유층으로부터 유래한 것입니다. 그것은 중세 말기에 이르기까지 신의 법칙성을 보존하기 위한 어떤 형식적 척도로 활용되었습니다. 다시 말해서, 국가 권력이 모든 것을 독점하고 현실적 삶이 거의 황폐화되던 시대에 신의 권능을 보호해 주던 것이 다름 아니라 이데올로기로서의 상대적 자연법의 정의라는 개념이었습니다. 정의가 지금까지 역사 속에서 단 한 번도 가지지 않은 자의 손을 들어주지 않았다는 것은 결코 우연이 아닙니다. 물론 파시스트들이 정의를 비아냥거린 것은 사실입니다. 그렇지만 파시즘은 정의의 개념 속에 담긴, 계급 차이라는 근본적 특성을 그대로 실천하였습니다. 다시 말해서, "만인에게 자신의 것을 행하게 하라"는 정의의 임무는 이를테면 나치 이데올로기를 실천하는 데 도움을 주었던 것입니다. 가령 누군가 계층 사회를 찬란한 무엇으로 갈구하며 합법적 군주제를 열렬히 옹호한다든가, 그게 아니라면 프로이센 같은 국가 유형과 왕궁에서 유래한 선거 공약에 지속적으로 동조하는 경우를 생각해 보세요. 그러한 사람에게 정의로움이 내세우는 "만인에게 자신의 것을"이라는 전언은 매우 그럴 듯하게 들리는 요구 사항이 아닐 수 없습니다. 이로써 시민불복종 운동은 종언을 고하고, 일반 사람들은 더 이상 정치에 관심을 기울이지 않으며, 엘리트 관료주의 체제가 사회 깊은 곳까지 뿌리를 내리게 되는 것입니다.

20. 상대적 자연법 속에 도사린 수구 반동주의: (1) 인간은 누구든 간에 죄를 지은 자라는 식으로 원죄를 강조하는 견해, (2) 인민을 억압하는 국가적 폭력을 무작정 옹호하는 자세, (3) 인간은 태어날 때부터 제각기 다른 능력 내지 다른 관심사를 지닌 채 태어난다는 계층적인 원칙과 계급 차이를 중시하는 입장, (4) 권력 당국은 신으로부터 하사 받은 것이므로 신성불가침의 영역이라고 믿는 신하 근성의 태도, (5) 정치, 경제, 사회, 그리고 문화에는 관심을 기울이지 말고, 오로지 자신의 본분에 충실하게 임하라는 요구 사항 — 이러한 다섯 가지 사항들은 궁극적으로 상대적 자연법 내지 실정법이 지니고 있는 반동주의의 사고가 아닐 수 없습니다. 정의로움은 상기한 내용과 동일한 맥락에서 영원한 정부에 관한 어떤 유형을 창조합니다. 몇몇 사람들이 토마스 아퀴나스의 사상을 새롭게 해석하면서 계층 국가의 모델이 사라진 것을 애도하곤 하는 경우를 생각해 보세요. 상부로부터 내려온 상대적 자연법은 좋든 싫든 간에 약 400년 전에 종언을 고하였습니다. 이 시기부터 싹트기 시작한 것은 주체의 공공연한 권리를 둘러싼 투쟁이었습니다. 이는 법학 영역 내의 문제로 작용했을 뿐 아니라, 그 자체 시민주의의 진보적인 자연법적 내용으로 파악되었습니다.

21. 자연법 개념의 너무나 다양한 스펙트럼, 한스 벨첼: 가령 한 가지 예를 들어 보겠습니다. 이를테면 한스 벨첼은 다음과 같이 말했습니다. "자연에 의거한다는 것은 투쟁 수단, 공격과 방어의 무기를 얻는다는 것이다. 이는 사회윤리적 현존재 설계에 아무런 실질적 근거를 부여해 주지 않고, 투쟁의 구호로서 자기 대열에서의 승리의 확신을 강화하고 적수의 저항 의지를 꺾어 놓는 것이다. 그러한 한에서 모든 자연법론은 이데올로기적이다"(벨첼: 341). 벨첼의 인용문을 읽으면, 우리는 "자연법에 관해서 얼마든지 복합적으로 서술할 수 있다(De iure naturae multa fabulamur)"는 마르틴 루터의 냉소적인 발언을 떠올릴 수 있습니다(Luther: 355). 여기서 자연의 법

칙은 근본적으로 원시시대에 출현한 "피지스"의 개념으로 이해되고 있습니다. 자연법칙 속에 약육강식이라는 원칙이 존재하듯이, 자연법 속에는 "자연에 의거한 투쟁의 구호"가 울려 퍼진다는 것입니다. 자연법은 벨첼에 의하면 인간의 본질적인 삶을 직관하려는 플라톤처럼 이상주의적 지조를 견지하고 있는데, 이는 공산당 지도부가 지니는 신앙심과 결부되어 있다는 것입니다. 친애하는 J, 우리는 여기서 두 가지 사항을 문제 삼지 않을 수 없습니다. 첫째로 벨첼은 루소(Rousseau), 흐로티위스(Grotius) 등의 자연법사상을 역사적으로 단 한 번 출현한 계몽사상으로 국한시키고, 이를 자연법과 구분하고 있습니다. 둘째로 자연법은 플라톤의 이상주의와 마르크스의 계급 없는 사회에 관한 열정과 연결된다는 점에서 하나의 계시 신앙의 의미를 표방한다는 것입니다. 이로써 벨첼은 만인의 자유와 평등에 관한 가능성을 타진하는 자연법사상을 이른바 "추악한" 마르크스주의와 연결시키고, 이를 폄하의 대상으로 간주하고 있습니다. 이로써 벨첼의 논리는 법학자들만의 특권 의식, 자유주의자의 엄정중립적인 법치국가론에서 헤어나지 못하고 있습니다. 이에 대한 예를 우리는 라드브루흐에게서 발견할 수 있습니다. 그는 당위로서의 자연법과 존재로서의 실정법의 일치를 주장하면서도, 실질적으로는 인민이 아니라 입법자에게 더 많은 권한을 부여하였습니다(Radbruch: 38ff). 역사적으로 고찰할 때, 이러한 엄정중립적인 법치국가론은 양비론의 함정에서 제 힘을 발휘하지 못하다가 끝내 파시즘의 제물이 되지 않았습니까?

22. 법의 정의는 처음부터 지배 계층의 이권을 대변하고 있다: 친애하는 J, 정의는 동서고금을 막론하고 결코 만인의 자유와 평등에 합당한 개념이 아닙니다. 고대 로마법으로부터 현대에 이르기까지 정의는 계급 차이를 인정하고, 모두가 자신의 직분에 맞게 행동하라는 공식 "만인에게 자신의 것을 허용하게 하라(Suum cuique tribuere)"와 일치하는 개념으로 통용되어

왔지요. "법의 계명은 이러하다: 명예롭게 살라, 타인을 해치지 말라, 만인에게 자신의 것을 허용하게 하라(Iuris praecepta sunt haec: honeste vivere, alterum non laedere, suum cuique tribuere)"(Inst. 1. 1. 3). 정의는 오로지 동등한 계급을 전제로 실천될 수 있었습니다. 서로 다른 계급 사이에는 정의로움이 존재하지 않고, 명령과 복종만이 존재할 뿐입니다. 물론 이전의 사람들이 정의를 내세우면서 인간 평등을 상상하지 않은 것은 아니었습니다. 그렇지만 정의는 지배계급과 지배층의 이권을 처음부터 옹호하기 위해서 만들어진 실정법에 종속되어 있습니다. 이를테면 정의로움은 집안의 가장(家長) 내지 나라의 군주를 전제로 합니다. 가령 가장 내지 군주는 모든 사람들의 노력에 상응하는 처벌 내지 대가를 지불하지요. 정의는 말하자면 힘 있는 남자가 자신에게 예속된 사람들에게 그들의 지위와 수입에 상응하게 위로부터 아래로 하사하는 양식과도 같습니다. 그렇기에 정의를 논한다는 것은 실정법을 논하는 일이며, 실정법을 논한다는 것은 계층의 차이와 사유권의 인정을 전제로 하고 있습니다. 따라서 우리는 정의를 논할 게 아니라, 실정법과 반대되는 자연법 내지는 이상으로서 이해되는 사회주의의 공동선을 우선적으로 논해야 할 것입니다.

23. 문제는 만인의 자유와 평등 그리고 전체주의 국가에 대한 비판이다: 따라서 우리가 차제에 계속 추적해야 할 문제점은 다음과 같은 두 가지 사항으로 요약할 수 있을 것입니다. 첫째로 우리는 에른스트 블로흐가 주장한 바 있듯이 정의 대신에 자연법에 관심의 초점을 맞추어야 합니다. 왜냐하면 자연법이 추구하는 만인의 자유와 평등을 실현하는 일이야말로 인간을 품위 있게 만들고 진정한 인권을 추구하도록 자극하기 때문입니다. 이는 평등 사회를 창조해 나가는 일련의 사상과 연계되어 있습니다. 둘째로 우리가 반드시 견지해야 할 태도는 세계 전역에 뿌리를 내린 전체주의 국가 구조에 대한 비판일 것입니다. 역사적으로 고찰할 때 대부분의 사람들

은 윤노빈 교수가 『신생철학』에서 언급한 바 있듯이 "마치 주인에게 꼬리치고 타인에게 꼬리치는 개와 같은" 어떤 보수적인 습성을 지니고 있었습니다. 그러나 이러한 근성은 인간의 본성에서 연유하는 게 아니라, 항상 수많은 개인을 통제하고 억압하는 수단으로 사용되어 온 법의 이데올로기 때문에 나타나는 "인위적(人僞的)"으로 왜곡된 근성이며, 차제에 얼마든지 수정 가능한 것입니다.

24. 검찰과 경찰이 주로 인민을 적으로 간주하는 이유는 무엇인가: 가령 검찰이 마치 권력자의 개처럼 처신하며 개개인을 구속하고 억압하는 온갖 횡포들을 생각해 보세요. 검찰은 15세기 유럽의 종교재판소의 행정 및 업무 체계를 답습하여 생겨난 체제이며, 경찰은 16세기에 뜨내기 방랑자들을 단속하기 위해서 형성된 체제였습니다(Bloch: 282). 경찰이 단속하는 대상은 일반 사람들이지, 권력자나 재벌은 아닙니다. 따라서 "법의 눈은 지배자의 얼굴에 박혀 있다"는 블로흐의 주장은 상기한 사항과 맥락을 같이 합니다. 다시 말해서, 법을 소유하며 법의 관점에서 바라보는 자들은 언제 어디서나 간에 지배 계급입니다(블로흐: 440). 오늘날 우리가 신경을 곤두세워야 할 사항은 정의의 이름으로 은밀하게 불법을 행하는 거대 기업, 막강한 법을 사용하여 개개인들을 억압하는 국가기관의 횡포입니다. 오랫동안 중요한 문제를 좌시한다면 우리는 하루아침에 철창에 갇힌 드레퓌스의 신세로 전락할지 모릅니다. 우리는 정의의 이름으로 만행과 술수를 획책하는 현 정부를 비판해야 할 뿐 아니라, 일반 시민들이 정치적 들러리로 살아가는 계층 사회 내지 의회 민주주의의 허구성을 비판하고 이에 대한 대안을 찾아야 할 것입니다. "국가, 그것은 우리다(L'Etat, c'est nous)"라는 슬로건이 요즘처럼 필요한 시대는 아마 없을 것입니다.

25. 역사 속에 평등한 삶을 실천한 경우는 거의 없었다: 친애하는 J, 지금

까지의 역사는 동서고금을 막론하고 계층적으로 분할되어 왔습니다. 고대 그리스와 로마는 자유로운 시민들의 찬란한 영광을 자랑하지만, 고대사회를 지탱해 준 토대는 노예경제체제였습니다. 중세에 그리스도 교부들은 찬란한 평등 사회를 언제나 저세상으로 이전시킴으로써, 당시 계층적으로 분화되어 있던 사회구조의 틀을 신학적으로 정당화시켰습니다. 근대에 이르러서도 마찬가지였습니다. 사람들은 폭군의 횡포를 접할 때 끊임없이 자연법을 떠올리고 정의로운 법체계와 평등한 사회를 떠올렸지만, 이는 정치사상과 학문 그리고 이를 문학적으로 반영한 작품을 통해서 그저 문헌으로만 표현되었을 뿐입니다. 절대주의 시대에는 왕의 한 마디가 법이었고, 법이 바로 왕명이었습니다. 근대 이래로 자본주의가 활성화됨에 따라 시토이앙 세력이 힘을 얻게 되었습니다. 과거에 권력과 함께 이권을 누리던 사제와 귀족 세력을 대신하게 된 것은 다름 아니라 부르주아 계급입니다. 프롤레타리아혁명이 성공을 거두고 소련 사회주의가 세계의 일부를 장악하게 되었을 때에도 만인의 평등은 요원한 미래처럼 느껴졌습니다. 왜냐하면 당 관료들이 "현실 사회주의"를 부르짖으면서, 만인이 평등하게 살아갈 수 있는 가능성을 먼 미래로 연기시켜 놓았기 때문입니다(Wolf: 80). 모든 권능을 자랑하던 신의 권능은 글로벌 신자유주의 시대에 이르러 자본의 권능으로 대치되고 말았습니다. 비록 고대의 신분적 질서는 사라지고, 근대에 이르러 사회계약의 질서가 자리하게 되었지만, 과거에 존재했던 계층과 신분 차이는 오늘날에 이르러 재산과 돈으로 계층화되어 있습니다. 돈 있는 사람 위에 돈 많은 사람 있고, 돈 있는 사람 아래에는 돈 없는 사람이 있습니다.

26. 정의의 개념이 바람직한 국가의 토대가 될 수 없는 이유: 계층적으로 분할된 신분 사회에서 정의는 존재하지 않습니다. 서로 다른 계층에 속하는 사람들이 법적인 투쟁을 할 때 승소하는 자는 처음부터 정해져 있습니

다. 물론 정의로움을 관철시키는 일이 거의 불가능하다는 이유로 모든 희망을 저버리자는 말은 아닙니다. 다만 여기서 확실한 것은 자연법이 지금까지 언제나 인간의 갈망의 영역에 머물렀다는 사실입니다. 대부분의 실정법은 고대로부터 지금까지 계층 사회와 신분 사회를 전제로 하여 출현한 것입니다. 따라서 우리는 아퀴나스의 주장과는 달리 정의가 아직 제반 국가의 토대가 될 수 없음을 분명히 해야 합니다. 왜냐하면 정의로움은 동등한 계층의 경우에 적용될 수 있는 법적 규정이지, 계층을 달리하는 사람들의 이해관계를 분명히 규정할 수 있는 원칙이 아니기 때문입니다. 또한 "만인에게 자신의 것을 허용하게 하라(suum cuique tribuere)"는 플라톤의 발언은 거대한 조직들로 구성된 현대사회에서도 얼마든지 마키아벨리 방식의 통치 수단에 의해 악용될 수 있음을 염두에 두어야 할 것입니다. 아니나 다를까, 각자가 자신의 일을 수행하고 있는 동안 권력자는 교활한 방법으로 만인의 권력을 빼앗아서 얼마든지 남용할 수 있지 않습니까? 그렇기에 "만인에게 자신의 것을"이라는 전언은 놀랍게도 독일 파시스트들에 의해서 교묘하게 이용당했습니다. 그것은 제2차 세계대전 당시에 유대인 강제수용소, 부헨발트에서 하나의 슬로건으로 사용된 바 있습니다. 오늘날에도 교활하고 노회한 정치가들은 "정치는 내가 알아서 할 테니, 너희는 걱정 말고 맡은 일에만 열중하라"고 권유하지 않습니까?

27. "정의란 무엇인가?" 대신에 "과연 이 땅에 정의가 존재하는가?"라고 질문을 던지자: 따라서 우리는 마이클 샌델처럼 "정의란 무엇인가?"라는 추상적인 질문을 제기함으로써 모든 나라에서 통용될 수 있는 결론을 도출해 낼 게 아니라, "과연 이 땅에 정의가 존재하는가?"라고 분명하고도 단호하게 물어야 할 것입니다. 따라서 중요한 것은 정의를 추상적으로 규정하는 일이 아니라, 어째서 계층 차이가 온존하는 곳에 불의가 창궐하는가? 하고 집요한 질문을 던지는 일입니다. 단테는 신곡의 지옥 편에서 다

음과 같이 말했습니다. "이곳에 들어서는 자에게 희망이 스쳐 지나가게 하라(Lasciate ogni speranza, voi ch'entrate)." 지금 이곳을 살펴보세요. 남한 정부는 부패한 관료들을 자리에서 쫓아내지 못하고 있으며, 재벌들의 횡포에 수수방관으로 일관하고 있습니다. 이로써 피해 입는 자들은 노동자들과 민초들입니다. 용산참사, 전교조 탄압, 쌍용자동차 노동자 해고를 생각해 보십시오. 남한의 공권력은 지금까지 노동자들의 정당한 요구를 묵살하고 무력으로 데모대를 해산시켜 왔습니다. 그렇다면 우리가 살아가는 곳은 과연 어떠한 곳이어야 할까요? 이곳이 지옥이 아니라고 생각하는 자는 아마도 정의로움의 구현을 위해서 무엇을 행해야 할 것인가? 하고 곰곰이 숙고해야 할 것입니다.

참고 문헌

- 헨리 섬서 메인: 고대 법, 정동호 외 역, 세창출판사 2009.
- 한스 벨첼: 자연법과 실질적 정의, 박은정 역, 삼영사 2005.
- 에른스트 블로흐: 자연법과 인간의 존엄성, 박설호 역, 열린책들 2010.
- 마이클 샌델: 정의란 무엇인가, 이창신 역, 김영사 2010.
- 신영복: 강의. 나의 동양 고전 독법, 돌베개 2004.
- 아리스토텔레스: 니코마코스 윤리학, 최명관 역, 중원문화 2008.
- 현승종, 조규창: 로마법, 법문사 1996.
- Aristoteles: Nikomachische Ethik, der 5. Kapitel, Rowohlt, Reinbek 2006.
- Ernst Bloch: Naturrecht und menschliche Würde, Frankfurt a. M. 1985.
- Wolfgang Huber: Gerechtigkeit und Recht. Grundlinien christlicher Rechtsethik, Chr. Kaiser/Gütersloher Verlagshaus, Gütersloh 1996.
- Friedrich Kaulbach: Stichwort Natur, in: Historisches Wörterbuch der Philosophie,

Basel 1971-2007, Bd. 6.

- Martin Luther: Werke. Kritische Gesamtausgabe in 58 Bdn., Weimar 1883 ff., Bd. 56.

- Platon: Der Staat, Stuttgart 1982.

- Gustav Radbruch: Rechtsphilosophie. Studienausgabe, Heidelberg 2003.

- Thomas von Aquin: Über die Tugenden, in: ders., Summa theologica, München 2004.

- Christa Wolf: Die Voraussetzung der Erzählung: Kassandra, Darmstadt 1981.

자연법과 만인의 평등*

"법의 눈은 지배 계급의 얼굴에 박혀 있다." (블로흐)

"법은 비유적으로 말하자면 교회(성당)의 유리창과 같다." (박설호)

"자연법의 정신은 행하는 규범(norma agendi = 공권력)이 아니라, 행하는 능력(facultas agendi = 촛불집회)에서 발견된다." (블로흐)

1.

친애하는 K, 감옥에는 돈 있고 힘 있는 자들이 거의 없습니다. 부자와 권력자들이 죄를 짓지 않는 것은 아닙니다. 그러나 그들이 복마전에 머무는 경우는 잠깐입니다. 아우구스티누스의 『신의 국가에 관하여(De civitas Dei)』에는 다음과 같이 적혀 있습니다. "나는 배 한 척 가지고 도둑질하므로 해적이라 불리지만, 당신은 큰 함대를 가지고 도둑질하므로 황제라고 불립니다." 어느 영혼은 살인죄로 인하여 사형선고를 받지만, 수천 명의 목숨을 앗아간 독재자는 무죄 방면됩니다.

주어진 법은 언제 어디서나 가진 자와 지배자의 이권을 위해서 만들어진 것입니다. 진정한 법은 과거든, 지금이든 간에 만인에게 적용되지 않습

---

* 이 글은 에른스트 블로흐의 『자연법과 인간의 존엄성』의 역자 후기로 발표된 것을 일부 수정하였다.

니다. 어떻게 하면 우리는 만인의 자유와 평등을, 진정한 법을 실현시킬 수 있을까요?

2.

본서는 에른스트 블로흐의 학술 명저 가운데 『자연법과 인간의 존엄성 (Naturrecht und menschliche Würde)』(1961)을 우리말로 번역한 것입니다. 22권의 블로흐의 문헌들 가운데 이 책을 선택한 것은 나름대로 이유가 있습니다. 첫째로 본서는 블로흐가 내세우는 핵심적 자세인 인간의 의연한 기개를 강조하고 있습니다. 의연한 기개는 무엇보다도 불법에 대한 저항 정신에서 비롯합니다. 카이사르의 심장에 비수를 꽂는 브루투스를 생각해 보세요. 둘째로 지금까지 인류는 블로흐에 의하면 법적 정의를 실천하지 못했습니다. 법의 기준이 되는 정의는 처음부터 계층 사회를 전제로 하고 있으며, "만인에게 자신의 것을 행하게 하라(Suum cuique)"는 기본적 사고에 바탕을 두고 있습니다. 이는 "송충이는 솔잎을 먹고 살아가야 한다"는 체념과 굴종의 세계관에 근거하는 말이지요.

정의는 오직 동등한 계급 내에서만 유효했을 뿐, 계급 차이를 지닌 두 인간 사이에서는 처음부터 적용될 수 없는 개념입니다. 이는 소크라테스, 아리스토텔레스의 정의의 개념 그리고 중세의 토마스 아퀴나스의 수직 구도의 계층 사회 이론에서 반복되어 나타납니다. 블로흐는 "모든 인간은 자유롭고 평등하다"라는 울피아누스의 말을 인용합니다. 그렇지만 이 말은 이어지는 문장을 위해서 끌어들인 허사에 불과합니다. 즉, 노예제도는 시민의 권한을 보충해 주는 수단이라고 합니다. 실제로 로마법은 채권법에 바탕을 두고 있습니다. 그것은 채무자에 대한 채권자의 권리를 옹호하는 것을 목표로 합니다. 인간의 역사를 고찰해 보세요. 그것은 만인이 자유롭지도 평등하지도 않았음을 증명하고 있습니다. 법이 있는 곳에는 언제나 돈이 있었지요(Ubi ius, ibi pecunia). 흔히 법을 말할 때 정의의 여신을 예로 들곤 합니다. 친애하는 K, 당신은 그미가 들고 있는 천칭이 바로 판관의 공평함을 상징한다고 말합니다. 그러나 이는 겉으로 드러난 판단일 뿐입니다. 블로흐는 다음과 같이 지적하였습니다. 천칭은 점성술의 "수대 (獸帶)" 가운데 하나로서, 하늘 위로 향하고 있습니다. 마치 천칭이 상부의 영향을 받아서 지상으로 영향을 끼치듯이, 법은 당국의 상명하달의 정신을 충직하게 따릅니다.

친애하는 K, 블로흐는 계몽주의 시대에 이르러 자연의 법칙이 이성의 법칙으로 대치되는 것을 지적합니다. 프랑스혁명 당시에 제기된 자유, 평등, 그리고 동지애는 의식있는 시민의 이상으로 이해될 수 있습니다. 그러나 그것들은 성장하는 부르주아의 이권을 반영하고 있었습니다. 알투스, 루소, 그리고 호로티위스의 자연법사상은 나중에 칸트, 피히테, 그리고 헤겔 등에 법철학적 단초를 제공하였습니다. 칸트와 헤겔은 블로흐에 의하면 "눈에는 눈, 이에는 이"라는 함무라비 법전의 보복 이론을 계승함으로써 자연법의 이상에 접근하지 못했다고 합니다. 칸트의 법철학은 주어진 경험의 현실을 외면하며, 보복을 추상적으로 규정하였습니다. 헤겔은 예컨대 베카리아의 사형 철폐 이론에 제동을 걸었습니다. 물론 헤겔의 변증법 사상은 마르크스 사상의 발전에 기여하였지만, 그의 완고하고 근엄한 법철학적 견해는 셸링의 그것과 마찬가지로 나중에 사비니를 필두로 한 "역사 법학파"의 보수 반동주의에 이론적 빌미를 제공하였습니다. 블로흐는 19세기의 자연법 학자 가운데 토마지우스와 안젤름 포이어바흐의 입장을 높이 평가하고 있습니다. 이들은 — 체제 옹호적인 입장을 개진한 푸펜도르프와 볼프와는 반대로 — 권력과 금력을 소유하지 못한 자들의 인권을 옹호함으로써 자유주의적 자연법의 초석을 쌓았다고 합니다.

3.

블로흐는 바흐오펜의 『모권(Das Matriarchat)』을 언급합니다. 모권 속에 담긴 고대 자연법의 요소는 다시 한 번 강조되고 있습니다. 엘레우시스 축제를 치르던 혼음 사회에서는 (아프로디테 여신으로 암시되는) 무녀들의 자유로운 사랑의 삶이, 태초의 농경 사회에 이르러서는 (데메터 여신으로 암시되는) 수확하고 포용하는 모성의 삶이 구현되고 있습니다. 이는 가부장주의 사회 이전의 삶의 패턴이라는 점을 감안한다면, 블로흐는 계급 없는 사회에서의 진정한 평등 사회의 조건을 확인시켜 주고 있습니다. 그것은 바로 남녀평등에 바탕을 둔 삶입니다.

블로흐는 실정법이 계급 이데올로기를 공고히 하기 위한 수단으로 활용되었음을 지적합니다. "법은 권력"으로서, 지금까지 권력자와 가진 자의 이권을 옹호해 왔습니다. 검찰과 경찰 역시 권력의 하수인 역할을 행했습니다. 검찰은 종교재판소가 국가 체제로 이전되는 과정에서 형성된 것이며, 경찰 조직은 중세에 빵을 훔치던 방랑자들을 체포하기 위해서 만들어진 것입니다. 따라서 우리는 다음의 사실을 확인할 수 있습니다. 즉, 국익을 대변하는 권력자와 재벌은 공권력을 두려워하지 않는다는 사실 말입니다. 검찰과 경찰에게 봉록을 주며 명령하는 자들이 바로 그들이기 때문입니다. 문제는 법을 하나의 도구로 사용하는 국가의 폭력입니다. 블로흐는 "계급 없는 사회가 도래하면 국가는 저절로 사멸할 것이다"라는 엥겔스의 말에 다음과 같이 첨가합니다. 법학 역시 부르주아 계층 사회에서 권력 이데올로기 가운데 하나로 기능하는데, 자유의 나라가 도래하면 철폐될 대상이라고 합니다. 이러한 발언은 동서고금의 실정법 내지 법실증주의에 대한 통렬한 비판이 아닐 수 없습니다.

블로흐의 『자연법과 인간의 존엄성』은 현대의 법철학적 조류를 고려한다면 비주류에 해당합니다. 왜냐하면 현대의 법철학자들은 마르크스주의에 근거한 블로흐의 견해를 용납하지 않기 때문입니다. 법철학 자체가 보수적이고 권력 지향적 성향을 지니고 있었습니다. 19세기의 역사 법학파의 영향은 결국 카를 슈미트의 법 결정주의로 이어졌으며, 파시즘 국가에 이론적 논거를 제공하였습니다. 이는 결코 우연이 아닙니다. 물론 19세기 법학자들 가운데 안젤름 포이어바흐와 같이 진보적 보호 이론을 표방하는 자들도 많았습니다. 현대의 법철학자들 가운데 일부는 (흐로티위스의 진보적 성향을 따르는) 법적 자유주의 견해를 추종하는 반면, 일부는 (홉스와 마키아벨리의 보수적 성향을 따르는) 역사 법학파의 실정법적 견해에 동감을 표하고 있습니다. 그렇지만 두 가지 조류는 약간의 차이만을 드러낼 뿐이며, 이른바 자유주의라는 공통분모를 지닙니다. 이에 비하면 마르크스의 법철학 사상은 소련의 법철학자 파슈카니스(Paschukanis)가 정치적으로 제거된 이후로 거의 명맥이 끊겨 있었습니다. 블로흐의 책은 자연법의 역사를 고려할 때 바로 이러한 명맥을 이어 주는 문헌임에 틀림없습니다. 한마디로 블로흐의 『자연법과 인간의 존엄성』은 법학 내부에서 모든 것을 고찰하지 않고, 법학 바깥에서 법과 법 유토피아를 조감하는 참으로 귀중한 문헌입니다.

4.

블로흐는 시민사회에서의 제반 법학 이론이 하나의 권력 이데올로기라고 단언하였습니다. 시민주의 문화와 예술은 사회주의사회에서 부분적으로 계승될 수 있는 훌륭한 성분을 지니고 있는 반면에 법학의 대부분의 내용은 파기 대상으로 간주되는 까닭은 바로 그 때문입니다. 법학이 권력 이데올로기라는 것은 우리의 현실에서도 나타납니다. 젊은이들이 가난한 사람을 돕고 사회에 봉사하기 위해서 법학을 전공하지만, 나중에 어처구니없게도 법학 전공자라는 선민의식과 신분상의 특권을 획득하게 됩니다.

자고로 힘은 개인보다는 집단으로, 집단보다는 국가로 쏠립니다. 인간의 욕망은 권력과 금력의 소용돌이 속으로 향하는 내향적 특성을 지니기 때문이지요. 이와 관련하여 공정성을 유지하기 위해서 블로흐는 역설적으로 약간의 편향적 자세를 용인해야 한다고 주장합니다. 즉, 우리는 권력자와 부자 대신에 개인과 민초의 권익에 두 배 이상의 힘을 실어 주어야 합니다. 친애하는 K, 당신과 같이 법을 전공한 사람들은 국가의 상부나 권력 구조에 배타적이어야 하며, 대신에 인민의 권익에 좀 더 가까이 다가가야 합니다. 현실의 토대가 이미 권력과 금력에 의해 계층적으로 분화된 채 기울어져 있기 때문입니다.

마지막으로 한 가지 사항만 말씀드리겠습니다. 블로흐는 실정법을 비판하고 자연법을 하나의 법 유토피아로 설정하였습니다. 이에 비해 현대의 법철학자들은 자연법과 실정법 사이의 간극을 메우려고 하였습니다. 가령 라드브루흐는 법의 상대주의를 내세우면서 민주주의를 엄정중립적인 타당성으로 정당화시켰습니다. 그런데 주어진 현실 내의 권력 구도가 이미 편향적인데, 어떻게 형식논리적으로 수직의 추를 드리울 수 있을까요? 라드브루흐는 중립을 이야기하지만, 결국에는 개인보다는 입법자에게 모든 권리를 떠맡기고 있습니다. 따라서 극단의 시대에 중심을 잡기 위한 공정함의 추는 수직이 아니라, 사선(斜線)으로 드리워져야 합니다. 이는 아르투르 카우프만에게도 적용되는 말입니다. 카우프만은 가다머의 해석학을 도입함으로써, 법이 당위와 존재 사이의 일치되는 무엇이라는 절충적 입장을 더욱더 비비 꼬아 놓았습니다. 이로써 그가 내세우는 것은 "해석학적 나선형"입니다. 카우프만의 관심사는 오로지 법이념(당위)과 사례(존재)를 서로 절충하여 하나의 이성적 판결을 내리는 것으로 향하고 있습니다. 이로써 그의 시각은 재판관의 관점만 부각시킬 뿐, 재판 당하는 사람의 관점을 등한시하고 있습니다. 만약 그가 법 바깥에서 법을 고찰했다면, 그는 웅장하지만 초라한 법원 건물을 분명하게 인지하였을 것입니다. 법은 비유적으로 말하자면 교회(성당)의 유리창과 같습니다. 그것은 내부에서는 오색 영롱한 갈망의 상으로 비치지만, 바깥에서는 회색의 차단막으로 반사되는 암울한 상으로 비칩니다.

5.

번역이 끝나갈 무렵, 신문에는 조봉암 선생의 무죄 확정 소식이 실렸습니다. 선생은 대법원에서 사형선고를 받고 처형당했습니다. 사법 살인이 자행된 것이었지요. 당시 나는 코흘리개 아이였습니다. 『동아일보』를 읽던 아버지가 눈물을 글썽거렸는데, 영문을 몰랐습니다. 어느 날 담임선생님은 초등학교 1학년 통지표에 내가 "통솔력이 없다"고 적었습니다. 이때 아버지는 다음과 같이 답했습니다. "자유 없는 나라에서 통솔력 없는 것이 다행입니다." 법학을 전공한 아버지가 어째서 생전에 그토록 루소를 흠모하였는지 이제야 이해할 것 같습니다.

친애하는 K, 당신의 글들은 세부적 사항에 있어서 나의 번역에 많은 도움을 주었습니다. 이 자리를 빌어서 고마움을 전합니다. 힘든 시기에 선뜻 출판을 결정해 준 "열린책들"의 홍지웅 사장님, 세심하게 읽고 교정해 준 김민기 선생님에게 감사드립니다.

II

천년왕국의 사고와 유토피아

1. 천년왕국의 사고와 유토피아: 유토피아의 사고는 최상의 사회 내지 좋지 못한 사회에 관한 합리적 설계를 담고 있는데, 여기에는 주어진 현실에 대한 간접적인 비판이라는 기능이 도사리고 있습니다. 여기서 중요한 것은 분명한 구도와 절제된 시스템에 대한 이성적 토대입니다. 이에 비하면 천년왕국의 사고는 미래에 도래하게 될 찬란한 천국의 삶에 대한 순간적이고도 강렬한 의향을 반영합니다. 이것 역시 주어진 현실을 간접적으로 비판하지만, 그 배경에는 믿음과 종교가 토대를 이루고 있습니다. 천년왕국의 사고는 더 나은 삶을 강렬하게 기대하고 열망한다는 점에서 현실 변화를 위한 효모로 작용합니다. 지금까지 사람들은 유토피아의 모델로서 토머스 모어의 『유토피아』를 언급하였습니다. 이와 관련하여 유토피아 연구는 모어 이후에 출현한 일련의 국가 소설들을 유토피아의 모델로 설정하였습니다. 20세기 초의 아나키스트, 구스타프 란다우어(Gustav Landauer)에 의하면 천년왕국의 사고와 유토피아는 내용상으로는 서로 겹치고 기능상으로는 동일하다고 주장한 바 있는데, 이는 상기한 맥락 속에서 이해될 수 있습니다(Landauer 1923: 63). 이러한 견해는 카를 만하임과 에른스트 블로흐에 의해서 재확인된 바 있습니다. 비유적으로 말하면, 국가 소설에 나타난 유토피아의 모델이 유토피아 연구의 노른자위라면, 천

년왕국 내지 종말론의 사고에 반영된 유토피아의 성분은 유토피아 연구의
흰자위인 셈입니다. 문제는 이 두 가지 사고의 공통성과 이질성을 명확하
게 밝히는 작업입니다.

2. 진리는 발전되는 게 아니라, 처음부터 확정되어 있다고 한다: 일단 천년
왕국의 사고의 신학적 토대에 관해서 살펴보기로 하겠습니다. 아우구스티
누스에 의하면 진리는 처음부터 정해져 있습니다. 이것은 신의 의지인데,
인간에 의한 완전한 인식은 불가능하다고 합니다. 그렇기에 그는 "인식하
기 위하여 믿어라(Crede, ut intelligas)!"라고 주장합니다. 사실 기독교 신앙
에서는 이해되지 않는 대목이 참으로 많습니다. 신약성서에 나타나는 기
적도 그리고 그리스도의 부활도 인간의 이성적 판단으로는 잘 이해되지
않습니다. 기독교가 인식 대신에 믿음을 우선적으로 강조한 것은 기독교
의 불가지론적 특성 때문인지도 모를 일입니다. 테르툴리아누스는 다음과
같이 말했습니다. "그것이 비이성적이기 때문에 나는 믿는다(Credo, quia
absurdum est)." 진리는 기독교에 의하면 인간에 의해서 완전무결하게 인
식될 수 없는, 신의 뜻입니다. 이것은 확정된 무엇으로서의 암호이며, 동시
에 불변하는 무엇이기도 합니다. 뢰비트(Löwith)도 언급한 바 있듯이, 아우
구스티누스는 다음의 사항을 예리하게 지적하였습니다. 즉, 교회는 계속
이어져 내려오는 세계사의 단계 속에서 그리스도의 진리를 계속 발전시키
는 것을 본연의 과업으로 여기지 않는다는 사항 말입니다. 오히려 교회는
언젠가 확정된 무엇으로 드러난 진리를 전파하고 선포하는 것을 목적으로
삼고 있습니다. 왜냐하면 진리란 그 자체 변형되고 발전되는 무엇이 아니
라, 처음부터 명백하게 확정되어 있는 무엇이기 때문이라고 합니다.

3. 과거의 확정된 무엇을 추구하는 아우구스티누스 사상: 아우구스티누스
의 시각이 이러한 방식으로 과거지향적으로 향하고 있다는 것을 전제로

할 때 우리는 그의 교리가 의향의 측면에서 유토피아와 반대된다는 것을 알 수 있습니다. 왜냐하면 인간은 신의 진리를 완전히 인식하지는 못하지만, 믿음을 전달하고 선포하는 것으로 족하기 때문이라고 합니다. 신의 뜻을 가급적이면 충분하게 인식하기 위해서는 무엇보다도 믿음이 중요하다고 합니다. 진리는 하나의 확정된 무엇이므로, 여러 가지 성분의 사고로 뒤섞이거나 혼탁해져서는 안 된다는 게 아우구스티누스의 지론이었습니다. 기독교 신앙은 한편으로는 영지주의(靈知主義) 신앙이라든가, 당시에 횡행하던 조로아스터교 내지 마니교뿐 아니라, 다른 한편으로 몬타우스, 도나투스, 펠라기우스 등 기독교의 사상적 조류와 철저하게 구별되어야 한다는 것이었습니다. 아우구스티누스가 당시 기독교의 사상적 조류를 철저히 검증하고, 조금이라도 수정주의의 요소가 도사리고 있을 경우 이를 철저히 배척한 것도 바로 그 때문입니다. 중세 시대에는 아우구스티누스의 교리가 주도적으로 자리하였는데, 이는 시간이 흐름에 따라 정통 교회의 입장을 형성하게 됩니다. 상기한 사항을 고려한다면 『신의 국가에 관하여』에 개진된 아우구스티누스의 역사철학이 과거에 존재한 확정된 진리를 고수하는 특징을 강하게 드러내는 것은 당연합니다.

4. 숙명으로서의 가톨릭 사상: 물론 우리는 아우구스티누스의 사상을 그의 시대와의 관련성 속에서 이해해야 할 것입니다. 기원후 4세기에는 기독교 신앙이 공인된 지 얼마 되지 않아서, 아직 사회 전체에 확고하게 뿌리를 내리지 못 하던 시기였습니다. 그렇기에 신앙의 토대를 받쳐 주는 신학적 논거는 명징하고도 분명한 무엇으로 확정될 필요가 있었습니다. 아우구스티누스의 『신의 국가에 관하여』 역시 이러한 맥락에서 존재 가치를 지닙니다. 그런데 문제는 그의 사상이 먼 훗날까지 하나의 독단론으로서 확정되어, 로마가톨릭교회의 신앙적인 범례의 토대가 되었다는 사실에 있습니다. 이로 인하여 이후에 태동한 기독교의 이질적 사상은 무조건 이단

으로 못 박히게 되었습니다. 세계는 가톨릭 교리에 의하면 천국으로부터 나락한 죄인이 잠시 머무는 장소입니다. 따라서 인간이 살아가는 세계는 "눈물의 계곡"으로 설명되고 있습니다. 지상의 삶은 피조물인 인간이 필연적으로 거쳐야 하는 시기라고 합니다. 만약 인간 세계가 신의 중개 작업에 의해서 구원되기 전의 눈물의 계곡 내지 필연적으로 거쳐야 하는 복마전이라면, 지상에 하나의 천국을 건설하려는 인간의 노력은 신의 관점에서는 병적인 오만으로 이해될 수밖에 없을 것입니다.

5. 종말론 속의 개혁적 요소: 그렇지만 다른 관점에서 고찰할 때, 구약성서와 신약성서는 천년왕국과 종말론과 관련되는 수없이 많은 대목을 담고 있습니다. 「창세기」에서 「마태오의 복음서」, 「이사야의 예언」 등을 거쳐서 「요한의 계시록」에 이르기까지 수많은 대목들은 천년왕국의 기대감과 종말론의 상을 독자들에게 전해 주고 있습니다. 이러한 사항은 "진리란 그 자체 변형되고 발전되는 게 아니라, 처음부터 명백하게 확정되어 있는 무엇"이라는 아우구스티누스의 입장을 반박하기에 충분합니다. 이와 관련하여 우리는 다음과 같이 말할 수 있습니다. 즉, 중세에는 유토피아가 없었다고 말입니다. 왜냐하면 신의 정의는 천국에서 추방당함으로써 사라질 위기에 처해 있으나, 그 실체는 천국의 상 내부에 생동하고 있기 때문입니다. 따라서 더 나은 질서가 구성적으로 축조되는 것은 불가능하다고 합니다. 왜냐하면 그것은 신의 정의와는 다른 무엇으로 생각될 수 없기 때문이라고 합니다. 인간 삶의 의미는 신앙인의 관점에서 고찰할 때 현재뿐 아니라, 영원 속에서 충만하게 되는 법입니다. 영원은 한마디로 초월의 장소입니다. 따라서 미래는 세계 속에 내재하는 무엇이 아니라, 세계를 뛰어넘는 공간, 다시 말해서 저세상에 도사리고 있다고 합니다. 이를 고려할 때 중세의 기독교의 사고는 "지금 여기"에서 더 나은 삶 내지 지상의 천국을 건설하려는 인간의 시도가 덧없을 뿐 아니라, 잘못된 것이라고 단언합니다.

6. 천년왕국의 사고 속에 도사린 유토피아의 특성 (1): 유토피아와 천년
왕국의 엄격한 차이점은 오늘날에도 명확하게 밝혀지고 있지는 않습니다.
그럼에도 일단 이념의 역사 그리고 이에 관한 의식의 구조 내지 형태와 관
련하여 고전적 유토피아의 개념과 천년왕국의 사고를 서로 비교하는 게
급선무일 것입니다. 왜냐하면 이러한 비교는 두 가지 사상의 출발점이 수
세기에 걸쳐 어떻게 작용했으며, 두 가지 사고가 영향의 역사의 측면에서
어떻게 구분되는가? 하는 물음에 대한 해답을 흐릿하게나마 알려주기 때
문입니다. 우선 두 가지 사고의 유사성을 추적해 보기로 하겠습니다. 이는
네 가지 사항으로 설명될 수 있습니다. 첫째로 천국은 주어진 비참한 현실
에 대한 반대급부의 상으로 이해될 수 있습니다. 비참한 현실에서 억압당
하고 경멸당하며 살아가는 자는 찬란한 낙원을 갈구합니다. 이때 그의 뇌
리에는 찬란한 천국이 저세상에 존재하는 게 아니라, 현세에서도 출현 가
능할지 모른다는 사고가 스쳐 지나갑니다. 마치 천국과 같은 죄악이 없는
세상은 어쩌면 가능할지 모릅니다. 이를 위해서는 두 가지 조건이 선결되
어야 할 것입니다. 재화를 차지하려는 갈등이나 투쟁뿐 아니라, 성적 욕구
로 인한 질투와 다툼 역시 지상에서 사라져야 한다는 게 그 두 가지 조건
입니다. 「창세기」에 언급되는 에덴동산을 생각해 보십시오. 그곳에서는 재
화를 더 차지하려는 욕망이라든가 성욕으로 인한 갈등은 존재하지 않았
습니다. 상기한 이유로 인하여 지상의 천국에 관한 기대감이 출현할 수 있
습니다.

7. 천년왕국의 사고 속에 도사린 유토피아의 특성 (2): 둘째로 신의 완전
성에 관한 범례는 천년왕국의 사고의 토대로 작용하고 있습니다. 인간 역
시 신처럼 완전하게 되려는 의향을 지니고 있다는 것입니다. 이는 「마태오
의 복음서」 제5장 48절에 거론되고 있는데, 스스로 완전하게 되려는 의향
은 초기 기독교에서 신플라톤주의의 사상적 영향을 받은 것입니다. 성령

의 정신을 내면에 체화하고, 이와 결부된 계시의 전달자가 되려는 자는 죽음으로부터 부활하여 천국을 얻을 것이라고 합니다. 천국의 뱀은 아담과 이브에게 다음과 같이 말합니다. "선과 악을 인식하면, 너희는 신과 같게 되리라(Eritis sicut Deus, scientes bonum et malum)"(블로흐: 2739). 이와 관련하여 노먼 콘은 다음과 같은 취지의 말을 했습니다. 만일 자신의 마음속에 신성을 깨닫는 자는 자신의 내면에 천국을 소유하게 되리라고 합니다. 인간은 다만 자신의 고유한 신적 특성을 깨달으면 족하다고 합니다. 그렇게 되면 그는 영적 존재로서, 지상의 천국에서 거주하는 자로서 살아가게 될 것입니다. 대신에 자신의 신적 특성을 의식하지 못하는 것이야말로 유일한 원죄라고 합니다(Cohn: 162). 이로써 이상적 공동체는 새로운 인간의 창조와 함께 얼마든지 축조될 수 있다는 것입니다. 다시 말해서, 완전한 인간으로서의 새로운 인간은 기존 사회 내의 이기주의와 권력 추구의 특성을 완전히 저버리고, 그야말로 찬란한 평등 사회에서의 삶을 실천하게 된다고 합니다.

8. 천년왕국의 사고 속에 도사린 유토피아의 특성 (3): 셋째로 천년왕국의 이념은 천국으로부터 추방된 인간의 이 세상의 삶과 구원된 자들의 순수한 저세상의 삶 사이의 어떤 중간 단계를 구상합니다. 이 점에 있어서 그것은 유토피아의 특성을 내재하고 있습니다. 문제는 초월의 형태입니다. 이 경우, 천상과 지상은 아우구스티누스가 지적한 바 있는 결코 화해할 수 없는 두 개의 영역이 아니라, 서로 연결되는 공간입니다. 다시 말해서, 아우구스티누스는 현세와 저세상을 철저히 구분하였고, 이 세상을 "눈물의 계곡"으로 규정하였습니다. 이는 나중에 가톨릭 독단론으로 정착되었으며, 이 세상과 저세상 사이를 철저히 구분하는 세계관을 태동시켰습니다. 그렇지만 천년왕국을 꿈꾸는 사람들은 천 년 후에 나타날 이승과 저승 사이의 나라를 기대하고 있습니다. 이러한 기대감은 새로운 천국과 새로운

지상의 관점에 의해서 생동하고 있습니다. 이러한 관점에 의하면, 아담이 천국으로부터 나락하기 이전에 에덴동산에서 완전한 삶을 살았듯이, 진정한 기독교인들은 미래에 영생의 희열을 느낄 수 있다는 것입니다. 한마디로 천년왕국의 사고는 미래에 도래할 지상의 천국, 정확하게 말하자면 천상과 지상 사이의 또 다른 중간 단계로서의 세상에 대한 기대감으로 요약될 수 있습니다.

9. 천년왕국의 사고 속에 도사린 유토피아의 특성 (4): 넷째로 천년왕국의 사고와 유토피아는 인간의 자유와 평등을 중시한다는 공통점을 지닙니다. 조아키노는 천년왕국에 관한 역사를 구상하면서 역사의 발전 과정의 마지막에 도래할 제3제국의 성령의 시대를 예언한 바 있습니다. 그렇게 되면 체제로서의 교회도, 수사 계급도 인간 삶의 모범으로 간주되지 않을 것이라고 합니다. 중세에 체제로서의 교회와 수사 계급은 막강한 권한을 행사하여, 인간의 자유와 평등을 옥죄여 왔습니다. 그렇지만 르네상스 이후에 사람들은 신앙생활을 바탕으로 사치를 금지하고, 단순한 유니폼을 착용하며, 공동의 삶이라는 토대 하에서 육체적 노동을 중요하게 생각하며 살게 됩니다. 신시대의 유토피아는 중세 사원의 삶의 토대를 부인하고, 지상의 삶과 현세의 행복을 중시하게 됩니다. 천년왕국의 사고 속에 유토피아의 특성이 도사리고 있다면, 그것은 유토피아의 사고의 변형으로 이해될 수 있을까요? 그게 아니라면 유토피아의 사고가 천년왕국의 사고 내지 종말론의 변형일까요? 일단 우리는 두 가지 사고의 차이점을 구명하는 게 급선무일 것 같습니다.

10. 천년왕국의 사고와 유토피아 사이의 차이점 (1): 성서에 묘사된 천국의 상은 주어진 현재의 비참한 현실과 정반대됩니다. 유토피아는 주어진 현실과는 다른, 어떤 더 나은 대안을 갈망하고 있습니다. 이 점을 고려하

면, 천년왕국의 사고는 현대적 유토피아의 갈망의 상을 미리 선취했다고 말할 수 있습니다. 그런데 토머스 모어의 유토피아는 하나의 분명한 장르 유형에 토대를 두고 있습니다. 유토피아라는 가상적 국가가 어떻게 형성 되었는가를 다루면서 사람들은 국가 시스템의 구조에 관해서 논의를 벌이 고 있습니다. 이에 반해서 천국에 관한 메타포는 장르 내지 국가의 시스템 설계와는 무관한 하나의 완전한 상 자체입니다. 천국은 사람들의 입으로 전해 내려온 다양한 이야기에 바탕을 두고 있습니다. 이러한 이야기는 시 대와 장소에 따라 변화되었으므로, 그 내용에 있어서 여러 가지 편차를 지 닐 수밖에 없습니다. 천국의 상은 조직적으로 해명될 수 없으며, 이미 주어 진 것에 대한 논리성을 갖추고 있지도 않습니다. 한마디로 우리는 유토피 아에서 이상 국가에 관한 패러다임을 합리적으로 도출해 낼 수 있습니다. 이러한 패러다임은 가상적인 것으로서 논리적 법칙에 따라 체계화될 수 있는 무엇입니다. 이에 반해서 천국에 관한 이야기는 동화와 전설과 마찬 가지로 신화의 특성을 지니고 있습니다. 천국의 이야기는 신의 변신으로 부터 인식의 나무 내지 생명의 나무를 거쳐서 천국의 뱀의 이야기로 이어 지고 있습니다. 따라서 장르와 관련시켜 말하자면, 천국의 이야기는 "이것 저것 짜 맞추어 혼합시킨 이야기(mixtum compositum)"로 판명될 수 있습 니다.

11. 정태적 상과 능동적 상: 천국은 태고 시대 당시에 신앙인들이 꿈꾸던 상으로서 신과 함께 살아가게 될 장소를 가리킵니다. 그 장소는 인간이 자 신의 운명을 스스로 개척해 나가는 현세의 장소가 아니라, 역사 이전 혹은 이후의 자연의 순수함을 가리킵니다. 한마디로 천국의 장소는 신에 의해 서 보존될 수 있는 장소입니다. 따라서 그곳은 처음부터 선험적으로 확정 된 수동적이며 불변하는 상이 아닐 수 없습니다. 이에 반해 유토피아는 인 간의 노력에 의해서 성취되는 결과이지, 은총에 의한 초월적 행위의 결과

가 아닙니다. 이를테면 토머스 모어의 『유토피아』의 경우 가장 중요한 것은 사회적 삶의 궁핍함에 대한 근본적 원인을 캐내어 그것을 제거하는 일입니다. 다시 말해서, 천국의 이야기가 전지전능한 신의 의지와 관련된 하나의 정태적이며 수동적인 상이라면, 유토피아는 주어진 사회적 현실의 비참함을 수정해 나가려는 인간의 능동적 의지의 상이라고 말할 수 있습니다.

12. 체계적인 질서: 천년왕국을 열광적으로 갈구하는 자는 스스로 새로운 인간으로서 죄악을 척결하고 구원받은 자라고 확신합니다. 그렇기에 그들은 지상의 법이 더 이상 필요하지 않다고 믿습니다. 국가 체제 그리고 소유권뿐 아니라, 결혼과 가정 제도 등과 같은 모든 지상의 규범이 절대적인 것이 아니라고 생각합니다. 이 모든 생각은 원시 기독교에서 떠올린 평등 공동체를 다시 건립하려는 목표를 지니고 있습니다. 이에 비해서 『유토피아』에서의 새로운 인간은 결코 선험적으로 완전하지 않습니다. 모어의 유토피아에서는 무엇보다도 제도가 가장 중요한 역할을 담당합니다. 국가, 경제, 가정, 학교 등의 기관은 인간이 이성적으로 살아갈 수 있도록 자극하고, 인간의 파괴적인 잠재성을 줄여 나가도록 노력하고 있습니다. 모어의 장소 유토피아에서는 사유재산 제도가 없습니다. 그렇지만 천년왕국의 사고와는 달리 유토피아는 하나의 체계적인 질서를 고수합니다. 이러한 체계적인 질서는 정치 시스템에서 가부장적인 가정 제도에 이르기까지 제반 영역을 포괄합니다.

13. 절대적 믿음에 대한 확신이냐, 종교적 관용이냐?: 천년왕국의 사고는 하나의 절대적 사고에 대한 확신에서 출발하지만, 유토피아의 사고는 하나의 절대적 사고 내지 믿음 자체를 의심합니다. 천년왕국의 사고는 선험적으로 주어진 구원의 진리를 절대적인 것으로 확신합니다. 이에 비하면

유토피아의 사고는 절대적인 진리로서의 신관을 중요하게 생각하지 않고 이성적인 의심을 중요하게 여깁니다. 이를테면 천년왕국을 갈구하는 자는 구원의 역사를 고찰합니다. 이러한 구원의 역사는 하나의 과정으로 이해될 수 있습니다. 즉, 계시로서 체험된 현재로부터 구원된 인류의 미래로 비약하는 과정 말입니다. 만약 그리스도의 두 번째 강림, 최후의 심판, 그리고 천국에 도달하는 일 등이 주어지지 않는다면, 천년왕국의 운동은 자신의 고유한 근원적 에너지를 사장시키고 말 것입니다. 이에 반해서 유토피아는 세속화된 이성의 수단으로 하나의 완전한 공동체를 구성하는 것을 목표로 삼습니다. 비록 유토피아 사람들이 유일신의 종교를 신봉하고 있지만, 그들이 누리고 있는 내적인 평화는 폭넓게 퍼져 있는 관용적 자세에 바탕을 두고 있습니다. 다시 말해서, 『유토피아』의 사람들은 결코 "마지막 사실(Eschaton)"을 절대적인 사실로 받아들이거나 안티크리스트를 적으로 간주하지 않습니다. 그들은 자신의 직관을 이성적으로 증명하려고 애를 쓸 뿐이지, 결코 이질적인 견해를 지저분하게 치장하려 하지도 않습니다.

14. 시대 비판의 측면: 시대 비판의 측면에서 고찰할 때 두 개의 사고는 어떤 분명한 차이점을 드러냅니다. 천년왕국의 사고는 현세의 참혹한 현실 그리고 소외되지 않은 더 나은 삶이라는 이원론을 전제로 출발합니다. 여기서 강조되는 것은 계시의 패러다임입니다. 계시 속에는 어떤 불분명한 기이한 상 내지 모티프 등이 주도적으로 자리하고 있습니다. 중요한 것은 사고의 과정 내지 분석이 아니라, 비논리적으로 출현하는 상의 결합입니다. 천년왕국의 상으로 나타나는 것은 짐승, 산, 그리고 구름 등인데, 이는 인민, 제국, 그리고 왕들에 대한 비유의 상이 아닐 수 없습니다. 이러한 상의 배후에는 신의 노여움에 대한 개인과 집단의 두려움이 은밀하게 도사리고 있습니다. 이에 비하면 유토피아는 주어진 현실에 대한 반대급부의 상으로 이해될 수 있습니다. 유토피아는 찬란한 만화경의 상이지만, 그

배후에는 불법적 지배 메커니즘과 인간의 근본적 욕구가 박탈되는 주어진 현실에 대한 신랄한 비판이 도사리고 있습니다.

15. 시간 지평: 천년왕국의 사고는 지금까지 유럽 역사에서 나타나지 않은 시간적 지평 속에서 천년 이후의 "지상과 천국 사이의 중간 제국의 상"을 투사하려고 합니다. 고대인들은 인간의 역사를 하나의 순환 과정으로 이해했습니다. 이는 동일성의 영원한 회귀로 설명될 수 있습니다. 하나의 사건은 여러 가지 우여곡절을 겪은 다음에 원래의 사건으로 되돌아온다는 것입니다. 이로써 역사는 마치 뱀이 똬리를 틀듯이, 첫 번째 원인은 마지막 원인과 합치되어 하나의 원(圓)을 이룬다는 게 고대인의 역사관이었습니다. 이에 비하면 천년왕국의 사고는 최후의 심판일의 관점에서 주어진 세계를 해석합니다. 인간은 미래의 시점에 천국에 도달할 수 있다는 것입니다. 이에 반해서 유토피아의 사고는 발전의 연장선상에 위치하고 있지는 않습니다. 유토피아의 섬과 기존의 사회 상태는 동시적으로 존재합니다. 두 개의 서로 다른 현실은 모두 현재라는 시점에 뿌리를 내리고 있기 때문에, 유토피아의 틀은 미래에 투사된 어떤 이상적인 공동체의 상을 전혀 알지 못합니다. 만약 인간이 어느 범위에서 주어진 환경을 충분히 활용하고 주어진 현실을 이성적으로 구축해 낸다면, 주어진 세계는 얼마든지 긍정적으로 변화될 수 있습니다.

16. 시간 유토피아와 천년왕국의 사고: 르네상스 시대 그리고 16세기와 17세기에 출현한 공간 유토피아는 천년왕국에 관한 역사철학적 사고를 필요로 하지 않았습니다. 왜냐하면 공간 유토피아를 설계하는 데 있어서 미래에 출현할 이상 국가를 설정할 필요가 없었기 때문입니다. 공간 유토피아는 인간의 이성의 합리성을 바탕으로 바람직한 사회구조를 설계하면 그만이었고, 천년왕국의 사고는 신의 의지가 역사의 동인으로 이해될

수 있다고 믿으면 족했던 것입니다. 그런데 18세기에 이르러 시간 유토피아의 모델이 출현합니다. 모렐리(Morelly)와 메르시에(Mercier)의 유토피아가 이에 합당한 예를 보여 주고 있습니다. 당시는 역사철학이 종말론의 사고와 결별한 뒤의 시기였습니다. 여기에는 18세기 이후로 이어져 온 서양의 계몽주의 사상이 커다란 역할을 담당하고 있습니다. 요약하건대 천년왕국의 사고는 르네상스 시대의 공간 유토피아와는 관련성을 지니지 못했지만, "수동적 의미의 완전성(perfectio)"이 아니라, "능동적 의미로서의 완전성(perfectibilité)"을 갈구하는 시간 유토피아와 같은 의향을 지니게 됩니다. 왜냐하면 시간 유토피아는 더 나은 찬란한 사회를 미래에 설정하고 있기 때문입니다.

17. 칸트의 진보 개념: 임마누엘 칸트는 천년왕국의 사고를 두 가지 관점에서 여지없이 비판하였습니다. 그는 천국의 예루살렘을 증축하려는 역사의 목표를 "윤리적 측면에서 투영된 신의 국가"에 대한 하나의 자세라고 규정하였습니다. 인간은 칸트에 의하면 신의 국가에 관한 이상에 완전히 도달할 수 없으며, 그저 근접해 나갈 수 있다고 주장하였습니다. 한편, 칸트는 (미래의 어느 시점에 정의로운 인간이 조우할) 이상 국가에 대한 기대감이 오로지 주체의 주관성의 영역에 속한다고 주장하였습니다. 이로써 천년왕국에 대한 공동의 기대감, 즉 찬란한 미래에 대한 수많은 사람들의 공통적인 기대감은 본연의 날카로움을 상실하고 말았습니다. 이로써 칸트가 내린 결론은 다음과 같습니다. 즉, 진보 이념의 형성과 그 과정은 「창세기」와 최후의 심판에 의해서 제한당했던 제반 역사와는 근본적으로 다르다고 합니다. 이 두 가지 역사적 진행 과정은 정신사적 측면에서 고찰할 때 두 개의 서로 다른 사상적 흐름으로 이해될 수 있다는 것입니다(Blumenberg: 60). 진보는 천년왕국의 역사적 구상과는 반대로 역사와 미래의 전체성에 관한 발언이며, 진보야말로 이론적으로 주어진 현실을 확장시키고, 이론

적 방법론을 더욱 효과적으로 수행할 수 있는 하나의 경험적 토대를 전제로 한다는 것이었습니다. 이로써 칸트는 신학에 바탕을 둔 천년왕국의 사고 내지 종말론 대신에, 오로지 진보의 역사철학적 관점에 커다란 의미를 부여하려고 하였습니다. 어쨌든 간에 진보에 관한 칸트의 역사철학적 입장을 통하여 천년왕국의 사고와 유토피아 사이에는 근접 불가능한 차이점이 도사리고 있다고 확신하게 됩니다.

18. 천년왕국설의 미래지향적 특성: 그렇다면 유토피아의 사고와 천년왕국설 사이에는 어떠한 차이점이 도사리고 있을까요? 두 가지 사고는 서로 연결될 수 없는 차이가 도사리고 있는데도 유토피아를 논하는 자리에서 왜 빠짐없이 메시아의 기대감과 결부된 천년왕국설이 배제되지 않고 있는 것일까요? 유토피아의 사고는 비록 고대의 문헌에서 간접적인 영향을 받기는 하였지만, 르네상스 시대에 그 초석이 다져졌습니다. 이에 비하면 천년왕국설은 기독교가 도래하기 전부터 유대주의의 사고에서 파생된 것이며, 이후에 끊임없이 새롭게 출현한 사상입니다. 이를테면 그것은 나중에 초기 기독교 및 로마가톨릭교회에 대항하는 중세의 수많은 이단 운동에서 드러난 바 있습니다. 이를 고려하면, 천년왕국설의 흐름은 비록 실제의 영향에 있어서 봉건주의 정치 시스템과 이를 지지하는 가톨릭교회를 신랄하게 비판하지만, 종교를 개혁하고 과거의 황금의 시대를 실현하려는 기대감을 반영하고 있습니다. 그렇기에 그것은 그 의향에 있어서 미래지향적 특성을 지니고 있습니다. 모어의 전통적 유토피아의 경우는 이와는 다릅니다. 더 나은 사회적 삶의 범례는 16세기에 이르면 다른 대륙의 이질적인 문화를 바탕으로 설계되고 있습니다. 이러한 상은 16세기 유럽의 참담한 현실에 대한 반대급부의 사회상으로 다루어지곤 하였습니다.

19. 서로 근접해 나가는 두 가지 사고: 천년왕국의 사고와 유토피아 사이

의 유사성은 18세기 이후에 시간 유토피아의 출현으로 더욱 두드러집니다. 왜냐하면 더 나은 사회적 삶에 대한 기대감은 — 비록 천국과 같은 비현실적 상 속에 투영된 것은 아니지만 — 미래의 바로 이곳에서 실현될 수 있다는 사고를 낳게 하였기 때문입니다. 게다가 19세기에 산업화로 인해 나타난 사회적 갈등은 결국 마르크스의 사상을 낳았고, 급기야는 계급투쟁과 노동의 해방을 추동하게 하였습니다. 이때 작용한 것은 합리적으로 모든 것을 설계하는 유토피아의 사고가 아니라, 천년왕국 내지 종말론적 사고였습니다. 다시 말해서, 가난한 프롤레타리아는 더 나은 미래의 삶을 응축된 순간 속에서 투시함으로써 어떤 혁명적 사건을 촉발시켰습니다. 그렇기에 20세기 초 프롤레타리아들의 사회주의혁명은 지상의 천국을 갈구하는 무산계급의 의향을 담고 있기 때문에 성공을 거둘 수 있었습니다. 따라서 천년왕국 및 종말론의 사고는 사회주의혁명이라는 열광주의와 연결되었다는 점에서 더 이상 진부한 개념으로 이해될 수 없으며, 천년왕국의 사고는 혁명적 촉진제로서 얼마든지 기능할 수 있다는 점을 보여 주었습니다.

20. 공통성과 이질성을 파악하기 위한 세 가지 조건 (1): 천년왕국의 사고와 유토피아의 내용에 있어서의 공통성과 이질성에 관한 연구는 아직 완결되지 않았습니다. 이러한 연구를 위한 전제 조건으로서 선결되어야 하는 세 가지 조건이 존재합니다. 첫째로 우리는 두 개의 사상 속에서 "기독교 유토피아"라는 공감대를 발견해 낼 수 있습니다. 문학 유토피아 속에는 천년왕국의 이상이 부분적으로 언급되는 경우가 많습니다. "기독교 유토피아"라는 표현은 우리에게 전혀 생소하지 않습니다. 이를테면 푸아니(Foigny)는 남쪽 지역을 언급하면서, 그곳이 젖과 꿀이 흐르는 나라라고 묘사하였습니다. 슈나벨(Schnabel)은 『펠젠부르크 섬』에서 묘사한 자신의 유토피아를 지상의 천국이라고 표현한 바 있습니다. 토머스 모어는 약 4

년 동안 기독교 사원에서 살았으며, 캄파넬라는 수사로서 오랜 삶을 영위한 것을 생각해 보십시오. 그렇기에 설령 르네상스 시대에 출현한 장소 유토피아라고 하더라도 천년왕국에 관한 기독교적 사고로부터 완전히 배제될 수는 없을 것입니다.

21. 공통성과 이질성을 파악하기 위한 세 가지 조건 (2): 둘째로 이상적 유형의 측면에서 우리는 고대의 유토피아의 유형과 기독교의 천년왕국의 사고를 구분할 수 있을 것입니다. 고대의 유토피아의 유형은 하나의 가상적인 사회 구도의 틀 내지 합리적 구도를 설정하고 있다는 점에서 르네상스 이후에 나타난 장소 유토피아와 어느 정도의 일치성을 보여 주고 있습니다. 이에 반해서 천년왕국의 사고는 19세기 이후에 나타난 혁명적 종말론의 사고와 어느 정도 일치성을 드러내고 있습니다. 특히 우리가 중요하게 여겨야 할 사항은 다음과 같습니다. 즉, 혁명적 종말론의 사고는 지금 여기에서 지상의 천국을 실현시킨다는 점에서 무엇보다도 미래의 여기에서 찬란한 국가가 건설될 수 있다는 시간 유토피아의 출발점과 부합된다는 사항 말입니다. 셋째로 우리는 고대와 중세의 세계관을 비교하면서, 유토피아의 사고와 천년왕국의 사고를 적용할 수 있을 것입니다. 그렇지만 유토피아의 사고를 고대와 연결시키고 천년왕국의 사고를 중세와 연결시켜 하나의 도식적인 틀을 만들어 내는 처사는 결국 어떤 작위적인 결론을 도출해 낼 위험성을 지니고 있습니다. 게다가 고대사회와 중세 사회를 서로 이질적인 것으로 서로 별개의 특성으로 대립시킨다면, 우리는 여기서 파생되는 수많은 오류 내지 예외적 사항들을 학문적으로 그럴 듯하게 해명할 수 없을 것입니다. 역사와 문화는 하루아침에 A에서 비A로 뒤바뀌는 게 아니지 않습니까?

참고 문헌

- 블로흐, 에른스트: 희망의 원리, 5권, 박설호 역, 열린책들 2004.

- Bloch, Ernst: Geist der Utopie. Zweite Auffassung, Frankfurt a. M. 1923.

- Blumenberg, Hans: Säkularisierung und Selbstbehauptung. Frankfurt a. M. 1974.

- Cohn, Norman: Das Ringen um das Tausendjährige Reich. Revolutionärer Messianismus und sein Fortleben in den modernen totalitären Bewegungen, Bern und München 1961.

- Landauer, Gustav: Die Revolution, Berlin 1923.

- Löwith, Karl: Weltgeschichte und Heilsgeschehen. Die theologischen Voraussetzungen der Geschichtsphilosophie, Stuttgart 1957.

- Mannheim, Karl: Ideologie und Utopie, 7. Aufl., Frankfurt a. M. 1987.

- Saage, Richard: Utopische Profile, Bd. 1. Renaissance und Reformation, 2. korrigierte Aufl., Münster 2009.

유토피아의 시간화, 혹은 시간 유토피아

    1. 우크로니아, 우데포티아, 시간 유토피아: 친애하는 M, "우크로니아 (Uchronia)"는 "시간 유토피아"라는 의미를 담은 용어인데, 유토피아의 역사에 관한 연구에서 중요한 의미를 담고 있습니다. 토머스 모어의 『유토피아』는 이미 살펴본 바 있듯이, 16세기의 영국의 비참한 현실을 토대로 하여 상상해 낸 이상적 공간을 설계하고 있습니다. 모어는 주어진 현실로부터 멀리 떨어진 섬을 상정하여, 이를 사회 유토피아로 축조하였습니다. 이로 인하여 뒤이어 나타나는 국가 소설 내지 논문에서는 항상 어떤 미지의 섬 내지 전대미문의 공간이 하나의 유토피아의 영역으로 표상되었습니다. 이는 "장소 유토피아"라는 개념으로 표기될 수 있습니다. 이로써 유토피아는 "없는 장소(no place)," 다시 말해서 "최상의 곳이지만, 지상에서 발견할 수 없는 곳"이라는 의미로 정착되었습니다. 그런데 16세기 중엽, 마젤란의 세계 일주 이후로 사람들은 지구상에는 더 이상 새롭게 발견할 실제의 공간이 없다는 것을 확인하게 됩니다. 이와 관련하여 유토피아에 대한 사람들의 시각은 이곳의 미래로 향하게 됩니다. 따라서 "황금의 시대"가 "우데포티아(ουδέποτε)," 다시 말해서 "결코 …한 적이 없는"이라는 의미와 관련된다면, 최상의 사회는 미래의 어떤 시점에 성립될 수 있을지 모릅니다. 요약하건대 시간 유토피아는 인간이 갈구하는 최상의 현실은 이곳의

미래에서 이룩될 수 있다는 사고에서 출발합니다. 이러한 사고의 배후에는 계몽주의 시대의 사고의 관점이 크게 작용하였습니다.

   2. (지상에서는) 더 이상 발견할 새로운 땅은 없다(Non plus ultra), **혹은 절대왕정:** 그렇다면 어째서 우크로니아, 즉 시간 유토피아가 하필이면 17세기 중엽부터 18세기에 이르는 시점에 출현하게 된 것일까요? 시간 유토피아를 형성하게 된 계기로서 "지구상에는 새롭게 발견할 땅이 더 이상 존재하지 않게 되었다"는 논거 외의 다른 요인은 없을까요? 아니, 있습니다. 우리는 절대주의라는 폭정의 시대를 시간 유토피아가 형성된 중요한 계기로 이해할 수 있습니다. 절대주의의 폭정은 작가들로 하여금 현실에 대한 직접적인 비판을 자제하고 다른 수단을 동원하게 합니다. 이를테면 18세기 작가들이 우주 내지 달나라에 위치하고 있는 이상 사회를 묘사하거나 "먼 미래의 바로 이곳"을 작품의 배경으로 설정한 것은 결코 우연이 아닙니다. 자고로 주어진 현실의 부자유의 질곡이 강하면 강할수록, 작가들은 주어진 현실의 구조로부터 가급적이면 멀리 벗어난 현실을 설정하는 법입니다. 요약하건대 시간 유토피아가 형성된 계기는 유럽의 절대왕정 체제와 신대륙 발견 내지 마젤란의 세계 일주와 같은 시대적 사건의 배경 하에서 이해될 수 있습니다.

   3. 엘도라도에 관한 첫 번째 상: 계몽주의의 사고가 형성된 계기 역시 이러한 시대정신을 배경으로 하고 있습니다. 가장 찬란한 이상 사회에 관한 상상은 역으로 주어진 현실에 대한 간접적인 비판을 담을 수 있습니다. 이를테면 찬란한 이상으로서의 엘도라도의 상이 절대왕정의 시기에 출현한 것은 우연이 아닙니다. 엘도라도는 찬란한 이상 사회로서 볼테르의 『캉디드 혹은 낙관주의(Candide Ou L'optimisme)』에 처음으로 언급되었습니다. 이는 유럽 사회에 온존해 있는 독재와 폭정 그리고 도덕적 파괴 현상 등을

질타하기 위해서 집필된 것입니다. 주어진 현실의 비참한 모습과는 정반대되는 찬란한 이상 사회의 상은 독자의 마음속에 비판 의식 내지 비교 가능성을 제시하고 있습니다. 엘도라도는 학문과 기술 그리고 고도의 경제 수준을 자랑하는 땅입니다. 이곳은 모어의 『유토피아』와 마찬가지로 외부로부터 차단되어 있으며, 금은보화는 귀중품이 아니라 그냥 치장을 위해서 사용되는 장신구에 불과할 뿐입니다. 사람들은 어떤 유일신을 숭배하는데, 여기에는 어떠한 수사 계급도 존재하지 않습니다. 신과 인간의 만남 속에서 결정적으로 작용하는 것은 믿음과 이성의 판단력입니다. 재미있는 것은 볼테르가 폭정과 사제 계급의 횡포를 우회적으로 비판하기 위해서 지상에서 발견하기 어려운 엘도라도라는 가상적 현실을 작품 속에 도입했다는 사실입니다. 그 밖에 유럽의 작가들은 달과 우주를 현실적 배경으로 하여 지구로부터 멀리 동떨어진 이상 사회를 즐겨 다룬 바 있습니다.

4. 계몽주의의 영향: 앞에서 우리는 시간 유토피아가 계몽주의의 영향을 받았다고 언급하였습니다. 계몽주의는 루소의 사상에서 분명히 드러나듯이 태초의 시기에 존재했다고 하는 황금의 시대에 관한 성찰에서 시작됩니다. 계몽주의자들은 지배가 없고 강제 노동이 없는 찬란한 황금의 시대가 지금 이곳에서 실현될 수 있다고 믿기 시작합니다. 이로써 사람들은 다음의 사항을 확신하게 되었습니다. 찬란한 황금의 시대에 관한 과거의 기억은 어떤 계기에 의해서 미래에 최상의 삶을 위한 시대가 출현할 수 있다는 기대감으로 바뀌게 됩니다. 다시 말해, 미래의 어느 시점에 이르면 인간은 주어진 공간에서 하나의 이상적 사회가 축조될 수 있다고 확신하였습니다. 이러한 확신은 미래의 이곳에 어떤 이상적 삶이 전개되리라는 꿈으로 이어졌습니다. 이것이 바로 시간 유토피아의 특성입니다. 다시 말해서, 멀리 떨어져 있는 공간으로서의 유토피아가 아니라, 미래의 바로 이곳에서 전개될 찬란한 삶이 바로 우크로니아, 즉 시간 유토피아의 상이라는 것

입니다. 요약하건대 "장소 유토피아에서 시간 유토피아로의 패러다임 전환"(코젤렉)은 마치 유토피아의 역사에서 "코페르니쿠스의 전환"에 비견될 정도로 획기적인 사항인데, 이는 무엇보다도 계몽주의의 영향으로 만개한 사상적 특징인 셈입니다(Vosskamp 1: 18). 이를테면 장소 유토피아에서 시간 유토피아로의 패러다임 전환은 루소의 사상과도 연결됩니다. 장 자크 루소는 고대의 찬란한 황금의 시대를 미래에 구현하려는 의지를 자신의 자연법사상에 담았는데, 이는 시간 유토피아를 출현하게 한 계기로 작용하였습니다. 나아가 이에 대한 또 다른 계기를 제공한 것은 루이-세바스티앙 메르시에(Louis-Sébastien Mercier, 1740-1814)의 소설, 『서기 2440년』(1771)이었습니다.

5. 인간의 인식에 의해서 규정될 수 있는 역사의 발전: 한 가지 빠뜨릴 수 없는 사항이 있습니다. 그것은 다름 아니라 더 나은 삶에 관한 꿈이 신앙, 다시 말해서 천년왕국에 대한 믿음에서 나타난 게 아니라, 인간 이성의 힘을 중시하는 어떤 연역적 사고에서 출발했다는 사실입니다. 여기서 말하는 연역적 사고로부터 발전될 수 있는 게 바로 역사에 관한 자발적이며 일차원적 시각입니다. 가령 임마누엘 칸트는 『순수이성비판』을 통해서 신에 관한 물음을 궁극적으로 인간 이성에 관한 물음으로 되돌려 놓으려고 하였습니다. 이로써 그는 역사가 신의 뜻에 의해서 숙명적으로 진척되는 게 아니라, 얼마든지 인간의 이성의 힘에 의해서 진척될 수 있는 가능성을 찾게 되었습니다. 다시 말해서, 역사적 대상은 인간의 인식에 따라서 규정되고 추적될 수 있다는 것이었습니다. 메르시에는 인간의 이상적 삶의 가능성을 미래의 시간으로 이전시킴으로써 이러한 가능성을 활짝 열어 주었습니다. 『서기 2440년』이 칸트의 『순수이성비판』이 발표되기 10년 전에 간행되었다는 점을 고려한다면 상기한 가능성은 충분히 이해될 수 있을 것입니다.

6. 시간 유토피아의 네 가지 특성 (1): 일단 메르시에의 작품에 나타난 시간 유토피아의 네 가지 특성을 한 번 정리해 볼 필요가 있습니다. 첫째는 메르시에가 설계한 가상적 공동체는 주체, 다시 말해서 개인주의의 관점에 의해서 부각되고 있다는 점입니다. 이는 현대의 자연법적 사고에 근거한 특징으로서 루소의 『사회계약론』의 출발점이 되기도 합니다. 자연의 법칙에 의하면 어떠한 인간도 타인에게 굴복되어서는 안 됩니다. 자연법은 "어느 누구도 노예로 태어나지 않았듯이, 왕 또한 한 사람의 인간으로 태어났다"는 사실을 가르쳐 줍니다. 이로써 메르시에의 작품은 인간 주체가 지니는 자유와 평등의 권리가 얼마나 중요한가 하는 점을 처음으로 전해 줍니다. 바로 여기서 근대의 민주주의를 정착시키게 하는 시민 주체의 개념, 다시 말해서 시토이앙의 존재 가치가 새롭게 태동하고 있습니다. 둘째는 메르시에의 시간 유토피아가 어떤 현실도피적이며 가상적인 특성으로부터 벗어나 있다는 점입니다. 장소 유토피아가 여행기를 통한 가상의 섬에 관한 묘사로 이루어진다면, 시간 유토피아는 미래의 바로 이곳의 현실을 직접적으로 거론합니다. 바로 이곳의 이야기는 설령 먼 훗날의 이야기라고 하더라도 독자들에게 가상적 이야기보다도 더 설득력과 긴장감을 가져다줍니다. 그렇기에 그것은 주어진 시대를 더욱더 진솔하게 비판하는 방법 내지 이를 위한 적극적인 수단으로 얼마든지 활용될 수 있습니다. 이로써 시간 유토피아는 장소 유토피아에서 구현된 가상적 판타지의 상을 어느 정도 약화시킬 수 있었습니다.

7. 시간 유토피아의 네 가지 특성 (2): 셋째는 시간 유토피아가 이미 존재하는 수동적 현실을 다루는 게 아니라 사회의 변화된 구체적 사항을 선취하고 있다는 점입니다. 다시 말해서, 시간 유토피아에서는 지나간 역사적 과정뿐 아니라, 동시대인이 갈구하는 미래의 더 나은 상이 분명하게 반영되어 있습니다. 독자는 장소가 변화되지 않은 채 그대로 남아 있고, 시점

만이 차이를 지닐 뿐이라는 사실을 분명히 의식합니다. 이 사실은 독자의 마음속에 차제에 주어진 현실의 역동적 변화를 가능하게 해주는 모티프로 작용할 수 있습니다. 장소 유토피아가 정적인 구도 속에서 막연히 축조된 사회 시스템의 가상적 상이라면, 시간 유토피아는 미래의 시점에 얼마든지 출현할 수 있는 사회 시스템의 구체적인 상일 수 있습니다. 그렇기에 작가는 현재의 문제점을 미래에 설정하여 문학적으로 선취된 해결책을 묘사할 수 있습니다. 메르시에가 "현재는 미래를 임신한 상태로 흘러간다"라는 라이프니츠(Leibniz)의 발언을 모토로 내세운 것은 결코 우연이 아닙니다. 넷째는 시간 유토피아가 정태적인 상을 서술하지 않고, 역동적인 변화 내지 혁명 내지 개혁의 운동의 가능성을 제시하고 있다는 점입니다. 이를테면 2440년의 파리의 학교에서는 역사 과목이 일부 폐지되어 있습니다. 이는 과거의 갈망이 거의 성취되어서 더 이상 현실의 변화를 갈구하지 않는다는 것을 뜻합니다. 이러한 사실은 바꾸어 말하면 미래의 어느 시점에서 살아가는 사람들은 더 이상 역사적 변화 내지 역동성과 운동을 신뢰하지 않는다는 약점을 드러내기에 충분합니다. 미래의 어떤 사회적 시스템의 상은 그 자체 하나의 범례로 다가올 뿐 아니라, 현재 주어진 현실의 구도와 비교 가능성을 제시하고 있습니다.

8. 메르시에의 파리 설계는 시간적으로 이전된 장소 유토피아인가: 혹자는 메르시에의 유토피아 설계가 시간 유토피아로 규정할 수 없다고 합니다. 왜냐하면 그것은 엄밀하게 고찰할 때 "하나의 장소 유토피아로서, 다만 방법론적으로 미래의 시간으로 연기시켜 놓은 것에 불과하다"고 합니다(Fohrmann: 122). 그 이유는 메르시에의 유토피아가 미래의 사회 시스템의 구조만을 보여 줄 뿐, 어떤 과정을 거쳐 변화해 왔으며, 앞으로 어떻게 변화될 것인가? 하는 물음에 답하지 못한다는 것입니다. 그렇다면 『서기 2440년』이 문학 유토피아로서의 역동성과 개방성을 담고 있지 않은 걸까

요? 사실, 『서기 2440년』이 고착되어 있는 하나의 정태적 상이라는 것은 분명한 사실입니다. 그렇지만 작품은 최소한 역동성과 개방성을 발전시키기 위한 어떤 놀라운 단초를 제공하고 있습니다. 메르시에는 작품 내에서 2440년에 이르러서도 인간이 추구하는 삶의 목표가 완전히 실현되지 않았다는 암시를 자주 던졌습니다. 그렇기에 2440년의 파리의 사회 시스템을 하나의 틀로서 확정짓는다는 것은 어폐가 있습니다. 요약하건대 메르시에의 작품은 미래를 반영한 최초의 유토피아 소설입니다. 물론 미래를 선취하여 이를 문학작품에 담은 작가는 메르시에가 처음은 아니었습니다. 이를테면 무명의 희극 작가로 활동한 알렉시스 피론(Alexis Piron, 1683-1773)은 1747년에 『튀어나온 가방(La Malle-Bosse)』이라는 작품을 발표했는데, 여기서 "1801년 모렐리 백과사전의 신판"에 관해 거론하고 있습니다. 그렇지만 피론이 작품 내에서 미래의 현실을 부분적으로 간략하게 처리했다는 점을 고려한다면, 소설의 배경 전체를 미래로 설정한 최초의 작가는 메르시에였다고 해도 과언이 아닙니다.

9. 시대 비판을 담은 유토피아: 파리 전체를 미래의 도시로 설정함으로써 작가는 동시대의 도시와 대조되는 어떤 가상적인 도시의 상을 설계할 수 있었습니다. 바로 이러한 이유로 인하여 작품 『서기 2440년』은 대대적인 성공을 거두었는지 모릅니다. 지금까지 토머스 모어와 캄파넬라 등은 이상 사회를 알려지지 않은 섬으로 이전시켰으며, 몇몇 작가들은 그것을 우주 공간 속으로 옮겨 놓았습니다. 후자의 경우 우리는 프랜시스 고드윈(Francis Godwin)의 『달 속의 남자(The Man in the Moone)』(1638), 시라노 드 베르제락(Cyrano de Bergerac)의 『달 여행(L'autre)』(1657), 조너선 스위프트(Jonathan Swift)의 『걸리버 여행기』(1721/1726), 볼테르(Voltaire)의 『미크로메가스(Micromégas)』(1752) 등을 들 수 있습니다. 그러나 이들의 작품은 메르시에의 경우처럼 주어진 시대 비판에서 출발하여 하나의 이상 사

회를 설계하지는 않았습니다. 그렇기에 그것들은 현실에 대한 아이러니를 담은 풍자문학으로서 문학사에 기술될 뿐, 유토피아의 역사 서술에서 상세하게 거론될 성질의 것들은 아니라고 판단됩니다.

10. 유토피아의 공간이 미래로 설정된 이유들: 어째서 유토피아의 공간이 하필이면 18세기의 시점에서 미래의 시간 속에 설정될 수 있었던 것일까요? 이미 언급했듯이, 우리는 다음과 같은 두 가지 이유를 내세울 수 있습니다. 첫째로 인간의 사고는 18세기까지 오로지 과거와 현재에 국한되어 있었습니다. 당시에 사람들은 미래의 사항에 관해서 미처 지대한 관심을 기울이지는 못했던 것입니다. 그러나 계몽주의에 이르러 사람들은 황금의 시대를 동경하게 되었고, 과거의 찬란한 삶에 관한 기억은 어쩌면 미래에 실현될 수 있으리라고 굳게 믿게 되었습니다. 물론 신앙의 경우는 예외로 작용하였습니다. 18세기 말까지 유럽 사람들은 미래, 그것도 먼 미래를 종말론 내지 종교적인 구원의 기대감 속에서 고찰해 왔습니다. 그렇지만 사회-정치적 관점에서 누릴 수 있는 미래의 찬란한 삶은 무엇보다도 계몽주의의 사고에 의해서 비로소 명확해집니다. 이와 병행하여 진보의 개념이 폭넓은 계층의 사람들의 의식 속에 투영되기 시작했습니다. 이러한 역동적인 자세 내지 시각은 프랑스혁명의 성공적 구현을 통해서 사람들에게 더욱더 강한 확신을 심어주게 됩니다.

11. 완전성의 개념의 의미 변화: 메르시에는 다음과 같이 말합니다. "우리는 모든 영혼이 본질상으로 동일하지만, 개별 특성상 다르다고 믿는다. 인간의 영혼과 동물의 영혼은 동일한 방식으로 물질과는 차원이 다르다. 그러나 인간은 동물에 비해서 완전성을 향해 수십 걸음 더 나아갔다. 이것이야말로 현재 상황을 분명히 규정해 주는 척도가 될 수 있다. 그래, 인간은 주어진 현실을 얼마든지 변화시킬 수 있는 것이다"(Mercier: 76). 아니

나 다를까, 사람들은 드디어 자연을 이용하여 문명을 발전시키고, 주어진 현실을 정치적으로 사회적으로 변화시킴으로써 세계를 향상시킬 수 있으리라고 생각했습니다. 이러한 사고는 계몽주의 이후에 적극적으로 의식되었습니다. 다시 말해서, 끝없는 완전성에 대한 믿음은 더 이상 마지막 이상이라든가 경직된 형태로서의 정태적 상이 아니라, 역동적 성격을 지니면서 역사적 경험으로 자리하게 된 것입니다. 이와 관련하여 완전성의 기능성 역시 변화하게 됩니다. 과거에 완전성이란 마치 천국의 상처럼 처음부터 주어진 정태적인 상으로서 투영되었습니다. 그렇기에 그것은 "정태적 의미로서의 완전성(perfectio)" 바로 그것이었습니다. 그렇지만 계몽주의 시대에 완전성의 개념은 역동적 개방성을 담은 사고로서 의미 변화를 이룹니다. 다시 말해서, 계몽주의 이후에는 "역동적 의미로서의 완전성(perfectibilité)"이 정착되기 시작한 것입니다. 바로 이러한 맥락을 이해해야만 우리는 메르시에의 시간 유토피아가 지니고 있는 역사적 의미를 간파하게 될 것입니다.

참고 문헌

- 볼테르: 캉디드, 혹은 낙관주의, 이봉지 역, 열린책들 2009.
- Fohrmann Jürgen: Utopie und Untergang. L.-S. Merciers L'An 2440, in: Klaus L. Berghahn, Hans U. Seeber (Hrsg.): Literarische Utopien von Morus bis zur Gegenwart, Königstein/Ts. 1983, S. 105-124.
- Kant, Immanuel: Kritik der reinen Vernunft, in: Kant, Werke Bd. 3, Darmstadt 1968.
- Koselleck, Reinhart: Die Verzeitlichung der Utopie, in: (hrsg.) Vosskamp, W., Utopieforschung, Dritter Bd., Suttgart 1982, S. 1-14.

- Mercier, Louis Sebastian: Das Jahr 2440. Ein Traum aller Träume. Deutsch von Christian Felix Weiße. Frankfurt am Main 1982.
- Voltaire: Candid oder Die Beste der Welten, Stuttgart 1998.
- Vosskamp Wilhelm (hrsg.): Utopieforschung, 3 Bde, Stuttgart 1982.

유토피아, 디스토피아 그리고 주체 유토피아

1. 유토피아의 개념, 혹은 개념의 확장 (1): 지금까지 유토피아의 모델은 하나의 장르사의 차원에서 이해되었습니다. 더 나은 사회상은 최상의 국가에 관한 시스템의 설계로 이어졌는데, 여기에는 사회적 변화라든가 주체의 역동적 자극이 결여되어 있었습니다. 바로 이러한 이유에서 무정부주의자, 구스타프 란다우어(Gustav Landauer)는 "토피아"와 "유토피아"의 두 개념을 통해서 사회적 변화와 혁명의 상관관계를 밝히려고 시도하였습니다. 카를 만하임(Karl Mannheim)은 이에 착안하여 사회의 역동적인 변화와 관련되는 두 가지 세력을 현상적 차원에서 서술하였습니다. 그것은 "이데올로기"와 "유토피아"라는 용어로 설명됩니다. 여기서 말하는 이데올로기의 개념은 오늘날 사용되는 위로부터 행해지는 권력 집단의 조작 내지 인위적 중재의 의미와는 약간 다릅니다. "이데올로기"가 주어진 사회에 정착된 보수적 사고 내지 세력이라면, "유토피아"는 주어진 사회를 다르게 변화시키려는 진보적 사고 내지 세력을 가리킵니다. 이 두 가지는 만하임에 의하면 오로지 존재 초월적인, 다시 말해서 현실의 구체적인 변화의 관점에 의해서 변화를 거듭하는 사회사적인 현상이라고 합니다.

2. 유토피아의 개념, 혹은 개념의 확장 (2): 에른스트 블로흐(Ernst Bloch)

는 란다우어와 만하임의 이론을 추적하면서, 이 두 가지 이론에 도사리고 있는 현실 변화의 역동적이고 개방적인 어떤 특성을 도출해 냅니다. 현실 변화의 역동적이고 개방적인 특성은 과거의 전통적 유토피아의 모델로써 해명할 수 없는 무엇입니다. 왜냐하면 과거의 전통적 유토피아는 최상의 국가에 대한 하나의 틀 내지 모델을 합리적으로 그리고 수동적으로 제시할 뿐, 혁명의 역사를 이룩하고 사회 변화를 추구하는 인간의 원초적 갈망을 도저히 해명하지 못하기 때문입니다. 그리하여 블로흐는 고전적 유토피아의 사회상에다 또 다른 유토피아의 특성을 첨가합니다. 그것은 다름 아니라 더 나은, 변화된 삶에 관한 주체의 미래지향적 의식입니다. 더 나은, 변화된 삶에 관한 미래지향적 의식은 고대로부터 현대로 이어지는 황금의 시대에 관한 가난한 자들의 갈망, 천년왕국설 내지 종말론의 사고로 이어져 온 구원에 대한 기대감 등을 포괄하고 있습니다. 왜냐하면 가난한 자들의 갈망 내지 구원에 대한 기대감 등은 20세기 초의 시점으로 고찰할 때 소련의 탄생으로 객관적·현실적 가능성을 획득하는 것처럼 보였기 때문입니다.

3. 유토피아의 개념, 혹은 개념의 확장 (3): 그래, 블로흐는 국가 소설에 나타난 여러 가지 유형의 유토피아 모델에 집착하는 대신에 더 나은 삶에 관한 주체의 미래지향적 의식을 집요하게 추적하였습니다. 이미 서문에서 언급했듯이 모어, 캄파넬라 등이 추적한 최상의 국가에 관한 제반 사항이 유토피아의 모델로 명명될 수 있다면, 블로흐가 추적한 더 나은 사회적 삶에 관한 주체의 미래지향적 의식은 유토피아의 주요 성분으로 명명될 수 있습니다. 그런데 토머스 모어 이후의 전통적 유토피아가 국가 소설이라는 문헌들을 통하여 정신과학과 사회과학의 영역에서 찬란하게 만개했다면, 더 나은 사회적 삶에 관한 주체의 미래지향적 의식은 정신과학, 사회과학에 국한되는 게 아니라, 회화 예술, 인기 소설, 음악, 그리고 행위 예술

에서 명징하게 드러나고 있습니다. 에른스트 블로흐가 『유토피아의 정신 (Geist der Utopie)』에서 고전적 유토피아의 전통을 부차적으로 가볍게 처리한 까닭은 바로 그 때문입니다. 왜냐하면 20세기 초의 문학 그리고 여러 유형의 예술은 인간의 갈망과 희망을 포괄하는 가능성에 엄청나게 커다란 영향을 받고 있었기 때문입니다. 요약하건대 유토피아는 어떤 행동으로 연결되는 에너지 내지 폭발력으로 생각되고 수행되는 무엇일 수 있습니다(Kufeld: 13). 여기서 중요한 것은 유토피아가 현실적 지표로서 뿌리내림으로써 변화의 잠재성을 도모하고, 정치적 동인으로 기능한다는 사실입니다. 유토피아의 포착하는 기능은 변화의 가능성이고, 그 자체 주관적 동인으로서의 주체의 능력으로 이해될 수 있습니다. 이와 반대편에서 다가오는 것은 변화될 수 있는 무엇이라는 객관적·현실적 가능성입니다. 객관적·현실적 가능성은 스스로 무르익어서 어떤 사회적 변화의 토대가 된다는 점에서 주관적 동인으로서의 주체의 능력을 돕습니다(Bloch: 139).

4. 디스토피아의 개념: 그렇다면 디스토피아는 어떻게 규정될 수 있을까요? "디스토피아(Dystopie)"는 "주어진 현실의 문제를 간접적으로 비판하는 기능을 지닌, 하나의 가상적인 끔찍한 사회상"입니다. 여기서 "디스토피아"는 유토피아의 기능 가운데 두 번째의 "없는 곳(U+Topie)"의 의미를 지니고 있습니다. 다시 말해서, 디스토피아는 이 세상에서 나타날 수 있는, 끔찍한 장소를 지칭하는데, 20세기에 이르러 작가들은 끔찍한 국가의 모습을 경고하기 위해서 일련의 디스토피아 문학작품을 발표하였습니다. 예 브게니 자먀찐의 『우리』, 올더스 헉슬리의 『멋진 신세계』, 그리고 조지 오웰의 『1984년』이 이러한 계열의 작품입니다. 문제는 디스토피아의 개념이 기능을 고려할 때 과연 유토피아에 정반대되는 개념인가? 하는 물음입니다. 이에 대한 대답은 의외로 간단합니다. 유토피아와 디스토피아는 서로 반대되는 개념이 아닙니다. 디스토피아는 엄밀히 따지면 유토피아의 소개

념으로서 유토피아에 종속되고 있습니다. 왜냐하면 디스토피아의 요소는 이미 유토피아의 개념 속에 부분적으로 담겨 있기 때문입니다(Schölderle: 134).

5. 유토피아, 부정적 유토피아, 디스토피아 등의 개념은 분명하게 정리될 필요가 있다: 유토피아는 이미 언급했듯이 어떤 더 나은 바람직한 사회, 혹은 회피해야 할 어떤 끔찍한 사회에 관한, 가능성으로서의 상입니다. 따라서 디스토피아는 유토피아에 포함되는 소개념으로 이해될 수 있습니다. 그렇기에 유토피아를 하나의 긍정적 개념으로, 디스토피아를 하나의 부정적 개념으로 서로 병렬적으로 대치시키는 것은 잘못된 처사라고 생각됩니다. 왜냐하면 유토피아 속에는 이미 처음부터 현실에 대한 부정적인 경고의 상이 내재해 있기 때문입니다. 실제로 유토피아 연구에서 이와 유사한 용어들이 마구잡이로 혼용되고 있는데, 우리는 이에 대해 분명하게 짚고 넘어가야 할 것 같습니다. 여기서 우리는 다음과 같은 두 가지 견해를 도출해 낼 수 있습니다. 첫째로 "디스토피아(Dystopie)"의 개념은 유토피아의 소개념으로서 "부정적 유토피아(negative Utopie)" 내지는 "메토피아(Mätopie)"와 동일한 용어로 파악될 수 있습니다. 작가는 문학작품 속에 어떤 끔찍한 현실을 보여 줌으로써, 사람들로 하여금 차제에 어떤 파국을 인지하고 이를 막을 수 있는 대안을 찾도록 자극하고 있습니다. 이 경우 디스토피아, 부정적 유토피아, 그리고 메토피아는 이른바 "부정의 부정(Negation der Negation)"(Neusüss)이라는 변증법적 방법론을 활용하고 있습니다(Neusüss: 33).

6. "반유토피아" 내지 안티 유토피아의 개념: 둘째로 "반-유토피아(Anti-Utopie)"의 개념은 의미론적 측면에서 디스토피아 내지 부정적 유토피아와는 약간 다른 차원에서 이해될 수 있습니다. 어쩌면 그것은 "안티 유토

피아"로 번역하는 게 더 정확할지 모르겠습니다. 실제로 "반유토피아"는 처음부터 유토피아의 사고 자체를 거부하려는 세계관을 드러내고 있습니다. 다시 말해, "반유토피아"는 더 나은 삶을 위한 인간적 의향을 담고 있는 유토피아의 사고가 근본적으로 무가치한 사고라고 주장하면서 그것을 배격하고 있습니다. 이에 대한 논거로서 반유토피아의 입장을 고수하는 사람들은 첫째로 예정 조화의 신정주의를, 둘째로 전체주의 내지 폭력의 의혹을 예로 들고 있습니다. 전자는 "유토피아는 이룰 수 없는 무엇을 애써 이루려고 헛되이 노력한다"는 논거이며, 후자는 "유토피아는 처음부터 전체적 이익을 추구하므로 폭력적이다"라는 논거입니다. 이에 관한 독일어권의 문학작품으로 우리는 20세기 후반에 출현한 작품들을 예로 들 수 있습니다. 이를테면 귄터 그라스의 『암쥐(Die Rättin)』, 귄터 쿠네르트의 시집 『유토피아의 노정에서(Unterwegs nach Utopia)』 등이 그것들입니다. 요약하건대 반-유토피아 내지 안티 유토피아는 "더 나은 삶을 공동으로 추구하는 모든 노력이 무의미하다"라는 입장에서 출발하고 있습니다. 이를테면 아도르노는 유토피아의 의향보다도 더 큰 것은 죽음의 모티프라고 못 박았습니다(Bloch: 66). 이로써 더 나은 삶을 공동으로 추구하는 인간의 노력은 헛되다는, 전도서의 허무주의의 명제는 지속적 영향을 끼치고 있습니다.

7. 주체 유토피아: 20세기 이후에 유토피아에 관한 용어가 혼란스러울 정도로 많이 출현한 것은 사실입니다. 그만큼 사회가 전문화되었으며, 지구 전체의 인간 사회의 문제가 복잡하게 얽혀 있기 때문이라고 여겨집니다. 이와 병행하여 유토피아의 최신 연구에서 다음과 같은 견해가 제기되었습니다. 즉, 유토피아 개념의 확장은 그 자체 문제점을 지니고 있다는 것입니다. 이를테면 리하르트 자게(Richard Saage)는 다음과 같이 주장했습니다. 즉, 블로흐는 유토피아의 개념과 기능을 확장시켰는데, 이는 결

국 유토피아의 찌꺼기를 이전의 단계로 내려앉게 만들고 말았다고 합니다
(Saage: 159). 그 밖에 유토피아는 안드레아스 하이어(Andreas Heyer)의 견
해에 의하면 블로흐의 유토피아 개념의 확장으로 인하여 결국 온 세상의
개념으로 방만하게 해석되었다고 합니다(Heyer: 250). 그렇다고 해서 우리
는 블로흐의 유토피아의 개념 확장에 어떤 하자가 도사리고 있다고 말할
수는 없습니다. 오히려 블로흐의 이론은 인간의 갈망과 희망을 중시함으
로써, 존재론적 차원에서 아리스토텔레스 이후로 망각되었던 가능성의 불
가능성의 개념을 주어진 현실과 관련시키도록 작용하였습니다. 바로 이러
한 이유에서 우리는 한 가지 개념을 동원하여 여러 가지 혼란스러운 전문
용어를 통일할 수 있습니다. 그것이 바로 주체 유토피아입니다. 주체 유토
피아는 지금까지 전통적 유토피아에서 배제되었던 유토피아의 주요 성분
을 지칭하는 개념으로서 다음과 같이 정의할 수 있습니다. 즉, 주체 유토
피아는 주체가 의도하는 더 나은 사회적 삶에 관한 미래 지향적 의식을 내
용으로 하고 있는데, 이는 인간과 인간 사이의 진정한 의사소통을 통하여
소외된 개인들로 하여금 사회에 동화하게 하고, 협동성을 불러일으키게
하는 문학적 유토피아로 출현할 수 있다고 말입니다(박설호: 354).

　8. 주체 유토피아의 어떤 기능: 80년대 유럽에서 카를 하인츠 보러(Karl
Heinz Bohrer) 역시 주체 유토피아를 언급한 바 있습니다. 그러나 그는 주
체 유토피아를 의미론적으로 축소시켜서, 이른바 "윤리라든가 역사적 목
표에 대한 상상과는 전혀 차원이 다른 주관적이자 사적인 행복에 대한 경
험"으로 이해하였습니다. 이를테면 보러는 유토피아가 20세기에 이르러
완전히 손상되었다고 믿으면서, 이에 대한 예를 로빈슨 크루소에게서 찾
고 있습니다. 로빈슨 크루소는 바람직한 국가의 건설과는 무관한 한 사적
인 삶의 실현 내지 주관적 삶의 행복을 추구하는 자라는 것입니다(Bohrer:
86). 로빈슨은 무인도에서 살아남기 위해서 자신의 모든 지적·육체적 능

력을 동원하면서 살아간다는 것입니다. 여기서 우리는 카를 하인츠 보러의 주체 유토피아의 개념이 유토피아의 특성으로부터 현격하게 동떨어져 있으며, 설령 부분적으로 어떤 작은 특성을 공유한다고 하더라도 개념 영역이 너무 협소하게 규정되고 있음을 확인할 수 있습니다. 보러가 사용하는 주체 유토피아는 거대한 자연의 폭력 앞에서 한 인간이 어떻게 생존해나가며, 이를 위해서 과연 어떠한 책략들을 개발하는가? 하는 문제와 관련됩니다. 그렇기에 그것은 개개인들의 공동 관심사와는 거의 무관한 개념일 뿐입니다. 어쩌면 우리는 주체 유토피아의 개념을 사회성과의 상관관계 속에서 이해해야 할 것입니다. 로빈슨 크루소의 삶의 정황은 예외적일 뿐입니다. 인간은 그 자체 사회적 존재이기 때문에, 주체의 이상적인 삶은 사회와의 관련성 속에서 투영될 수밖에 없습니다(Stockinger: 133). 다시 말해서, 주체 유토피아는 개인의 사적인 행복이 아니라 사회 전체의 이익이 개인의 이익으로 환원되지 않을 때 나타나는 사고로 규정할 수 있습니다. 이는 사회적 삶에 있어서 개개인이 자유로운 자기 결정권을 추구하는 일과 무관하지 않습니다. 왜냐하면 인간이 자유로운 자기 결정권을 추구하는 것은 작가의 견해에 의하면 집단이나 공동체 내에서 발생하는 문제에 대한 여러 가지 해결 방안을 통해서 성취될 수 있기 때문입니다(Hermand: 20).

9. 주체 유토피아가 동양 사상과 접목되어야 하는 이유들: 그렇다면 주체 유토피아는 "주어진 사고와는 무관한 사고로서 개인의 사적인 행복만을 추구하는 이념"일까요? 그렇지는 않습니다. 우리는 어쩌면 서양의 주체 개념이 아니라 동양의 자아 개념을 통해서 주체 유토피아의 특성을 더욱 명확하게 규정할 수 있을지 모르겠습니다. 서양 사상은 근대의 시점부터 지금까지 주체의 가능성과 한계의 측면에서 동양 사상에 대해 커다란 관심을 기울이게 되었습니다. 이를테면 서양의 주체 개념은 자아의 일방

통행 식의 관점에서 대상을 쪼개고 분할한다는 점에서 자기중심주의 내지 자연에 대한 우월주의 내지 오만함을 내재하고 있습니다. 이러한 우월주의의 시각은 때로는 대상에 대한 자아의 나르시시즘의 오만함으로 설명되기도 하였습니다. 자연에 대한 인간의 우월주의에 입각한 시각이 결정적 하자를 지니고 있다는 점은 역사에서 두 번에 걸쳐 확인되었습니다. 그 하나는 20세기 초반의 제국주의 비판의 관점을 통해서, 다른 하나는 20세기 후반의 생태계 파괴의 현상에 대한 비판에서 분명하게 드러났습니다. 바꾸어 말하자면 서양의 지배 구조와 이에 대한 확장으로서의 제국주의 그리고 과학기술 개발을 극대화시켜 생산력을 신장시키려는 능률주의는 21세기에 이르러 한계성을 인지하게 된 것입니다.

10. 자유가 억압되고 있다: 주지하다시피 20세기 중엽의 사회적 상황은 인류에게 엄청난 파국을 알려주었습니다. 세계대전, 제국주의의 팽창 정책, 이기적인 국가의 전체주의 정책 등을 생각해 보십시오. 20세기에 이르러 유토피아의 역사는 비단 서양에만 국한되어 나타난 것은 아닙니다. 이후에 나타나지만, 전 지구상의 생태계 문제와 핵전쟁의 위기 등을 고려하면 유토피아의 역사는 언제나 인류가 처한 현실의 확장과 정비례하여 전개되었습니다. 가장 중요한 것은 인간의 고유한 자유가 엄청날 정도로 훼손되기 시작했다는 사실입니다. 그렇기에 우선시되는 것은 주체의 자유를 보존하려는 노력입니다. 그렇다고 해서 주체의 자유는 개별화된 사적 영역의 자유로 국한될 수는 없습니다. 그것은 너의 행복과 우리의 행복을 바탕으로 하여 나에게 되돌아오는 무엇입니다. 지금까지 유토피아는 무엇보다도 경제적 평등을 중시하였습니다. 그런데 경제적으로 평등한 삶의 방식도 개인의 자유가 우선적으로 존재해야 가능한 일일 것입니다. 개인의 자유가 풍전등화의 상황 속에 놓여 있는데, 이웃과 사회의 정치경제적 안녕을 도모할 겨를은 없는 법입니다. 바로 이 때문에 주체의 자유가 우선적

으로 중시될 뿐이지, 사회 전체의 안녕과 경제적·문화적 번영이 지엽적인 사항은 아니란 것입니다.

11. 하나의 가설로서의 사회의 주체화, 주체의 사회화: 요약하건대 주체 유토피아는 개인 한 사람의 이익과 안녕을 도모하는 이상적 사고는 아닙니다. 그것은 공동체에 관한 성숙한 개인의 소통과 교류를 전제로 하는 사고입니다. 그렇기에 주체 유토피아의 슬로건은 사회의 주체화, 주체의 사회화로 요약될 수 있습니다. 여기서 문제가 되는 것은 주체 유토피아에 관한 하나의 가설입니다. 이를테면 우리는 올더스 헉슬리의 『섬』을 예로 들 수 있습니다. 헉슬리는 서구의 자연과학의 합리성과 동양의 불교 사상을 상호 결합시켜, 제3세계에서 개개인들의 이상적 삶의 가능성을 추적하고 있습니다. 그것은 고유한 자아의 예속 상태에서 벗어나려는 노력과 서구의 세속화된 합리주의의 결합을 가리킵니다(Huxley: 160). 이미 언급했듯이, 주체 유토피아는 학문적으로 정착된 개념이 아닙니다. 주체 유토피아는 공동체 내에서의 주체를 중요하게 생각한다는 점에서 디스토피아와 유사한 용어일 수 있습니다. 그러나 우리는 20세기에 출현한 제반 문학 유토피아를 오로지 디스토피아의 개념으로 요약할 수는 없습니다. 그렇기 때문에 우리는 어떤 새로운 유토피아의 카테고리를 설정해야 하는 것입니다. 특히 21세기에는 네트워크를 통한 수많은 무정부주의적 생태 공동체가 급속도로 출현하고 있습니다. 이를테면 20세기 후반부에 환경, 여성, 그리고 평화 운동과 병행해서 나타난 생태 공동체 운동은 주체 유토피아의 틀 속에서 이해될 수 있습니다.

12. 개체는 전체이며, 전체는 개체일 수 있다: 상기한 내용과 관련하여 우리는 주체의 개념을 구분되지 않는 개체로서의 "개인(In+Dividuum)"과 구별할 필요가 있습니다. 비유가 적절할지 모르지만, 인간의 개별적 존재

는 마치 생명의 조직체 내의 세포와 같습니다. 사람들은 시각적 관점에서 는 개별화될 수 있으나, 기능상의 측면에서 고찰할 때 상호 교류를 통해 서 생명을 이어 나갑니다. 다시 말해서, 인간의 개별적 존재는 제각기 이 질적이고 분화되어 있지만, 상호 영향을 끼치면서 생활하기 때문에, 공동 의 삶, 공동의 체제를 필요로 합니다. 여기서 강조되는 것은 "나는 사회의 안녕에 기여하며, 사회는 나의 삶에 기여하리라"라는 상호 아우르기로서 의 기능, 바로 그것입니다. 이를 고려할 때 주체 유토피아는 상호주관적 의 향(intersubjektive Intentionen)과 관련되는 개념으로서, 궁극적으로 하나의 "큰 자아"의 안녕을 도모하려는 사상과 얼마든지 접목될 수 있습니다.

13. 큰 자아로서의 주체: 주체의 상호주관주의적 성향을 염두에 두면 우 리는 큰 자아로서의 주체를 상정할 수 있을 것입니다. 언젠가 철학자 김 상봉은 "서로주체성"을 설파한 바 있습니다. 주체는 개별화되는 개체들로 서 서양인들처럼 타자를 열등한 대상으로 고찰하지 않고, 서로 아우르고 협력하며 상호 영향을 끼치며 작용하는 존재일 수 있다는 것입니다. 이로 써 에마뉘엘 레비나스(Emmanuel Levinas)의 자아의 일방적 시각을 극복하 려는 "타자"의 개념은 마르틴 부버(Martin Buber)의 "나와 너"라는 구분된 존재들 사이의 상호성의 관점을 뛰어넘어서 더 큰 자아, 다시 말해서 "우 리"라는 의미로 개념 확장을 이루게 됩니다. 철학자 김상봉이 상호성의 주 체를 언급하면서 "우리"를 떠올린 것도 다 그 때문입니다. 어쩌면 주체 유 토피아는 이러한 큰 자아, 다시 말해서 "대아(Atman)"를 찾으려는 인간의 끝없는 노력일 수도 있습니다. 가령 윤노빈이 『신생철학』에서 언급한 "나 를 임신한 나"에 관한 시각을 숙고해 보세요. 어쩌면 인간은 서로 "기대어 (人)" 살아가는 존재이며, 나의 눈에 보이지 않는 탯줄을 인접한 타자의 생 명과 이어주며 살아갑니다.

14. 작은 개념의 주체를 죽여라: 그렇다면 우리는 어떻게 더 큰 자아를 획득할 수 있을까요? 우리는 이에 관한 논의를 서양의 합리주의의 논리로 개진해 나갈 수는 없습니다. 그렇기에 비록 추상적이기는 하지만, 하나의 비유로 언급할 수 있을 것입니다. 더 큰 자아를 획득하려면, 우리는 일단 자기 자신의 존재에 대한 신뢰감을 서서히 약화시켜 나가야 할 것입니다. 쉽게 말해서 진정한 주체를 확립하려면, 주체를 죽여야 합니다. 자신이 이 세상의 유일한 주인이라는 의식을 저버려야 합니다. 휴머니즘의 허구성을 꿰뚫어 고찰해야 합니다. 불교 방식으로 말하면 인간은 자기 자신의 존재를 더 이상 의식하지 않도록 노력해야 하고, 장자의 논리대로 말하자면 "오상아(吾喪我)," 다시 말해서 자신의 존재를 스스로 초상 치러야 합니다. 그렇게 하면 우리는 개인주의의 시각에서 타자와 대상을 내려다보지 않게 되며, 마치 성 프란체스코처럼 삼라만상의 꽃과 나무는 물론이며, 새와 물고기와 어떤 교감을 나눌 수 있게 될 것입니다. 그렇게 하면 우리는 자신의 존재를 과시하는 허영으로부터 일탈되어, 인간과 인간, 인간과 자연 사이의 바람직한 관계를 설정할 수 있을 것입니다. 작은 개념의 주체를 약화시키거나 죽이는 것 ― 자아와 주체의 오만함을 떨치려는 이러한 노력이야말로 어쩌면 역설적으로 주체 유토피아를 실현하려는 지름길인지도 모르겠습니다.

참고 문헌

- 김상봉: 서로주체성의 이념. 철학의 혁신을 위한 서론, 길 2007.
- 박설호: 유토피아 연구와 크리스타 볼프의 문학, 개신 2001
- 박희채: 장자의 생명적 사유. 삶의 속박을 초탈하는 타자성 극복 논리, 책과나무 2013.

- Bloch, Ernst: Experimentum mundi, Frankfurt a. M. 1985.
- Bohrer, Karl Heinz: Der Lauf des Freitag: Die lädierte Utopie und die Dichter. Eine Analyse München 1973.
- Buber, Martin: Ich und Du, Stuttgart 2013.
- Hermand, Jost: Orte. Irgendwo. Formen utopischen Denkens, Königstein/Ts. 1981.
- Heyer, Andreas: Brauchen die politischen Wisssenschaften einen Begriff der Utopie?, in: Richard Saage (hrsg.), Utopisches Denken im historischen Prozess, Berlin 2006.
- Huxley, Aldous: Island, Londen 1988.
- Kufeld, Klaus: Zeit für Utopie, in: Julian Nida-Rümelin, Klaus Kufeld (hrsg.), Die Gegenwart der Utopie, Zeitkritik und Denkwende, Freiburg 2011.
- Neusüss, Arnhelm (hrag.): Utopie: Begriff und Phänomen des Utopischen, Frankfurt a. M. 1986.
- Saage, Richard: Utopieforschung, Bd. 1, An den Bruchstellen der Epochenwende von 1989.
- Schölderle, Thomas: Geschichte der Utopie, Stuttgart 2012.
- Stockinger, Ludwig: Aspekte und Probleme in der deutschen Literaturwissenschaft, in: Utopieforschung, (hrsg.) Wilhelm Vosskamp, Bd 1. Stuttgart 1982.
- Traub, Rainer (hrsg.): Gespräche mit Ernst Bloch, Frankfurt a. M. 1980.

블로흐의 유토피아에 관한 반론과 변론 (2)*

빈터

미하엘 빈터는 1978년 『유토피아 개관(Compendium Utopiarum)』을 발표했는데, 이 책에서 다음과 같이 주장하였다. 즉, 서구 산업국가가 유토피아로부터 등을 돌린 것은 유토피아의 사고가 대폭 실현되었기 때문이라고 한다. 유토피아의 땅은 오늘날 스위스로부터 하와이를 거쳐서 샌프란시스코로 이어진다고 한다. 현대사회는 의학 발달로 인간의 수명을 늘려 놓았으며, 프랜시스 베이컨이 추구하던 식량 공급의 이상을 실현하였다고 한다. 신용카드는 영원한 풍요로움을 보장해 주고, 여행 산업은 지속적으로 붐을 맞이하고 있다. 맹수는 지구상에서 서서히 사라지고, 인간은 법령에 의해서 어느 정도 제한을 받으면서 살아가고 있다. 자연의 위험은 현대의 사회간접자본 시설로 인해서 사전에 차단되고, 국지전을 제외하면 거대한

---

* 이 장은 『꿈과 저항을 위하여. 블로흐 읽기 1』에 실린 글의 연속이다. 참고로 이전에 실린 글의 목차는 다음과 같다. 구스타프손, 노이쥐스, 란다우어, 루카치, 리스맨, 마르쿠제, 만하임, 벤야민, 보드리야르, 보러, 부버, 브레히트, 슈봉케, 알튀세르, 엥겔스, 요나스, 제비에, 케스팅, 코르쉬, 코아코프스키, 크리스만스키, 틸리히, 포퍼, 프라이어, 프로이트, 하버마스, 호르크하이머.

전쟁은 군비 증강과 국제적 외교관계로 인하여 거의 출현하지 않게 되었다고 한다. 국가의 폭력은 민주적인 기본법에 의해 제한을 받게 되었다고 한다. 현대의 산업국가에 근거하는 복지사회에서 유토피아의 꿈은 그저 광고의 슬로건으로 나락하고 말았다고 한다.

빈터는 이러한 논의를 통해서 꿈의 종말을 거론하고 있다. 지속적인 행복에 관한 유토피아의 꿈은 이상적인 국가를 통해서 자연을 완전히 정복하게 하였다. 그것은 서구 국가에서 실현되었다고 인지되는 순간 실패로 끝나게 된다. 철학자가 왕이 되어야 한다는 유토피아주의자들의 꿈은 빈터에 의하면 끝내 피와 살육을 불러일으켰다. 토마스 뮌처, 로베스피에르, 레닌, 마오쩌둥, 그리고 폴 포트 등이 이에 대한 참담한 예라고 한다. 인간과 자연에 대한 정복은 1972년 『로마클럽 보고서』에 언급된 현상을 낳게 하였다. 빈터는 유토피아의 사고에 대해 모호한 태도를 드러낸다. 유토피아는 바람직한 사회의 모델로 자극을 가해서 인권을 신장시키고 민주적인 기관을 형성하게 하였다. 비록 유토피아의 사고로 인하여 테러 정부가 등장하기도 하였지만 말이다. 또한 빈터는 라메트리(La Mettrie)의 인조인간에 관한 유토피아를 언급하면서, 인간존재는 자신의 광적인 수행 능력을 상실하게 될 경우에도 얼마든지 변신을 통해서 살아남으리라고 믿고 있다. 이와 반대로 인간은 인간 중심적 사고로 인하여 커다란 위기를 맞이하게 될 것이라고 빈터는 주장한다. 이로 인하여 지구는 거대한 파국을 맞이하고, 생태계의 균형을 상실하게 되리라고 한다. 그렇지만 유토피아의 사고에 대한 빈터의 모호한 태도는 그저 겉으로 드러난 특징일 뿐이다. "유토피아는 유럽 문명의 불행도 행복도 아니다"라는 자신의 견해를 부인한다. 유토피아의 의도 내지 의향은 빈터의 생각에 의하면 좋지만, 사악하고 나쁜 결과를 초래하였다고 한다. 빈터의 책을 읽으면, 우리는 항상 다음의 사항을 접하게 된다. 즉, 자유의 나무는 단두대를 낳고, 인간에 대한 사랑은 인민 학살을 낳으며, 정의의 의미는 언제나 피해망상을 불러일으키고,

질서를 추구하는 일은 테러리즘을 낳는다는 사항 말이다. 이로써 빈터는 선과 악의 기준이 되는 이성을 더 이상 신뢰해서는 안 된다고 은근히 암시한다.

요약하건대 빈터는 정치적 유토피아 자체를 추적하는 게 아니라, 유토피아가 역사에서 어떻게 영향을 끼쳤는가? 하는 문제만을 추적하고 있다. 이에 대한 예로서 우리는 다음의 세 가지 사항을 들 수 있다. 첫째로 빈터는 토머스 모어와 캄파넬라의 유토피아 공간의 기하학적 토대에서 프랑스혁명의 테러와 20세기의 전체주의의 폭력이 태동하였다고 주장한다. 그렇지만 빈터는 다음의 사항을 도외시하고 있다. 즉, 16세기와 17세기의 현실적 토대는 19세기 서구 산업국가의 현실적 토대와는 근본적으로 다르다는 점 말이다. 모어와 캄파넬라의 시대에는 최소한의 물질적 욕구 충족을 위해서 개개인의 외적인 자유가 구속될 수밖에 없었다. 오늘날 서구 사회는 토머스 모어가 궁리하던 경제적 · 사회적 문제를 이미 해결해 놓고 있다. 오늘날 사람들은 토머스 모어가 전혀 알지 못 했던 에너지와 환경 등의 문제로 고심하고 있다. 이를 고려한다면 토머스 모어의 유토피아 속에 담긴 사회적 구상이 16세기와 17세기의 현실을 무시한 채 지금의 현실과 직접적으로 대입되는 것은 결코 온당치 못 하다.

둘째로 빈터는 공간 유토피아와 시간 유토피아의 유형적 구분을 거부하고 있다. 만약 공간 유토피아와 시간 유토피아가 서로 구분된다면, 이는 빈터에 의하면 유토피아와 혁명을 서로 구분하는 처사라고 한다. 유토피아는 모어의 고전적 형태 속에서 미래의 실현을 촉구하는 비전이라고 빈터는 주장한다. "만약 사유재산 제도가 파기되면, 어떤 정의로운 질서 내지 인간의 행복이 가능하다"고 주장하는 것은 그 핵심에 유토피아의 혁명적 목적론이 도사리고 있다고 한다. 이는 어쩌면 결과론으로 과거의 역사를 평가하는 자세 그 이상도 그 이하도 아니다. 세속화된 진보의 사고가 18세기 중엽 이후의 유토피아에서 진지한 토론으로 다루어진 적은 거의 없다. 그 밖에 모어는 "만약 그러하다면, 그러할 것이다"라는 식의 표현을 사용한 적이 없다. 토머스 모어는 어떤 공개적인 가설을 다룬 게 아니라, 미래의 가능한 상태를 서술했을 뿐이다. 유토피아는 미래에 대한 추측 내지 진단이 아니라, 추악한 지금의 현실에 대한 반대급부로 태동한 하나의 가상적인 상이다.

셋째로 빈터는 유토피아의 사고를 "자신의 시대에 병든 절망적인 정서를 극복하기 위한 폭력적인 판타지"라고 규정한다(Winter 93: 224). 물론 우리는 유토피아가 지니고 있는 부정적인 특성을 무시할 수는 없다. 자연을 하나의 도구 내지 사용 수단으로 여기는 관점, 반개인주의의 제도를 중시하는 태도, 사회 발전에 대한 전체적 계획 등이 그러한 부정적 특성일 것이다. 그렇지만 토머스 모어와 캄파넬라의 고전적 유토피아를 유토피아의 보편적 사고로 확장시켜 두 가지를 동일하게 간주하는 것은 그 자체 잘못된 판단이 아닐 수 없다. 유토피아는 주어진 참담한(혹은 찬란한) 현실에 대한 반대급부로 태동한 가상적 상이다. 그렇기에 우리는 라블레의 문학 유토피아는 16세기의 현실적 토대와 비교되어야 하고, 푸아니(Foigny), 디드로(Diderot)의 문학 유토피아는 그들이 처한 17세기, 18세기의 유럽의 현실적 맥락을 고려하여 연구되고 분석되어야 한다. 우리는 그러한 문학 유토피아들을 결코 오늘날의 시각에서 결과론적으로, 찬반 내지 옳고 그름으로 가릴 수는 없을 것이다.

참고 문헌

- Saage, Richard: Utopieforschung, Bd. 1. An den Bruchstellen der Epochenwende 1989, Berlin 2008.
- Winter, Michael: Compendium Utopiarum. Typologie und Bibliographie literarischer Utopien. Von der Antike bis zur deutschen Frühaufklärung, Stuttgart

1978.

- Winter, Michael: Ende eines Traums. Blick zurück auf das utopische Zeitalter Europas, Stuttgart 1993.

빌케

  독일의 사회학자, 헬무트 빌케(1945-)는 2001년 『아토피아. 아토피아 사회에 대한 연구』라는 책을 간행하였다. 21세기에 이르러 고전적 유토피아의 전통은 거의 파괴되었다고 한다. 현대의 세계를 염두에 둘 때, 유토피아의 개념과 기능은 빌케에 의하면 "아토피아"로 대체될 필요가 있다고 한다. "아토피아"는 유토피아의 뜻과는 달리 정치적 영역으로서 장소의 중요성이 더 이상 필요 없다는 의미를 함축하고 있다. 가령 국가의 영토 구분은 오늘날 급진적으로 해체되어 있다. 경제적 측면에서 국가와 국가 사이에 제한이 없으며, 사회의 변형이라든가 이행의 과정은 디지털화되어 가고 있다. 이로써 자아 중심주의의 관점 역시 "유비쿼터스(ubiquitous)"의 시각에 의해서 더 이상 통용될 수 없다. 왜냐하면 그것은 주체에서 근거하는 일방적인 관점이기 때문이다. 말하자면, 경제적 차원에서 국경 없는 교역이 활발히 진행되므로, 민족국가의 개념은 더 이상 효력을 끼칠 수 없다는 게 빌케의 지론이다. 그리하여 보편화된 수많은 장소는 "없는 공간"으로서의 거대한 유토피아를 대치하였다고 한다. 이로써 빌케는 어떤 새로운 소외 현상의 위험성을 지적하고 있다. 현재의 글로벌화된 세계 전체의 시스템은 역으로 자신을 비판하는 기능을 상실하고 있다. 그것은 자신의 반응 능력을 압살시키고, 전체적 관련성만을 하나의 유희 내지는 게임으로 제시할 뿐이라고 한다.

그런데 빌케는 유토피아를 국가 중심으로 주도하는 사회주의의 지배 체제로 이해하고 있다. 이를테면 유토피아는 히틀러, 혹은 정통 사회주의자들의 찬란한 꿈과 유사한 것으로 파악되고 있다. 그런데 플라톤과 토머스모어 이후의 유토피아를 고찰하면, 우리는 히틀러와 스탈린의 거짓 유토피아가 유토피아의 참모습이 아니라는 것을 간파할 수 있을 것이다. 히틀러 스스로도 반유토피아주의자라는 것을 명백하게 선언한 바 있다. 빌케는 유토피아의 전통을 시장 제도와 연결시키고, 이를 해명하고 있다. 시장은 재화를 소유한 개인들이 자신의 재물을 내세워 최대한의 이익을 도출해 내려는 상호 교환 시스템이다. 빌케는 이러한 교환 시스템 내지 글로벌세계의 경제적 구도 등을 유토피아와 관련시키려고 한다. 이 점이 잘 납득되지 않는다. 물론 빌케는 세계의 사회는 더 이상 모어의 국가 중심의 섬으로 설계될 수 없다고 주장한다. 게다가 이제 유럽과 아메리카 중심의 사고는 일방적이라고 진단한다. 이러한 주장은 그 자체 타당하다. 빌케는 국경 없는 세계 전체의 특성으로서 아토피아를 내세우고 있다. 그렇지만 "아토피아"는 "지배 없는 세계 전체"의 특성을 포괄하지 못하고 있다. 다시말해서, 우리는 경제적 차원에서 "사라진 국경"만을 고려할 게 아니라, 정치적 의미에서 지배 없는 세계의 가능성을 탐색해야 할지 모른다. 이와 관련하여 P. M.의 『볼로의 볼로』는 비-국가주의 공동체의 좋은 예를 전해 주고 있다.

참고 문헌

- Saage, Richard: Utopieforschung, Bd. II, An der Schwelle des 21. Jahrhunderts, Berlin 2008.
- Willke, Helmut: Atopia. Studien zu atopischen Gesellschaft, Frankfurt a. M. 2001.

슈미트

부르크하르트 슈미트는『고향의 저편에서』에서 현대의 디지털 기술 메커니즘의 사회에서 유토피아가 과연 어떠한 영향력을 지니고 있는가? 하는 문제를 천착한 바 있다.『고향의 저편에서』는 후기 산업사회에서의 유토피아의 적대적 현상을 지적하고, 디지털 기술 메커니즘의 사회에서 유토피아의 사고가 어느 정도의 범위에서 영향을 끼칠 수 있는가? 하는 문제를 추적하고 있다. 정보사회는 유토피아의 사고에 대해 적대적 경향을 드러내고 있다. 이러한 경향은 슈미트에 의하면 배격되어야 할 죄악과 다름이 없다. 그렇지만 디지털 정보사회가 어떠한 과정을 거쳐서 잘못된 발전을 거듭해 왔는지 의식하는 사람들은 거의 드물다. 세계적으로 퍼져 나가는 정보의 홍수는 새로운 기술에 의해 전파되는 모든 자료를 서로 비교하여, 고유한 가치를 논하기 어렵게 만든다. 수없이 쏟아지는 자료들은 제대로 이해되지 않고, 제대로 평가 받기 힘들다. 이로 인하여 출현하는 것은 비판의식의 종말, 유토피아 사고의 종말 현상이다. 주어진 현실은 셀 수 없이 많은 정보들로 인하여 혼란 상태에 처해 있다. 이러한 상황은 어떤 독재자의 의도적인 이데올로기에 의해서 비롯된 것은 아니지만, 사회 자체를 유동하지 못하게 하고 마치 암석처럼 굳어버리게 만들기에 충분하다. 이로 인하여 정보사회 내의 제반 지식들은 아무런 가치가 없으며, 사장되지 않을 경우 개별 인간이 필요로 하는 지엽적 욕구만을 충족시킬 뿐이다.

슈미트는 현대의 디지털 정보산업의 시대를 "다소 안정적인 토피아의 시대"라고 명명한다. 여기서 "토피아"란 구스타프 란다우어의 용어로서 유토피아와 반대되는 경향을 통칭하는 개념이다. 다시 말해서, "토피아(Topie)"란 사회의 전환과 변혁이 차단되어 있는 시대적 현상을 가리킨다. 그것은 좋게 말하면 안정의 시기이지만, 나쁘게 말하면 고착된 변화 없는 현재 상태를 지칭한다. 그렇지만 정보사회에서 살아가는 사람들은 슈미트의 견해에 의하면 유토피아의 갈망이 외면당하는 현상에 대해 체념에 빠져서는 안 된다고 한다. 문제는 디지털 시대에 수많은 정보들을 공유함으로써 주체의 의식이 처음부터 끝까지 배제되는 구조에 도사리고 있지는 않다. 다시 말해서, 문제시되는 것은 정보의 공유를 통한 의사소통 체계 자체가 아니라, 수많은 정보의 홍수가 결국 인간 주체의 성찰을 마비시키고 비판의식을 둔감하게 만든다는 사실이다. 사회의 지배 엘리트들은 수많은 정보의 바깥 영역에 위치하는 잠재적 비판의 공간에 대해 촉각을 곤두세우고 있다. 슈미트는 사이버 세계의 소통의 기술 속에 도사린 이러한 모순성을 지적하는 것으로 만족하지 않는다. 오히려 그는 정보사회 내에서 일견 원활하게 수행되는 인간의 소통 행위에 대해 저항해야 한다고 주장한다. 정보사회는 얼핏 보기에는 모든 억압 내지 지배 구조를 빠져나와서, 군건한 토대를 이룬 것처럼 보인다. 그럼에도 더 나은 사회적 삶의 효모 내지 촉매제로 작용하는 유토피아는 사멸되지 않고, 다소 안정적인 토피아의 시대의 지하에서 여전히 생동하고 있다.

상기한 사항과 관련하여, 사람들은 슈미트의 견해에 의하면 첨단 기술의 소통 시스템의 조건 속에서 유토피아의 잠재성을 찾아내야 한다고 한다. 이를테면 슈미트는 유토피아의 개방성과 역동성을 부정하는 프랑스 구조주의자들의 견해에서 오히려 역으로 어떤 체제 파괴적인 가능성을 발견하려고 한다. 지식인은 다소 안정적인 토피아의 시대에 어떤 비판 의식을 제시함으로써 제각기 나름대로 유토피아의 장소를 제공하고 있다.

대부분의 프랑스 구조주의자들이 유토피아에 대해서 회의적이고 비판적인 시각을 드러내고 있지만, 슈미트는 이들의 관점 속에 이미 유토피아의 사고가 은폐되어 있다고 주장한다. 1. 레비스트로스는 인간 삶의 영역의 우주적 확장에 즈음하여 선사시대에 생동하던 구조의 구체성을 다시 획득하려고 했다. 2. 롤랑 바르트는 신화로부터 벗어나려는 비판적 충동을 도출해 냄으로써 어떤 유토피아의 요소를 찾으려고 했다. 3. 알튀세르는 사회 내의 계급투쟁에 더 큰 비중을 두기 위하여 구조적 · 객관적 마르크스주의에 관한 어떤 학문적 구상을 삭제하지 않을 수 없었다. 계급투쟁은 알튀세르에 의하면 어떤 개방된 출구와 함께 혁명적 사건과 결부되어 있다는 것이다. 4. 푸코는 모든 보편화된 역사 이론을 배격하고, 이에 반대되는 요구 사항에 대해 독점적으로 거부하는 전체적 이데올로기에 대해 이의를 제기한다. 푸코의 이러한 태도에서 묘하게도 유토피아의 기능이 엿보이고 있다. 5. 리오타르는 반-조직적이며 반-발전 논리적인 유토피아를 표방하고 있다. 만약 체제를 위해 축적된 모든 정보들을 과감하게 차단시킬 수 있다면, 유토피아의 사고는 얼마든지 비판적인 힘을 발휘할 수 있다고 한다. 6. 보드리야르의 사고는 비-국가주의의 자유에서 출발하고 있다. 시뮬레이션은 유토피아의 가상적 상 속에서 자유롭게 변화하는 부호의 혁명적 기호학으로 머물고 있다. 보드리야르는 (푸코와 리오타르가 주장하는) 주어진 시스템에 대한 반시스템적 대립과는 달리, 사고의 분산과 해체를 강조한다. 갈망의 기계들은 거대한 사회-기술적 시스템에 대한 충동을 약화시킴으로써 어떤 해방을 맛볼 수 있다고 한다. 이러한 시각은 들뢰즈와 가타리의 이론과 같은 맥락에서 이해될 수 있다.

산발적으로 흩어진 최소한의 유토피아는 사회정치적 현실과의 관계 속에서 어떻게 이해될 수 있을까? 정보 기술 내지 소통의 기술에 의해 정착된 사회는 더 나은 사회를 이룩하기 위한 출구를 스스로 차단시키고 있다. 그렇다고 해서 기술과 반대되는 공공연한 사회 이론 역시 자기기만으로 이해될 뿐이다. 이는 고전적 마르크스주의가 자신의 마력적인 변증법으로써 첨단 기술 집약적인 서구 산업국가의 현실을 포괄할 수 없는 것과 마찬가지 논리이다. 슈미트는 대안으로서의 반대 세계를 일회적으로 구상하느니, 차라리 변화를 자극하는 유토피아의 에너지를 축소하는 게 바람직하다고 주장한다. 물론 우리는 오늘날의 유토피아를 염두에 둘 때, 어떤 계획(Planung)을 떠올릴 것이다. 그렇지만 이러한 사회적 계획은 다원주의 사회에서는 중앙집권적인 정책과 병행하여 실천될 것이므로, 결국 유토피아의 사고를 기회주의의 나락 속에 갇히게 할지 모른다. 미래의 유토피아는 슈미트에 의하면 중앙집권적 계획과는 무관하게 다원주의의 개별적 구상 속에 정착될 것이다. 미래의 유토피아는 이를테면 농업 중심의 코뮌 운동, 원자력 발전에 대항하는 독특한 저항 조직의 운동, 그리고 자치적인 대안의 삶을 위한 미적 디자인 등을 통해서 자신의 구체적 모습을 드러내리라고 한다.

참고 문헌

- Schmidt, Burghart: Kritik der reinen Utopie. Eine sozialgeschichtliche Unter-
  suchung, Stuttgart 1988.
- ders.: Am Jenseits zu Heimat. Gegen die herrschende Utopiefeindlichkeit im
  Dekonstruktiven, Darmstadt 1994.

슈벤터

롤프 슈벤터는 논문 「유토피아. 어떤 초시대적 개념에 대한 숙고」에서 최소한의 유토피아 개념이 다양하게 발전되는 사회적 이유에 관해서 언급한다. 고전적 유토피아는 고립된 사회의 폐쇄적인 시스템에 바탕을 두고 있는데, 이는 주어진 사회의 빈부 차이, 착취하는 자와 착취당하는 자의 갈등, 그리고 정치적 지배와 피지배 사이의 대립에 대한 반대급부로 나타난 것이다. 마르크스주의의 사회 분석 역시 이러한 이분법에 기초하고 있다. 이러한 계급적 대립은 20세기 말에 이르러 계급 갈등을 희석시키는 여러 가지 문제점과 하급 문화로 인하여 유야무야되고 말았다. 슈벤터는 이로 인하여 미래를 구상하는 작업에 있어서 사회적 다원주의와 개인주의의 경향이 두드러지게 되었음을 분명하게 지적한다. 20세기 말에는 직업과 가정 사이에서 이중적 어려움을 겪고 있는 여성들의 갈망의 상이 두드러지게 출현한다. 노동의 소외 현상은 약화되었지만, 수공업자, 농부, 그리고 예술가들은 산업사회의 이방인으로 등장하게 되었다. 슈벤터는 특히 20세기의 유토피아의 특성을 예리하게 언급한다. 이를테면 유토피아의 구상에 있어서 폐쇄적 요소는 사라지고, 그 대신에 미래 설계의 작업에 있어서 과정의 특성이 부각되고 있다는 게 그것이다.

슈벤터는 유토피아의 특정한 사고가 주어진 사회 현실과 밀접한 관련성을 지닌다고 생각한다. 이러한 사고는 국가주의와 비-국가주의의 유토피아 모델에도 그대로 드러난다. 노르베르트 엘리아스는 다음과 같이 주장한 바 있다. 즉, 권력이 분산된 사회에서는 강력한 통합 메커니즘을 지닌 사회 설계에 대한 욕구가 강하게 출현하는 반면, 중앙집권적 사회에서 살아가는 사람들은 지배 없는 자유주의의 삶을 동경한다는 것이다(Elias: 21f). 그렇지만 이러한 견해는 일반화될 수 없다. 르네상스 시대에 중앙집권적인 정부가 출현하지 않은 때에 나타난 유토피아에서도 자유주의, 탈-국가주의의 유토피아가 등장하는가 하면, 역동적이고 과정을 중시하는 유토피아는 19세기 이후의 산업사회가 아니라 18세기 후반부에 출현하였다. 예컨대 레티프 드 라 브르톤느(Restif de la Bretonne)라든가 슈나벨(Schnabel)의 유토피아를 생각해 보라. 이와 관련하여 슈벤터는 다음과 같은 결론을 내린다. 즉, 정치적 유토피아는 주어진 현실의 사회적 관심사와 주어진 사회 전체의 구조를 반영할 뿐 아니라, 사회적 맥락과 어긋나는, 어떤 넘쳐흐르는 사상적 자양을 지니고 있다.

참고 문헌

- Elias, Norbert: Thomas Morus' Staatskritik, in: Vosskamp Wilhelm (hrsg.), Utopieforschung, Bd. 3, S. 101–150.
- Schwendter, Rolf: Utopie. Überlegungen zu einem zeitlosen Begriff, Berlin 1994.

슈토킹거

슈토킹거는 그의 박사학위 논문에서 세 가지 사항을 지적하고 있다. 첫째로 유토피아 연구에서 중요한 것은 유토피아의 상이 아니라, 시대에 대한 작가의 비판적 성찰이라고 한다. 이러한 비판적 성찰은 바람직한 사회를 상상하기 이전에 이미 작가의 의식 속에 어떤 구조적인 틀을 형성하고 있다고 한다. 따라서 중요한 것은 세계의 변화를 촉구하는 행동적 처방이 아니라, 일차적으로 다음의 사항이라고 한다. 즉, 독자에게 주어진 부정적 현실을 드러내면서 주어진 규범이 제도적으로 어째서 부당한가? 하는 것을 설득시켜야 한다는 것이다. 다시 말해서, 문학 유토피아에서 중요한 것은 작가의 시대 비판이라는 것이다. 그렇지만 주어진 시대만으로는 문학 유토피아의 존재 요건을 갖출 수는 없다. 왜냐하면 어떤 시대 비판은 또 다른 가상적인 상을 통해서 문학적으로 투영되어야 하기 때문이다.

둘째로 유토피아는 더 나은 규범적 이념을 중개할 수 있다. 어떤 가상적인 현실상 속에는 더 나은 사회적 삶의 가능성이 담겨 있기 때문이다. 그렇지만 문학적으로 형상화된 가상적인 상은 독자로 하여금 즐겁고도 행복한 사회적 삶의 가능성을 직관적으로 인지하게 할 뿐이다. 그렇기에 문학 유토피아의 상은 흐릿한 것이며, 엄밀한 학문을 통한 분석을 무조건 가능하게 하지 않는다는 것이다. 이를테면 슈토킹거는 "문학 유토피아"라는

용어가 올바르지 않다고 지적한다. 문학 유토피아는 토머스 모어 이후의
시대에 간행된 일련의 국가 소설 속의 최상의 국가 공동체의 상을 가리킨
다. 이러한 최상의 국가 공동체의 상은 문학 유토피아라는 용어로 설명할
수 있는 게 아니라, "유토피아 소설의 유형"이라고 표현하는 게 타당하다
는 것이다.

셋째로 더 나은 사회적 삶 내지 최상의 국가가 문학적 표현 방식 내지
수단을 요청하는 것은 슈토킹거에 의하면 나름대로 의미를 지닌다고 한
다. 더 나은 사회적 삶 내지 최상의 국가의 가능성은 무엇보다도 문학이라
는 구상적인 표현 방식을 통해서 우선적으로 표출될 수밖에 없다. 인간은
자신이 경험하지 않은 내용에 대해서는 일차적으로 심리적인 거부반응을
드러낸다는 것이다. 만약 자신의 경험 바깥에 위치한 현실을 대하게 되면,
독자는 이를 아무런 거부반응 없이 수용하게 된다고 한다. 이로써 시적 텍
스트의 구조는 독자에게 개념상 전달하기 어려운 규범을 경청할 수 있는
가능성을 부여하는 것이다(Stockinger: 95).

슈토킹거는 문학 유토피아의 개념과 기능을 문헌학의 엄밀함으로 추적
하고 있다. 그런데 유토피아는 오로지 문학 텍스트의 분석만으로 제한될
수 없다. 중요한 것은 전해 내려오는 문헌이 아니라, 인간의 갈망의 상이
기 때문이다. 만약 우리가 문헌만을 중시한다면, 우리는 고대인의 유토피
아의 사고에 관해서 더 이상 접근할 수 없을 것이며, 고대의 유토피아의 이
념을 무시할 수밖에 없을 것이다.

참고 문헌

-Heyer, Andreas: Der Stand der aktuellen deutschen Utopieforschung, Bd. 1.
   Forschungssituation in den einzelnen akademischen Disziplinen, Hamburg
   2008.

-Stockinger, Ludwig: Ficta respublica. Gattungsgeschichtliche Untersuchungen zur utopischen Erzählung in der deutschen Literatur des frühren 18. Jahrhunderts, Tübingen 1981.

아도르노

아도르노는 호르크하이머가 부분적으로 용인했던 유토피아의 이데올로기 비판이라는 기능마저 부인한다. 아직 존재하지 않은 미래를 선취하는 태도는 아도르노에 의하면 주어진 현실을 아직 확정되지 않은 전체로 매도하는 자세와 다를 바 없다. 어떤 다른 현실은 미래를 선취하는 의식에서 파생되는 게 아니라, 과거에 이미 주어졌던 현실에서 자연스럽게 재현되는 것이라고 한다. 현실의 모순은 그 과정에 있어서 언제나 계획이나 진단에 의해서 전개될 뿐, 일반 사람들이 갈구하는 바는 결코 현실로 나타나지 않는다는 것이다. 현실의 모순은 변증법적으로 발전되거나 사회적 진보를 추동하는 게 아니라, 영원히 모순 상태로 남아 있을 뿐이다(Hermand: 109). 그것은 어떠한 일이 있더라도 주어진 현실에서 해결되거나 극복될 수가 없다고 한다. 그렇기 때문에 일반 사람들이 미래를 기대하고 이를 신뢰하는 태도는 아도르노에 의하면 그 자체 바람직하지 못하다. 왜냐하면 유토피아는 그 자체 무력하고 무기력한 사고이기 때문이라고 한다. 그것은 비판의 기능을 불러일으키지만, 이러한 비판의 기능은 유토피아 속에 부분적으로 내재하던 긍정적 기능마저 약화시킨다는 것이다.

상기한 주장을 정당화하기 위해서 아도르노는 부분적으로 프로이트의 이론을 끌어들인다. 이는 마르쿠제를 연상시키지만, 프로이트의 이론을 도입하는 방식에 있어서는 근본적으로 다르다. 이를테면 마르쿠제가 프로

이트의 쾌락원칙, 판타지, 억압, 그리고 승화의 개념에서 어떤 잠재적 유토
피아를 찾으려 한 반면, 아도르노는 개인의 주관적 요소(내적 본능 내지 동
물의 특성으로서의 이드Id)를 인류 역사로 나타난 초자아라는 객관성 속으
로 혼입시키고 있다. 자유에 대한 능력은 아도르노에 의하면 ─ 주관적으
로 떠올린 것이라는 전제 하에서 ─ 기껏해야 상황을 조절하기 위한 사고
의 부산물에 불과하다. 삶을 꾸려 가는 내적 조건으로서의 현실과 삶을 꾸
려 나가는 외부적 조건으로서의 현실 사이에 주어지는 것은 어떤 한계 내
지 제한밖에 없다고 한다. 이러한 상황 조절의 영역에서 유토피아가 차지
할 공간은 하나도 없다고 한다. 아도르노는 유토피아의 무능력에 대한 구
체적인 예를 인간의 "행복"에서 발견하려고 한다. 행복은 인간의 기대감에
불과할 뿐, 처음에 갈구하던 그대로 실현되지는 않는다. 행복은 인간 삶에
언제나 어긋나게 등장하거나 시간적으로 뒤늦게 나타날 뿐이다. 항상 동
일한 거짓 행복은 종국에 이르러 어떤 깊은 절망으로 변화된다고 한다.

　만약 어떤 상상이 시대와의 관련성 때문에 파기될 수 없다 하더라도, 그
것은 최소한의 경우 과거에서 현재까지만 효력을 지니고 있을 뿐이다. 미
래에 대한 전망이 형성될 수 없다면, 미래는 결코 과거 속에서 발견되지 않
을 것이라고 한다. 그런 한에서 아도르노는 "미래는 오로지 파괴와 파괴적
인 것을 미리 담고 있다"라는 발터 벤야민의 참혹한 발언에 동의하고 있
다. 미래는 벤야민에 의하면 기껏해야 어떤 급진적 새로움을 요구하는 텅
빈 공간을 생산한다. 구원에 대한 의식이 모든 정신의 가장 내면적인 충동
이라면, 희망은 벤야민에 의하면 아무런 조건 없는 포기의 충동일 수는 없
다는 것이다. 벤야민은 "역사의 영속성이라는 모든 이데올로기에 대한 공
격"의 예로서 하나의 "파괴성(Destruktivität)"을 제시한다. 그렇지만 벤야민
은 수많은 단절을 담고 있는 역사 자체를 파괴성과 동일한 차원에서 파악
하지는 않았다. 그러나 아도르노의 경우 역사 자체는 처음부터 파괴적 특
성을 전제로 하고 있다. 아도르노는 진화론적으로 미래를 마련하려는 자

에 대항하기 위해서 미래 없는 영속성이 필요하다고 주창한다. 따라서 미래에 대한 "상의 금지(Bilder-Verbot)"는 아도르노에게 필수적이다. 찬란한 미래의 상을 제시하고 인민을 현혹시킨 자들은 언제나 히틀러와 같은 독재자들이었다고 한다.

아도르노는 실제로 현대사회에서 출현하는 절망적 상황을 정확하게 진단하고 있다. 가령 아우슈비츠의 대학살, 야만의 역사, 전체주의의 폭력, 기계 중심주의, 그리고 황금만능주의 등을 생각해 보라. 그렇지만 인간이 주위에서 출현하는 절망적인 상태로 인하여 바로 희망의 지조를 깡그리 저버려야 하는가? 아도르노에 의하면, "상의 금지"라는 틀 속에서 예술만이 유일하게 예외적으로 어떤 긍정적인 상을 창조할 수 있다고 한다. 예술만이 미래의 출현을 구상적으로, 다시 말해 하나의 개연적 면모로 드러낼 수 있다는 것이다. 예술 작품은 "미적 정신"으로서의 유토피아의 흔적을 다만 순간적으로 잠깐 보여 줄 뿐이다. 그렇지만 예술에 반영된 미래의 면모는 다분히 염세적이고 부정적이라고 한다. 그 까닭은 다음과 같다. 예술이 지닌 유토피아의 전언은 현재의 상태에서 과거의 역사를 비판적으로 조명하는 데 그치고 있다고 한다. 예술 속의 유토피아의 흔적은 비지속성, 비인내성, 파괴된 약속, 그리고 비언어성만을 묵시적으로 표출한다. 그렇기에 예술에 반영된 유토피아의 요소는 부정적이고, 비판적이며, 염세적이기까지 하다. 그것은 한마디로 "기대할 수 없는 가능성"만을 예술의 수용자에게 전해 줄 뿐이다.

자고로 예술 작품은 그 특성과 기능에 있어서 기록물과는 엄연히 다르다. 사회 내의 야만적인 내용을 담은 르포의 집필 작업은 자유롭게 유희하는 시작품을 창작하는 작업과는 근본적으로 다르다. 예술은 아도르노의 주장대로 지식과 같은 사용가치와 구별됨으로써 스스로의 자율성을 보존한다. 예술은 아도르노에 의하면 구상적인 방식으로 유토피아를 비판한다. 다시 말해서, 예술 작품은 유토피아의 무기력함을 구체적으로 생산해

낸다는 것이다. 예술의 객관적 동기로 작용하는 것은 무엇보다도 비판과
거절이라는 기본적 모티프라고 한다. 만약 예술이 부정과 비판의 제스처
를 포기한다면, 예술은 이데올로기에 의해서 잠식당하고 결국은 제 역할
을 수행하지 못할 것이라고 한다.

 아도르노는 호르크하이머(Horkheimer)와 마찬가지로 유토피아를 이른
바 비판이라는 추상적 개념 내지 비판의 보편적 기능 속으로 편입시킨다.
만약 드러난 세상이 잘못된 것이라면, 예술가는 예술적 표현을 통하여 드
러난 세상이 거짓된 것임을 명확히 보여 주어야 한다는 것이다. 마르쿠제
(Marcuse)는 "드러난 세상과는 다른 성공적인 가상을 감각적 당위성으로
밝혀 내는 것"을 예술 행위라고 규정하였다. 마르쿠제에 의하면, 예술 작
품은 실제 사회 형태의 요구와 반대되는 비판적 유토피아의 상을 표현해
낼 수 있다는 것이다. 이에 비하면 아도르노는 예술의 이중적 특성, 다시
말해서 기존의 것을 부정하고, 어떤 다른 무엇을 찾아내는 일련의 작업을
추호도 인정하지 않는다. 왜냐하면 이러한 작업은 인간이 갈구한 희망의
역사에서 한 번도 제대로 진척되고 완결되지 않았기 때문이라고 한다. 아
도르노는 역사 속에 인류의 미래에 관한 상이 은폐되어 있다고 믿는 블로
흐의 태도를 한마디로 어리석다고 논평할 뿐이다.

참고 문헌

- 아도르노: 미니마 모랄리아, 김유동 역, 길 2005.
- Theodor Adorno: Negative Dialektik, Frankfurt a. M. 1966.
- Klaus L. Berghahn: Zukunft in der Vergangenheit, Bielefeld 2008.
- Jost Hermand: Orte. Irgendwo. Formen utopischen Denkens, Königstein/Ts.
  1981.

월러스틴

미국의 사회학자 이매뉴얼 월러스틴은 21세기의 현실을 고려하면서 유토피아를 비판하였다. 오늘날 사람들은 월러스틴에 의하면 토머스 모어에서 비롯하는 유토피아의 사고를 파기하고, 그 대신에 "유토피스틱스"의 사고를 긍정적으로 수용하고 발전시켜야 한다는 것이다. 미리 말하자면, 신자유주의 세계 체제에 대한 월러스틴의 비판은 원론적으로 동의할 수 있지만, 그의 전문용어는 어떤 하자를 드러내고 있다. 다시 말해서, "유토피스틱스"는 근본적으로 고찰할 때 유토피아와 동어반복의 의미를 넘어서지 못하고 있다.

유토피아는 월러스틴에 의하면 없는 장소로서의 종교적 기능을 지니고 있으며, 때때로 정치적 단합이라는 공동 행위를 위해 활용되었다고 한다. 그런데 유토피아의 요구 사항은 정치적 실천 과정에서 정반대로 전복되었다고 한다. 왜냐하면 유토피아는 어떤 환상을 추적하므로, 나중에 어쩔 수 없이 환멸과 조우할 수밖에 없다고 한다. 게다가 유토피아는 월러스틴에 의하면 복수 내지 보복과 같은 끔찍한 척결 행위를 정당화하는 데 활용되곤 하였다고 한다. 여기서 우리는 다음의 사항을 감지할 수 있다. 즉, 월러스틴은 전통적 유토피아를 마르크스주의의 입장에서 수용하여, 그것을 부정적인 개념으로 활용하고 있다. 그렇기에 그의 관점은 엥겔스의 그것을 연상시킨다. 그렇지만 두 사람은 유토피아의 배경이 되는 현실적 조건을 각자 달리 고찰하고 있다. 다시 말해, 엥겔스는 성장하는 자본주의의 산업 중심의 현실적 토대 내지 아직 무르익지 않은 혁명적 조건을 투시했지만, 월러스틴의 관심사는 21세기의 세계의 정황이다. 어쨌든 유토피아는 월러스틴의 경우 "주관적 꿈의 결과로 낙인찍힌 무엇"으로 이해되고 있다. 이와 관련하여 월러스틴은 더 나은 삶을 위한 인간의 꿈을 어떤 일탈된 종교적 이념의 결과로 이해하고 있다. 이로써 유토피아는 전체주의의 관점에서 자행되는 테러 행위로 평가절하되고 있다. 나아가 월러스틴이 유토피아를 종교적 기능 속에 편입시킨다면, 그는 유토피아를 근본적으로 천년왕국 설과 종말론 등의 사고와 혼동하는 셈이다. 게다가 월러스틴이 유토피아 에서 극단적 폭력으로서의 테러를 도출해 내는 방식은 터무니없을 정도로 비합리적이다. 그것은 칼 포퍼에게서 드러나듯이 작위적인 인상을 풍긴다. 왜냐하면 월러스틴의 논조는 다음과 같은 의혹을 불러일으키기 때문이다. 즉, 종교, 종말론, 신화, 그리고 신앙과 관련된 어떤 합리적 세계관조차도 얼마든지 끔찍한 악행을 정당화시킬 수 있는 수단으로 남용되는 경우를 생각해 보라.

　월러스틴은 유토피아를 대체할 수 있는 개념으로서 "유토피스틱스"를 내세운다. 이것은 미래의 사회를 전제로 할 때 역사적 선택을 진지하게 고 려하는 사고라고 한다. 그것은 막스 베버가 언급한 바 있는 "가능한 역사 시스템의 물질적 합리성"에 대해 우리의 판단력을 적용하는 사고로 이해 된다. 문제는 인간 사회의 시스템을 냉정하고 리얼한 관점에서 평가하는 작업이다. 다시 말해, 중요한 것은 어떤 완전한 필연적 사회가 어떻게 전개 되는가? 하는 물음이 아니라, 역사적으로 가능한, (불확실하지만) 더 나은 무엇으로 판명되는 미래는 어떤 것일까? 하는 물음이라는 것이다. 유토피 스틱스의 영역에서 발견되는 마지막 결론은 형식논리적인 합리성의 바탕 에서 추구하는 목표를 위한 최선의 수단의 선택으로 소진되지는 않는다. 오히려 그것은 개방된 능동성의 관점에서 사회적 정의에 대한 실천 내지 이를 평가하는 작업으로 끝날 수 있다고 한다.

　문제는 유토피아와 유토피스틱스가 기능적 측면을 고려할 때 이질적이 아니라는 데 있다. 월러스틴의 유토피스틱스가 비록 유토피아의 사고를 거부하면서 21세기 현대사회의 난제를 진단하려 하지만, 근본적으로는 유 토피아의 개념 영역을 벗어나지 않고 있다. 예컨대 월러스틴이 사회적 정의에 대한 실천 내지 이를 평가하는 작업을 관건으로 생각했듯이, 토머스 모어 역시 사회적 정의를 가장 중요하게 생각하였다. 유토피아의 사회 비판은 (월러스틴 또한 강조한 바 있는) 사회의 구조적 불평등 상황으로 초점이 맞추어져 있었다. 여기서 우리가 문제 삼고자 하는 바는 자본주의의 글로벌 세계 체제에 대한 월러스틴의 비판이 아니다. 오히려 여기서 문제가 되는 것은 유토피아의 개념이 기능적 측면을 고려할 때 유토피스틱스와 다르지 않다는 사실이다.

월러스틴은 자본의 축적이 최상의 가치로 인정받는 글로벌 세계 체제를 염두에 두고 있다. 마찬가지로 토머스 모어 역시 자본주의의 토대가 굳건하게 다져지는 시기의 사유재산제도를 비판적으로 고찰하고 있다. 두 사람이 처한 현실적 조건은 유사성을 지니고 있다. 인간의 평등한 삶은 파기되어 있고, 개개인은 세계의 정세 및 변화에 들러리로 전락해 있다. 사람들은 생존을 위해서 이윤 추구의 욕망에 사로잡힐 수밖에 없는데, 이러한 상황 속에는 어떤 그럴듯한 규범적 장치가 마련되어 있지 못하다. 월러스틴은 자본주의 세계는 종국에 이르러서는 반드시 패망하리라고 확신하는 반면, 모어는 미래의 결과를 명시적으로 예견하지는 않았다. 월러스틴은 하층계급의 사회적 연대에 기대를 거는 반면에, 모어는 절제된 삶, 경제적 평등을 도모하는 세상의 질서에 기대감을 드러내었다. 그렇다면 하층민들이 어떻게 신자유주의의 세계 체제에 대항할 수 있으며, 사회-경제적 대안을 발전시킬 수 있는 에너지를 집결시킬 수 있는가? 하는 문제에 관한 월러스틴의 방안은 추상적 원론에서 벗어나지 못하고 있다.

참고 문헌

- 월러스틴, 이매뉴얼: 유토피스틱스, 백영경 역, 창작과 비평사 1999.

- Saage, Richard: Utopieforschung, Bd II, An der Schwelle des 21. Jahrhunderts,

Berlin 2008.

- Wallerstein, Immanuel: (독어판) Utopistik. Historische Alternativen des 21. Jahrhunderts. Wien 2002.

클라다

미셸 푸코의 "헤테로토피아(Heterotopie)"는 국가주의 모델이든 비-국가주의 모델이든 간에 고전적 유토피아의 형체를 심도 있게 변화시켰다. 마빈 클라다(Marvin Chlada)는 그의 책 『유토피아에로의 의지』에서 이러한 결과를 현대화의 긍정적 유형으로 이해하였다. 고전적 유토피아는 기술적 진보를 통해서 인간의 힘든 노동을 경감시키려고 갈구하였다. 이러한 고전적 유토피아 대신에 들어선 것은 산업과 광고의 문화였다. 다시 말해서, 산업과 광고가 클라다에 의하면 어떤 더 나은 판타지의 삶을 기약해준다고 한다. 고전적 유토피아의 의향은 더 이상 견고하게 발전하지 못하며, 오로지 유토피아의 다양성만을 재구성하게 해줄 뿐이라고 한다. 물론 다른 것을 추구하는 유토피아의 본질은 이러한 다양성 속에서 순간적으로 드러나는데, 이에 대한 가치를 클라다는 중요하게 간주한다. 다양한 매체 속에서 표현되는 유토피아의 특성은 유토피아, 판타지, 사이언스 픽션 등의 차이를 없애게 한다. 클라다의 논점은 블로흐의 유토피아의 사고에서 벗어나지 않지만, 푸코의 포스트모더니즘의 헤테로토피아를 종합한 것처럼 보인다.

참고 문헌

- Chlada, Marvin: Der Wille zur Utopie, Aschaffenburg 2004.
- Saage, Richard: Utopieforschung, Bd. II, An der Schwelle des 21. Jahrhunderts,
  Berlin 2008.

푸코

미셸 푸코는 인간 주체가 여러 사회적 · 국가적 기관에 의해 어떻게 이용
당하고 자신의 고유한 자유를 구속하면서 살아왔는가를 추적해 왔다. 그
의 관심사는 감옥, 성의 억압, 거대한 힘으로 작용하는 지식 등으로 향하
고 있다. 그 까닭은 인간의 사회적 삶에서 추악하게 작용하는 도구적 이성
의 횡포를 지적하기 위함이었다. 이러한 관점에서 푸코의 입장은 『계몽의
변증법』에 서술된 호르크하이머와 아도르노의 입장과 일맥상통하고 있
다. 일단 푸코의 권력 이론을 살펴보기로 하자. 지식과 권력은 푸코에 의
하면 제각기의 세력으로 역사 속에서 기능하는 무엇들이다. 권력은 지배
세력이 휘두르는 힘도 아니며, 저항하는 인민의 무력 행위도 아니다. 그것
은 푸코에 의하면 완전한 실체로 드러난 적이 없고, 한 번도 특정 세력 내
지 그룹에게 일방적으로 경도된 적도 없다. 저항 역시 푸코에게는 하나의
권력 형태로 드러날 수 있지만, 어떤 특정한 그룹을 대변하지도 않는다.
권력은 항구적인 관점에서 고찰할 때 특정 그룹을 적 내지 아군으로 규정
하지 않고 있다. 푸코에게 중요한 것은 계급투쟁 내지 잉여가치 등과 같은
경제적 모순 구도가 아니라, 복잡한 사회 속에서 얼기설기 얽혀 있는 매듭
일 것이다. 그렇기에 푸코가 추적하는 결론은 주체의 파괴, 도구적 이성의
횡포, 지식인의 영향의 붕괴 그 이상이 되지 못한다. 블로흐가 마르크스의

이론을 바탕으로 역사의 마지막에 나타날 수 있는 자유의 나라를 찾으려고 했다면, 푸코는 주체의 종말이 도래한 전체주의 사회 내지 국가에서 인간의 고유한 자유를 고수할 수 있는 방법에 관하여 어떤 역설적 질문을 제기하였다. 이 점을 고려할 때 푸코가 견지하는 세계관은 무척 염세적일 수밖에 없다. 왜냐하면 푸코는 더 나은 삶을 위한 인간의 공동 노력은 그 자체 헛된 꿈이며 전체주의적 폭력을 동반한다고 처음부터 믿고 있기 때문이다.

이와 관련하여 푸코의 헤테로토피아(Heterotopia)의 개념을 언급하지 않을 수 없다. 헤테로토피아는 사회 내에 존재하는 실제 현실로서 주어진 사회구조와는 다른, 혹은 반대되는 공간이다. 따라서 그것은 자구적인 의미를 고려할 때 "이질적인 공간"으로 바꾸어 쓸 수 있다. 유토피아는 푸코의 경우 어떤 이상적 사회 형태 속에 서성거리는 무엇이 아니라, 개개인의 의지 속에 자리하고 있다. 이를테면 어린아이들은 지배 구조로부터 벗어난 "반(反)-공간"을 누구보다도 잘 알고 있다. 그곳은 처마 지붕일 수 있고, 인디언의 천막 내부일 수도 있다. 푸코는 사회가 강요하는 지배로부터 벗어난 공간을 "헤테로토피아"라고 명명한다. 푸코는 구체적 예로서 청년 수련원, 양로원, 요양원, 감옥, 정신병동, 군대의 막사, 묘지, 영화관, 극장, 정원, 박물관, 도서관, 축제로 활용되는 들판, 숙박시설, 홍등가, 여객선 등을 언급하고 있다. 거울에 비친 상도 언급되고 있다. "거울"은 유토피아도 헤테로토피아도 아닌, 어떤 사이의 공간을 보여 주는 수단으로 활용되기도 한다. 헤테로토피아, 다시 말해 "이질적인 공간"에서는 주어진 사회의 규범과는 다른 질서가 자리하고 있다. 헤테로토피아 가운데에는 엄격한 질서와 통제가 자리하는 것들이 있다. 가령 감옥 내지 정신병원이 그것들이다. 전체적으로 고찰할 때, 헤테로토피아는 그곳의 구성원들에게 어떤 성찰 내지는 주어진 사회의 규범 속의 문제점 내지 모순점을 생각하게 해준다.

문제는 푸코의 헤테로토피아가 "현재 상태(Status quo)" 속에 용해되어 있는 문제점을 반영한 개념이 아니라, 주어진 현재 속에 실제로 자리하고 있는 구체적인 다른 현실이라는 사실에 있다. 따라서 헤테로토피아는 역사철학의 관점에서 유토피아와 대치되는 개념이 아니라, 주어진 현실 속에 담겨 있는, 다른 특성의 일부일 뿐이다. 이렇게 주장함으로써 푸코는 지금까지 고전적 유토피아에 관한 위대한 서사를 비판한다. 고전적 유토피아에 관한 위대한 서사는 푸코의 견해에 의하면 항상 체제 내지는 규범과 관련된 것이었으며, 주어진 공간으로부터 벗어난, 역사철학적으로 기초된 유토피아의 시간 지평이었다고 한다. 더 나은 사회에 대한 유토피아의 희망은 ― 피억압자들에 의한 공동 노력에 기초해 왔는데 ― 푸코에 따르면 개별화되고 분산되어 있다. 푸코는 모든 것을 주어진 전체적 구도에 따라 세부적으로 분할시키고 있을 뿐이다. 그렇게 되면 결국 마지막에 남는 것은 신체 유토피아와 같은 영역 유토피아밖에 없다. 만약 우리가 푸코의 방식으로 고찰한다면, 유토피아는 어떤 특정한 부호로 변형된 채 현실에 드러날 수밖에 없다. 문제는 푸코가 말하는 헤테로토피아가 핵심에 있어서 실제로 주어진 세상을 불변하게 작용한다는 사실이다. 바로 이 대목에서 푸코의 견해는 란다우어의 그것과 차이를 드러낸다. 란다우어는 역사에 있어서의 일직선적인 진보를 거부한다. 왜냐하면 진보는 "유토피아"와 "토피아" 사이의 점진적인 관계 속에서 때로는 뒷걸음질을 감수해야 하기 때문이다. 란다우어는 유토피아와 토피아 사이의 변형 단계에 있어서 혁명의 사건을 가장 중요하게 생각한다. 그렇지만 푸코의 경우 혁명은 토피아와 유토피아의 전환의 단계에 아무런 영향을 끼치지 못하고 있다. 혁명이란 푸코의 경우 기껏해야 역사의 운동 메커니즘의 첨예한 유희 유형으로 이해되기 때문이다.

푸코는 전체적 차원에서 더 나은 삶을 위한 인간의 노력 자체에 긍정적인 의미를 부여하지는 않았다. 그렇기에 푸코의 입장은 위대한 유토피아주의자들과는 정반대의 대열에 위치하고 있다. 그렇다면 푸코는 인간에 대한 마지막 기대를 완전히 배제하는가? 그렇지는 않다. 유토피아의 사상적 편린은 부분적으로 푸코의 담론 이론에서 발견된다. 푸코는 담론에서 무엇보다도 화자에게 주어진 발언의 자유를 강조하였다. 이것은 고대 그리스어에 의하면 "용기 있는 발언(παρρησια)"으로 명명되는 무엇이다. 데카르트에 의하면 진리는 결코 부인될 수 없는 무엇이라고 한다. 마찬가지로 참다운 발언은 고대 그리스 사람들에 의하면 거짓말하는 다수에게 둘러싸인 한 사람이 진리를 전하는 용기 있는 인간의 발언에서 비롯된 것이다. 이를테면 백 명의 까마귀 앞에서 한 명의 백조는 얼마든지 무력으로 공격당할 수 있다. 그러나 푸코의 견해에 의하면 "용기 있는 발언"만이 품위 있는 인간의 진리를 말할 수 있는 자유를 보장해 준다. 이는 담론의 궁극적 목표를 고려할 때 하버마스가 말하는 바람직한 의사소통의 실현을 위한 민주적 토대와 결코 무관하지 않다.

참고 문헌

- 미셸 푸코: 헤테로토피아. 이상길 역, 문학과지성사 2014.
- Foucault, Michel: Archäologie des Wissens, Frankfurt a. M. 2002.
- Foucault, Michel: Die Ordnung des Diskurses, München 1974.
- Foucault, Michel: Die Heterotopien. Der utopische Körper, Frankfurt a. M. 2005.
- Saage, Richard: Utopieforschung, Bd II, An der Schwelle des 21. Jahrhunderts, Berlin 2008.

프라이어

한스 프라이어의 『정치적인 섬(Die politische Insel)』은 안드레아스 보이크트(A. Voigt)의 저서 『사회 유토피아들(Die soziale Utopien)』에 자극 받은 뒤에 집필된 것이다. 여기서 프라이어는 마치 수도원을 지키는 야경꾼의 시각을 빌어서 이상적 삶을 묘사하였다. 이것은 보수주의의 입장에서 고찰한 긍정적 유토피아의 상으로 이해될 수 있다. 프라이어의 작품은 국가 사회주의가 주장하는 이상향을 선취한다는 점에서 궁극적으로 파시즘 이전의 사회상 내지 국가상으로 간주될 수 있다.

작품은 1936년에 발표되었으며, 처음부터 멀리 떨어져 있는 공간에 대한 형이상학적 동경을 반영하고 있다. 멀리 떨어져 있는 공간은 결코 도달할 수 없는 원초적 상과 같다. 실제로 독일의 부르주아들은 19세기 중엽부터 멀리 떨어진 이상적 공간을 동경하면서, 먼 곳의 진귀한 물품들을 수집하곤 하였다. 프라이어는 유럽으로부터 멀리 떨어진 공간을 한마디로 인간의 근원적 갈망인 진선미가 구현된 장소라고 명명한다. 그렇기 때문에 저자가 택한 장소는 인간이 살고 있는 영역이 아니라, 오히려 지금 여기와는 차원이 다른, **정신의 형이상학적 영역**일 수밖에 없다. 프라이어의 유토피아가 현실적 구체성 대신에 정신적·신화적 특징을 강하게 보여 주는 것도 바로 그 때문이다. 프라이어는 1925년에 『국가(Der Staat)』라는 저서에서 국가에 관한 자신의 독특한 이념을 설파한 바 있다. 국가는 처음부터 인간 사회와 제반 법령들의 시금석으로 간주되고 있다. 프라이어의 국가 이념은, 비록 현실성을 결여하고 있으나, 초시간적으로 유효한 국가 제도의 법칙으로 파악되는 셈이다. 바로 이러한 까닭에 프라이어의 『정치적인 섬』은 그 자체 역사와는 무관한 폐쇄적이고 정태적인 이상의 모델로 이해될 수 있다. 이것은 에른스트 블로흐의 역동적 낮꿈의 상 내지 자유의 나라에 대한 추적 작업과는 정반대되는 모델이다.

프라이어는 다음과 같이 주장한다. 즉, 인간은 처음부터 치밀하고도 합리적인 분석으로써 이상 사회를 설계해서는 곤란하다. 이러한 분석의 태도는 마치 기계를 다루는 기능인의 일감에 불과하다는 것이다. 진정한 유토피아는 사회적 삶을 조직하는 일로서, 무엇보다도 전체적 구도 내지 틀을 설정하는 게 급선무라고 한다. 결국 프라이어는 유토피아를 합리적 척도에 의해 설계하는 일을 거부하면서, 국가 유토피아의 신화적 요소를 하나의 대안으로 내세운다. 이러한 전체주의적 대안의 과정이야말로 긍정적으로 수용되어야 한다는 것이다. 이러한 입장은 헤겔(Hegel)이 초창기에 토착적 사물, 예컨대 스틱스(Styx) 강에서 자연법의 특성을 발견하려던 보수주의적 자세와 일맥상통하고 있다(Bloch 85: 141). 프라이어는 이렇게 주장함으로써 먼 곳에 자리하는 어떤 정신적 이상의 상을 추구하였는데, 이는 독일의 보수주의적 사고와 접목되어, 나치 이데올로기를 정당화하는 데 기여하게 된다. 나중에 프라이어의 제자, 헬무트 셸스키(Helmut Schelsky)가 블로흐의 유토피아의 입장을 정면으로 부정하고 신랄하게 비판한 것도 근본적으로 정치적 입장 차이 내지 인종적 차이에서 기인하는 것이다.

참고 문헌

- Ernst Bloch: Naturrecht und menschliche Würde, Frankfurt a. M. 1985.
- Hans Freyer: Die politische Insel, Leipzig 1936.
- Neusüss: Utopie. Das Phänomen des Utopischen, 3. erweitert. Aufl., Neuwied 1985,
- A. Voigt: Die sozialen Utopien, Berlin 1906.

홀란트- 쿤츠

요아힘 페스트는 1991년에 『유토피아의 종말』을 발표하여, 현대에는 더이상 유토피아가 필요하지 않다고 피력하였다. 그러나 이러한 주장은 여성들에게는 해당되지 않는다. 바르바라 홀란트-쿤츠는 「다른 주체의 유토피아」와 『새로운 여성운동의 유토피아』에서 페스트의 주장을 한마디로 일축하였다. 왜냐하면 60년대 이후로 수많은 여성 작가들이 21세기 새로운 삶의 가능성으로서의 여성주의 유토피아를 설계했기 때문이다. 그럼에도 이들의 유토피아 설계는 커다란 반향을 불러일으키지 못했다. 그 이유는 수천 년 동안 이어져 온 여성에 대한 성 정치적 편견이 뿌리를 내리고 있기 때문이다. 프리드리히 실러가 자신의 시에서 묘사한 바 있듯이, 세계 각국의 사람들은 "여성에게서 고삐가 풀리면, 가장 끔찍한 광기가 날뛰게 된다"고 여전히 굳게 믿고 있다. 어쨌든 여성 작가들은 20세기 후반부터 남녀평등을 위한 성적 관계를 새롭게 구성하려 했으며, 마치 자연과 같이 수직 구조의 지배가 존재하지 않는 사회적 사랑의 삶을 묘사하였다.

홀란트-쿤츠가 추적한 페미니즘에 입각한 사회의 모델은 유토피아인 동시에 디스토피아이기도 하다. 왜냐하면 21세기의 사람들은 지구 전체를 서서히 위협해 나가는 핵 문제 그리고 생태계 파괴의 문제와 직면해 있기 때문이다. 그미는 한편으로는 미래에 도래할 자연재해 내지는 핵 문제의 파국을 예견하면서, 기존의 가부장주의적 사회 구도 내지는 국가 중심의 체제로는 더 이상 인류가 살아남지 못할 것이라는 점을 분명히 하고 있다.

홀란트-쿤츠는 20세기 후반부에 여성 작가들이 설계한 유토피아 공동체의 특징을 여섯 가지 사항으로 설명한다. 첫째로 모든 사람들은 민주주의의 토대 하에서 자신의 고유한 정치적 자기 결정권을 지녀야 한다. 인간은 위로부터의 강령, 다시 말해서 기존의 관습, 도덕, 그리고 법으로부터 완전히 자유로워야 한다. 이를 위해서는 성, 인종, 나이, 그리고 국적을 초월한 평등이 선결되어야 한다. 둘째로 정치권력은 지금까지 여러 가지 유형의 수직 구도로 이루어져 있었는데, 이러한 구도는 모조리 파기되어야 한다. 다시 말해서, 권력은 지방자치에 의해서 분산되는 게 중요하다. 대통령, 국회, 그리고 사법부의 권한은 점차적으로 축소되어야 한다. 셋째로 모든 정치 형태는 크고 작은 공동체, 다시 말해서 코뮌의 방식으로 분산되는 게 바람직하다. 코뮌은 정치, 경제, 사회, 그리고 문화적 측면에서 독립되어야 하고, 국가 체제는 중앙행정의 임무만을 행하는 식으로 축소되는 게 바람직하다. 넷째로 모든 공동체 내지 코뮌은 대가족의 방식으로 서로 소통하는 공동생활을 실현해야 한다. 대가족이라고 해서 전통적인 가부장주의적 가족을 지칭하는 것은 아니다. 오히려 그것은 모계 중심의 공동체를 지향한다. 이러한 공동체의 삶의 방식은 가사와 노동, 일과 유희 등을 서로 구분하지 않는다. 다섯째로 모든 사람들은 생태적으로 스스로의 욕구를 제한하며 살아가야 한다. 그렇게 해야 지구상의 자원이 낭비되지 않을 것이며, 이산화탄소의 배출량을 줄일 수 있다. 새로운 사회 내의 인간은 자신이 꼭 필요로 하는 욕구만을 충족하며 살아야 한다. 모계 중심의 공동체 사람들은, 비록 부족한 물질로 생활하더라도, 풍요로운 정서를 구가할 수 있다. 여섯째로 모든 사람들은 자신의 삶에 꼭 필요한 물품을 직접 생산해야 한다. 이러한 작업에서 남녀의 구분은 없어야 한다.

상기한 여섯 가지 특성을 지닌 새로운 삶을 실현하기 위해서 홀란트-쿤츠는 세 가지 사고를 비판적으로 지적한다. 첫 번째로 비판받아야 할 사고는 미래에 대한 목적론적 사고이다. 목적론적 사고는 어떤 하나의 규범과 하나의 이념만을 진리로 인정하기 때문에 그 자체로 위험하다. 두 번째로 비판 받아야 할 사고는 전체주의이다. 스탈린과 히틀러는 모든 것을 획일적으로 일반화하여 인간의 삶을 규정하려고 했는데, 이러한 처사는 실패로 돌아갔다. 세 번째로 비판받아야 할 사고는 결정주의이다. 결정주의는 인간의 모든 노력이 처음부터 제한되어 있다고 여기고, 인간의 모든 능동적·자발적 삶의 방식을 무시한다. 홀란트-쿤츠는 지배 없는 생태주의 여성 공동체를 실현하기 위한 방법론으로서 네 가지 사항을 강하게 내세운다. 1. 중앙집권적 지배 구조의 타파, 2. 이윤만을 추구하는 자본주의 경제 구도의 파괴, 물물교환을 골자로 하는 시장 기능의 전환, 3. 가부장적 윤리와 성도덕의 파괴, 유연한 결혼제도의 채택(혼인 없는 부부 관계의 용인), 4. 남존여비에 입각한, "팔루스 중심적인," 전근대적인 구조의 타파.

철학자 김상봉은 서양의 자기중심적 주체의 개념을 추적하면서, "홀로주체성"을 도출해 내고 있다. 서양의 주체는 자아에서 타인으로, 서양에서 제3세계로 일방통행 식으로 고찰하고 판단하기 때문에, 서양 사람들은 대체로 역지사지의 생활방식과는 무관하게 사고하고 행동한다. 주체의 이러한 특성은 비단 서양인에게서만 드러나는 게 아니라, 서양 문명을 받아들인 우리에게도 해당될 수 있다. 문제는 우리가 어떻게 하면 "홀로주체성"에서 "서로주체성"으로 기능 변화를 이룩할 수 있는가? 하는 물음이다. 그런데 홀로주체성은 상대방에 대한 우월의식 내지는 교만으로 작용하지만, 가부장주의의 전형적인 특성이기도 하다. 따라서 서로주체성의 문제를 논의하고 발전시키려면, 우리는 페미니즘의 관점에서 논의를 계속하는 것도 하나의 방편이라고 생각된다.

참고 문헌

- 김상봉: 서로주체성의 이념, 길 2007.

- Holland-Cunz, Barbara: Utopien der neuen Frauenbewegung, Meitlingen 1988.

III

이반 일리치의 『젠더』 이론 비판

1. 일리치의 젠더 이론의 앞모습과 뒷모습: 자고로 대부분의 이론은 "대상에 대한 직접적인 관점(intentio recta)"과 "이러한 관점에 대한 반성적 성찰(intentio obliqua)"을 내용으로 하고 있습니다. 우리에게 중요한 것은 사물에 대한 직접적인 인식과 이러한 인식에 대한 성찰이지요. 그렇기에 우리는 어떤 특정한 이론의 두 가지 측면을 일단 구분해서 고려할 필요가 있습니다. 이를테면 일리치의 젠더 이론은 현대 문명을 다각도에서 비판하므로, 그 자체 존재 가치를 지닙니다. 실제로 일리치는 "최상의 것을 망치는 것이 가장 나쁘다(Corruptio optimi pessima)"라는 말을 인용하면서, 현대 문명을 "신약성서의 내용이 완전히 파괴된 무엇"으로 규정하곤 하였습니다. 그런데 그의 젠더 이론의 경우 성찰의 측면을 고려할 때 여러 가지 문제점을 드러냅니다. 구체적으로 말씀드리건대, 일리치의 서구 문명에 대한 비판적 시각은 날카롭고, 상당 부분 수용할 무엇을 포괄하고 있습니다. 특히 그의 비판은 교회, 학교 내지 병원 체제로 향합니다. 테오도르 아도르노(Th. Adorno)와 루돌프 슈타이너(Rudolf Steiner)를 제외한다면 이반 일리치만큼 서구 문명의 전체주의적 성향을 통렬하게 비판한 사람은 아마도 드물 것입니다. 그런데 일리치의 이론을 반성적으로 성찰할 때 우리는 부분적으로 어떤 취약점을 발견할 수 있습니다. 가령 찬란한 과거를 막연하

게 동경하는 태도와 여성의 체제 순응의 삶을 미화하려는 태도 등이 그것
입니다. 바로 이 점에 있어서 그의 책 『젠더』는 반성적 성찰의 측면에서 어
떤 문제점을 드러내고 있습니다.

2. **비역사적 낭만주의의 관점**: 이반 일리치는 지금까지 철저하게 비역사
적 낭만주의의 관점에 입각하여 독자적으로 서구 문명을 비판해 왔습니
다. 그가 발표한 책들은 놀라운 식견이 담긴, 영역을 뛰어넘는 저작물임에
분명합니다. 이를테면 『학교는 죽었다』, 『의학의 네메시스』, 『자기 제한』,
그리고 『엘리트에 의한 미성숙』 등을 생각해 보세요. 이러한 일련의 저서
들을 통하여 일리치는 엘리트의 전체주의적 사고 내지 정책에 의해 오늘
날의 세계가 결국에 가서는 몰락을 맞이하리라는 것을 신랄한 어조로 경
고하고 있습니다. 체제 내지 기관들은 개개인의 이득 내지 관심사를 충분
히 반영하는 게 아니라, 무엇보다도 권력 지향의 속성을 지닌다는 게 일리
치의 지론입니다. 이것들은 일리치에 의하면 결국 개인의 안녕보다는 체
제 내지 기관, 급기야는 국가의 안녕을 최우선적으로 간주하는 전체주의
적 의향을 실천에 옮긴다고 합니다. 이를테면 교사, 의사, 그리고 건축가
등과 같은 오늘날의 엘리트에 대한 일리치의 발언은 날카롭고 공격적이지
만, 약간 과장된 면이 없지 않습니다. 그는 다음과 같이 예견합니다. "20세
기 말에 이르면 우리가 알고 있는 학교는 역사에서 완전히 사라지게 될 것
이다. 아이들은 힐턴 하이스쿨 그리고 거대한 대학 건물의 폐허와 잔해 위
에서 천진난만하게 뛰놀고 있을 것이다." 결과론이기는 하나, 일리치의 예
견은 아직도 실행되지 않고 있습니다.

3. **원시성과 이국적인 것의 찬양**: 미리 말씀드리건대 일리치의 『젠더』는
부분적으로 지나간 사회에 대해 놀라울 만큼 번득이는 통찰력을 드러내고
있지만, 하나의 치명적 하자를 보여 줍니다. 그것은 다름 아니라 이반 일리

치가 모든 원시적인 것과 이국적인 것을 동경하면서, 그것들을 암묵적으로 찬양한다는 사실입니다. 지금 여기로부터 오래되고, 멀리 떨어져 있는 것일수록 더욱 단순하고 훌륭하다는 것입니다. 우리는 여기서 황금의 시대를 동경하는 고대인과 유사한 자세 내지는 미래에 대한 철저한 무관심 등을 읽을 수 있습니다. 일리치의 이러한 태도는 물론 부분적 사항에 있어서는 현대인들의 심성을 자극하고, 때로는 즐겁게 하기도 합니다. 물론 그렇다고 해서 일리치의 이론이 이른바 시민사회의 염세주의적 학자들(이를테면 퇴니스와 슈펭글러 등)이 범한 역사 허무주의 내지 이른바 "눈물의 계곡"을 바라보는 가톨릭 사상가들의 현실에 대한 수수방관적 시각을 전적으로 보여 주는 것은 아닙니다. 그렇지만 최근의 논문집 『젠더』는 이전에 발표된 문헌들과는 달리 이러한 긍정적인 효과를 전혀 드러내지 않고 있습니다. 그의 논지는 흥겹지도, 독창적이지도 않으며, 부분적으로는 물질 문명의 풍요로움을 누리는 현대인의 마음속에 암울한 느낌을 안겨줍니다. 왜냐하면 그의 논지 속에는 현대의 삶이 아니라, 원시적 삶의 생활 방식이 바람직한 것으로 미화되어 있기 때문입니다.

4. 젠더 그리고 섹스: 『젠더』는 미리 말하자면 성과 젠더의 문제를 추적한 책입니다. 일리치는 젠더의 개념을 광의적으로 이해합니다. 다시 말해, "젠더(γένος)"는 인간 종(種)으로서의 성을 포괄하는 개념입니다. 그렇기에 그것은 남성성과 여성성이라는 생물학적 범주를 함께 아우르고 있습니다. 남성성과 여성성은 젠더의 개념에 의하면 독자적이고 천부적이며 자연스러운 유형입니다. 이에 반해 그것들은 섹스의 개념에 의하면 강압적이고, 인위적이며, 부자연스러운 유형으로 설명될 수 있습니다. 이와 관련하여 일리치는 섹스를 남성과 여성의 똑같은 유형의 쌍을 찍어내는 복합체로 이해하는 반면에, 젠더를 복제 불가능한 전체를 만들어 내는, 각자 고유한 유형을 지니고 있는 복합체라고 설명하고 있습니다. 문제는 일리치

의 관심사가 역사의 과정에서 나타나는 "젠더의 상실"로 향한다는 사실입니다. 다시 말해서, 인간이 어떠한 이유로 그리고 어떠한 과정을 거쳐서 고유한 종(種)으로서의 젠더의 기능을 상실하고 성의 구분이 불분명한 섹스의 기능만을 행하게 되었는가? 하는 문제를 비판적으로 구명하는 작업이 일리치에게 가장 중요합니다.

5. 인류 역사의 세 단계 (1): 일리치는 인간의 역사를 세 단계로 나누고 있습니다. 첫 번째 단계는 태고의 시대부터 11세기에 이르는 시기입니다. 이 시기는 일리치의 표현에 의하면 아무런 목표 없이 "역사에서 자발적으로 성장한 성"이 주도적으로 자리하던 시대입니다. 이 시기에는 남성은 막연히 남성답게, 여성은 막연히 여성답게 활동했습니다. 일리치에 의하면, 이 시기에는 인간에 관한 이념은 존재하지 않았다고 합니다. 이러한 초창기 시기에 존재하는 것이라곤 오로지 "자생 경제(Subsistenzwirtschaft)"의 체제였습니다. 구체적으로 말해, 사람들은 남자의 경우 이른바 남성적으로, 여자의 경우 이른바 여성적으로 일하면서 자급자족해 왔다는 것입니다. 남자들은 밖에서 식량을 조달하고, 여성들은 집 안에서 빵을 썰어서 가족들의 배를 채우고 남편의 성적 욕구를 충족시켜 주었습니다. 일리치의 이러한 입장은 경제 이론가, 칼 폴라니(Karl Polanyi)의 다음과 같은 견해에 근거하고 있습니다. 인간의 행복은 폴라니에 의하면 가족제도에서 기인하며, 섹스에 의해 파괴되지 말아야 한다고 합니다. 왜냐하면 섹스는 매춘 이상의 다른 기능을 지니지 못하기 때문입니다. 다시 말해, 자생 경제 시대의 남녀의 성관계는 화폐와 무관했는데, 자본주의가 도래함으로써 결혼조차도 하나의 상행위의 일환으로 취급되었던 것입니다. 이와 관련하여 일리치는 다음과 같이 주장합니다. 역사의 첫 번째 단계의 시대에 여성들은 여성적으로 사고하고 그들의 고유한 언어를 사용하였으며, 그들만의 갈망을 지니고 있었습니다. 마찬가지로 남성들은 일리치에 의하면 그들만

의 노동을 행했으며, 오로지 남성적으로 사고하고 꿈꾸었다고 합니다. 따라서 남성과 여성을 넘나드는 사고는 일리치에 의하면 당시에는 존재하지 않았으며, 다른 성에 대한 질투와 시기도 존재하지 않았다는 것입니다.

6. 인류 역사의 세 단계 (2): 11세기 이후의 유럽에서는 한 가지 놀라운 변화가 발생합니다. 사람들은 상품 생산을 극대화하기 위해서 여러 가지 유형의 생산도구를 발명하기 시작했습니다. 화폐가 등장하였으며, 시장의 규모가 점진적으로 커지게 됩니다. 이러한 변화는 르네상스 시기를 거쳐서 근대, 보다 구체적으로 말하면 17세기 근대까지 이어졌다고 합니다. 이반 일리치는 인류 역사의 두 번째 단계를 혼란스러운 "마법의 시대"라고 규정합니다. 이 시기는 젠더를 차단시키고 섹스를 탄생시키는 과도기와 다를 바 없다고 합니다. 마치 인간의 노동을 수월하게 하고 극대화시킬 수 있는 기구들이 발명되었듯이, 질곡에 갇혀 있던 성은 이와 반비례하여 서서히 자유를 구가하게 되었습니다. 이로써 차단된 남성과 여성의 구분은 찢겨져 완전히 와해되었다고 합니다. 자본주의의 경제 발전 앞에서 가정은 그야말로 가부장이 다스리는 작은 체제로 변하였으며, 젠더의 기능은 약화되고, 대신에 섹스의 기능을 출현시켰다고 합니다. 일리치는 17세기를 전후하여 인류 역사의 세 번째 단계가 시작되었다고 주장합니다. 고대에 온존했던 젠더의 구분이 와해됨으로써 남성성과 여성성이라는 구분은 사라지고, 모든 것은 자본주의 경제체제에 의하여 호모 에코노미쿠스라는 카테고리 속으로 편입되고 말았습니다. 달리 말하면, 자본주의는 시장 제도를 도입하여 궁극적으로 노동력, 토지, 그리고 화폐 등을 상품화시켰던 것입니다. 이는 존재 가치로부터 교환가치로의 이행으로 이해됩니다. 토지의 경우 부자들은 자신의 사유지를 확장시켰습니다. 이러한 엔클로저에 의해서 농민은 사유지 바깥으로 쫓겨나게 되었고, 과거에 공유지였던 목초 지역은 생산을 위한 사적인 자원으로 돌변하게 됩니다. 일리치는 이

를 "자생 경제에서 희소성의 경제로의 변화"라고 규정합니다. 여기서 말하는 희소성이란 희귀성이 가치의 기준 내지 가치의 경제 지표로 작용하는 경우를 가리킵니다.

7. 인류 역사의 세 단계 (3): 일리치의 논리를 정리하자면 다음과 같습니다. 17세기 이후에 자본주의가 정착되었는데, 이것이 인간의 젠더를 모조리 장악하게 되었다고 말입니다. 왜냐하면 노동, 시장, 그리고 화폐경제체제는 인간의 성적 구분을 약화시켰으며, 그야말로 완전히 무의미한 것으로 변화시켰다고 합니다. 일리치는 결국 다음의 견해를 표방합니다. 즉, 자본주의의 발전 과정은 인간학적 관점에서 고찰할 때 인간의 젠더를 장악하고 파괴시키며, 급기야는 파괴된 성을 깡그리 해체하기에 이른다는 것입니다. 이는 경제적 차원에서 다음과 같이 설명할 수 있습니다. 자본주의의 발전으로 인해 노동이 분화되고, 도구가 개발되며, 이로 인하여 분업이 발생하였습니다. 이러한 과정 속에서 중시되는 것은 더 이상 성의 구분이 아니라, 기껏해야 노동하는 객체 그 자체라고 말입니다. 사실, 자본주의 사회에서 노동자들은 잉여가치를 창출해 내지만, 이들의 잉여가치는 자본가들에게 빼앗기게 됩니다. 이러한 경제적 상황 속에서는 남성과 여성의 구분은 전혀 중요하게 부각되지 않습니다. 이로써 남성과 여성은 노동의 분화 내지 테크놀로지의 발전으로 인하여 더 이상 구분되지 않고, 상호 고립되지 않게 되었습니다. 자본주의의 이러한 현실적 조건 속에서 출현한 것은 일리치에 의하면 사람들 사이의 경쟁심, 질투, 그리고 불만족이라고 합니다. 물론 산업이 발전할수록 남녀 사이의 가시적 차이점이 사라지는 것은 사실입니다. 그렇지만 산업 발전으로 인한 문명화의 과정 속에서 여성에 대한 성폭력은 빈번하게 발생하며, 여성에 대한 차별은 더욱더 심해진다고 합니다.

8. 찬란한 과거에 대한 동경, 혹은 과거지향의 반동주의인가?: 일리치는 인류 역사의 세 단계 중에서 첫 번째 단계를 가장 높이 평가하고 있습니다. 당시에는 젠더의 구분이 명확했고, 여성들은 자신의 성적 정체성을 자연스럽게 인지하고 실천했기 때문이라고 합니다. 일리치의 이러한 입장은 곰곰이 고찰하면 그다지 새롭지도, 신선하지도 않습니다. 왜냐하면 1848년 혁명 이후의 시민사회에 대한 일리치의 비판 뒤에는 이렇듯 찬란한 과거를 있는 그대로 미화시키려는 보수주의 사상가의 의도가 은밀하게 숨어 있기 때문입니다. 이러한 시각 주위에는 과거의 봉건사회가 더 멋있고 시적이었다는 황금의 시대에 관한 시대착오적인 노스탤지어만이 교묘하게 착색되어 있을 뿐입니다. 과거 사람들은 자유라는 무거운 짐을 지지 않았으므로 더욱더 행복하게 살았다는 일리치의 견해를 생각해 보십시오. 그들은 계층적으로 구분되어 있었고, 남녀의 역할 역시 그런 식으로 철저히 분화되어 있었다는 것입니다. 마치 송충이가 솔잎을 먹고 살 듯이 고대인들은 "만인에게 자신의 것을 행하게 하라(suum cuique)"(플라톤)는 말처럼 자신에게 정해진 관습에 순응하며 살았으므로, 고대의 삶은 현대의 그것보다도 더 훌륭하고 찬란했다는 것입니다. 모든 계층은 천부적으로 주어진 것이었으므로, 아무도 이에 대해 의구심을 지니지 않았습니다. 마찬가지로 고대의 여성들에게는 스스로 무언가를 선택할 권한이 주어지지 않았습니다. 그들은 무언가 결정할 필요성을 느끼지 못했으므로 주어진 관습과 천혜의 계층적 신분에 순응하며 살았는데, 이것이 현대의 여성들의 삶에 비해서 더 행복했다는 것입니다. 이러한 견해는 분명히 문제의 소지를 안고 있습니다.

9. 젠더의 상실과 그림자 노동: 일리치의 이론에서 가장 중요한 사항은 자본주의와 시장의 발전으로 인한 "젠더의 상실," 바로 그것입니다. 자본주의의 발전은 인간을 돈과 자본의 노예로 만들고 급기야는 남성과 여성

의 고유한 일감을 차단시켰다고 합니다. 그리하여 젠더는 고유의 기능을 상실한 채 섹스의 개념으로 가치하락하고 말았다는 것입니다. 일리치는 토착적 젠더 사회에서 경제적 섹스의 사회로 이행되었다고 주장합니다. 특히 우리가 예의주시해야 할 사항은 일리치가 인간의 노동 가운데에서 돈 가치로 환산되지 않는 "그림자 노동"의 의미와 가치를 발견했다는 사실입니다. 이를테면 여성들의 가사 노동은 임금으로 지불받지 않습니다. 그렇다고 해서 그림자 노동이 여성의 일감에서만 출현하는 것은 아닙니다. 남자들의 경우에도 임금으로 할당되는 노동이 있는가 하면, 임금노동에서 배제되는 노동이 부분적으로 존재한다고 합니다. 자본주의의 교환가치는 인간 삶에서 행해지는 모든 행위 가운데 다만 일부를 재화로 보상해 주고 있습니다. 그렇기에 인간 삶에는 돈으로 환산되지 않는 놀라운 절대적 가치가 존재하고 있다는 것을 일리치는 분명하게 지적합니다. 경제가 발전할수록 그림자 노동은 증가하게 됩니다. 왜냐하면 생산력의 극대화를 위한 여러 가지 수단들(기계, 합리화 등)은 임금노동의 부분을 서서히 잠식하기 때문입니다. 임금노동은 시간이 흐름에 따라 그림자 노동의 빙산의 일각을 차지합니다. 문제는 이러한 그림자 노동의 범위를 넓혀 나가는 자본주의의 경제성장에 있습니다. 흔히 사람들은 경제성장을 통해서 남녀평등이 실현되리라고 기대하는데, 이러한 기대감은 일리치에 의하면 하나의 망상에 불과하다고 합니다. 젠더의 상실을 피하고 남성과 여성 사이의 평등과 평화 공존을 달성하려면, 사람들은 경제 영역을 대폭 축소해 나가지 않으면 안 된다고 일리치는 역설적으로 주장합니다. 다시 말해서, 인간이 어떻게 해서든 자본주의의 이윤 추구의 생활방식으로부터 등을 돌릴 때 어떤 바람직한 평등의 구도는 서서히 성립될 수 있다는 것입니다.

10. 이반 일리치의 전근대적인 여성관 (1): 어쨌든 우리는 이반 일리치의 여성관에서 참으로 구태의연한 요소를 발견할 수 있습니다. 가만히 고찰

하면 일리치는 고대로부터 중세 초기로 이어지는 인간의 삶의 방식에서 가장 바람직한 삶의 범례를 발견하려 합니다. 남자는 밖에서 농사를 짓거나 사냥하고, 여자는 집에서 가사노동 아니면 아기를 키우면서 살아가는 것 ― 이것은 일리치에 의하면 하나의 자연스러운 인간 삶의 방식이라고 합니다. 이러한 시각에는 현대적인 관점에서 젠더의 융통성이 결여되어 있습니다. 물론 자본주의가 사람들로 하여금 젠더를 상실하게 만든 것은 사실일 것입니다. 그렇지만 현대사회에서 이전 사회의 젠더의 부활을 위해서 현대 문명의 모든 사항을 인위적으로 포기할 수는 없을 것입니다. 오늘날 누구든 간에 성의 구분 없이 자발적 의지에 의해서 어떤 노동에 종사할 수 있습니다. 여기에는 독점자본주의의 횡포라는 이데올로기만 작용하는 것은 아닙니다. 그런데도 일리치는 남성과 여성의 일감이 구분되고, 남성과 여성의 신분이 하늘로부터 정해져 있다는 것을 하나의 바람직한 보편성으로 규정하고 있습니다. 이러한 보편성 하에서 남성적 일감과 여성적 일감 그리고 구분된 남성성과 구분된 여성성이 바람직하다고 은근히 강권하고 있습니다. 이러한 입장은 오늘날 고도로 전문화된 민주주의 사회가 답습해야 할 바람직한 덕목은 아닐 것입니다. 물론 현대에 이르러 "임금노동"은 줄어들고 은폐되어 있던 "그림자 노동"이 재조명되고 있다는 점, 전 지구의 독점자본주의로 인한 프레카리아트의 출현 등을 감안한다면, 일리치의 견해는 상당 부분 설득력을 보이지만 말입니다.

11. 이반 일리치의 전근대적인 여성관 (2): 한마디로 우리는 『젠더』에 나타난 일리치의 입장이 아니라, 그의 전근대적인 시각을 비판해야 할 것입니다. 일리치의 책에서는 날카로운 체제 비판적 자세가 명시적으로 드러나지 않고 있으며, 오히려 가톨릭 고위 사제의 관점에서 여성의 삶을 추상적 사변을 통해 기술할 뿐입니다. 그렇기에 그의 논리는 기독교를 벗어난 제3세계의 실제 정황을 모조리 포괄할 수는 없습니다. 이를테면 이스라엘에

서 유대인 정교에 속한 여성들은 오늘날에도 얼굴을 감추어야 하고 대학에서 공부할 수도 없습니다. 남자들이 유유자적한 자세로 토라 경전을 공부하는 동안 여성들은 비참한 노동을 행하면서 연명하고 있습니다. 이들 앞에서 일리치가 여성의 본분을 외치면서 남녀의 구분을 설파하는 것은 이들에 대한 모독으로 여겨집니다. 이곳의 처녀들은 헛간에서 쪼그려 앉아 힘들게 빵을 굽는 반면에, 남성은 이들이 가져다준 음식을 즐기면서 기도하고 토라 경전을 암송하는 것으로 소일합니다. 일리치의 책을 읽고 나면 우리는 다음과 같은 물음에 봉착하게 됩니다. 즉, 과거 시대의 여성 문화는 과연 어떠한 척도에 의해서 보존해야 하는가? 하는 물음을 생각해 보세요. 어떻게 하면 여성들도 차별당하지 않고 살아갈 수 있을까? 유감스럽게도 일리치는 이에 대한 해답 내지는 미래 사회를 위한 구체적 대안에 관해서 더 이상 사고를 개진하지 않습니다. 기껏해야 그는 생동감 넘치고 축제의 체제 내지는 기관을 존속시켜야 한다고 추상적으로 주장할 뿐입니다. 이는 물론 오늘날의 생태 공동체의 삶의 방식으로서는 이해될 수 있지만, 그의 비판은 새로운 대안을 위한 전제 조건으로서의 논의를 남기지 않고 있습니다.

12. 일리치의 반유토피아주의: 일리치는 단순하게 다음과 같이 언급합니다. "나는 어떠한 전략을 지니지 않고 있다. 어떤 가능한 처방에 관한 사변적 언급을 거부하고 싶다. 말하자면 나는 다만 과거에 무엇이 있었고, 현재에 무엇이 있는지를 독자에게 전할 뿐, 처음부터 미래에 관한 그림자를 설계하려고 하지는 않았다." 이는 다음과 같은 논지로 설명할 수 있습니다. 태초에 진리가 있었는데, 남은 것이라고는 이러한 진리를 실천하면 족할 뿐, 다른 대안이나 가능성은 불필요하다고 확신하는 논리를 생각해 보십시오. 이것은 플라톤의 재기억(Anamnesis)의 사고에서 한 치도 벗어나지 않고 있습니다. 블로흐는 이와 관련하여 얼마나 자주 비판의 강도를 높였

던가요? 그 밖에 일리치는 공공연하게 다음과 같이 천명합니다. "미래 따위에는 관심이 없습니다. 그것은 사람을 잡아먹는 우상입니다. 제도에는 미래가 있지만, 사람에게는 미래가 없습니다. 오직 희망이 있을 뿐입니다." 여기서 우리는 미래에 대한 기대감을 처음부터 포기하려는 일리치의 불신을 분명히 인지할 수 있습니다. 즉, 유토피아란 일리치에게는 더 이상 출현할 수 없는 인간의 망상이거나, 마치 파시즘 내지 스탈린주의와 같이 미래의 사람들을 눈멀게 하여서 끔찍한 파국으로 몰아가는 전체주의적인 슬로건에 불과한 것으로 간주될 뿐입니다. 유토피아에 대한 전체주의적 의혹 — 이것은 엄밀히 따지면 사람들을 망상으로 그리고 착각 속으로 나락하게 하는 허황된 천년왕국에 대한 비판일 뿐, 유토피아의 본질적 사고에 대한 비판으로 확장될 수는 없습니다.

13. 일리치의 과거지향적 시각: 일리치의 상기한 시각은 수미일관 과거로 향하여 걸어가려는 독일의 소설가, 귄터 그라스(Günter Grass)의 퇴행적 걸음과 결코 다르지 않습니다. 아니, 일리치는 자신의 시각을 직접 하나의 게걸음에 비유하였습니다. 그는 언젠가 역사학자, 루돌프 쿠헨부흐(Ludolf Kuchenbuch, 1939-)의 "게의 비유"를 인용하면서, 자신의 과거지향의 시각을 설명한 바 있습니다. 자고로 게는 눈 하나를 적에게 향한 채 뒷걸음질 혹은 옆걸음질 칩니다. 마찬가지로 역사가의 눈은 현재의 난제로 향하고 있다는 것입니다. 말하자면, 과거에 대한 그의 관심사는 "현재의 문제점을 더욱더 낯설게 간파하기 위한 수단"이라는 것입니다(박경미: 155쪽 참고). 일리치는 마치 게가 그러하듯이 현재에 하나의 눈을 고정시킨 채 다른 눈은 과거로 향해 투시하고 있습니다. "현재의 낯섦"은 어떤 문제를 근원적으로 그리고 급진적으로 포착하기 위한 방편일 뿐, 더 나은 미래를 위한 구체적 대안을 찾기 위한 전초 작업은 아닙니다. 이와 관련하여 우리는 다음의 사항을 분명히 깨달을 수 있습니다. 그에게 중요한 것은 과거지향

적 유토피아를 서술하는 일일 뿐, 결코 남녀평등을 실천할 수 있는 구체적인 유토피아의 방안 내지 전략이 아니라는 점 말입니다. 사실 일리치는 언제나 미래에는 전혀 관심이 없다고 말하면서 자신의 반-유토피아주의적 입장을 노골적으로 표명한 바 있습니다. 아니나 다를까, 그의 책 『젠더』는 부분적으로 혼란스러운 입장을 드러내고 있습니다. 일리치는 고대인들의 자생, 자활, 자치를 찬양하는데, 여성들도 무언가를 자발적으로 결정하려는 욕구를 지니고 있었으며 현재도 지니고 있다는 사실을 처음부터 끝까지 좌시하고 있습니다.

14. 일리치의 이론에 담긴 최소한의 구체적 유토피아: 그렇다면 일리치는 어떤 긍정적 가능성으로서의 구체적 유토피아를 한 번도 의식하지 않았을까요? 그렇지는 않습니다. 일리치는 최소한 제도가 아니라, 인간의 선한 마음에서 하나의 해답을 찾으려고 합니다. 그는 신의 선물인 판도라의 상자에서 모든 재앙이 빠져나갔듯이, "희망" 역시 빠져나갔다는 신화를 자주 언급합니다. 다시 말해서, 판도라의 상자에서 빠져나온 것은 수많은 사악한 것들이었지만, 맨 마지막으로 빠져나간 것은 다름 아니라 희망이라고 합니다. 현대인은 이러한 희망의 끈마저 포기해서는 안 된다는 게 일리치의 지론입니다. 만약 인간이 정치의 측면에서 전체주의 체제 그리고 경제적 측면에서 자본주의 경제 구도 등으로부터 자신의 삶을 일탈시킨다면, 만약 기독교 정신의 의미에서 "가난의 은총"을 자청해서 살아갈 자세가 되어 있다면, 인간은 어쩌면 부분적 측면에 한해서 마치 에피메테우스처럼 새롭게 부활할 수 있을 거라고 합니다. 에피메테우스는 프로메테우스의 동생으로서 이전의 사항을 바라보는 자가 아니라, 나중의 사항을 바라보는 반신입니다. 적어도 에피메테우스는 문명 이후의 사회에서 살아가야 하는 인간형의 전형을 그대로 보여 줍니다. 그는 청렴을 자청하며, 자원을 아끼며, 이웃을 사랑하며 살아가는 지혜로운 인간의 전형입니다. 이

와 관련하여 일리치는 다음과 같이 말합니다. 전통 사회에서 가난이 "지혜로운 인간(Homo sapiens)"을 탄생시켰다면, 현대사회에서 가난은 언제나 무언가 부족하다는 강박 내지 결핍감에 빠져 있는 "곤궁한 인간(Homo miserabilis)"을 탄생시켰다고 합니다. 다시 말해서, 모든 전체주의 시스템의 간섭과 부자유의 질곡으로부터 떨어져 나온 자유로운 사람들은, 비록 처음에는 일부의 영역이기는 하지만, 소규모의 새로운 필라델피아 공동체 속에서 자유를 맛보며 살아갈 수 있으리라고 일리치는 생각했습니다. 어쩌면 이러한 사고는 오늘날 생태학적 관점에서 현대인들이 수용하고 답습해야 할 바람직한 자세일 수 있습니다. 그러나 젠더의 상실을 극복할 수 있는 참신한 방안에 관해서 일리치는 여전히 침묵으로 일관하고 있습니다.

참고 문헌

- 박경미: 근대의 확실성을 넘어서, 실린 곳: 녹색평론, 통권 131, 7, 8월호, 152-169쪽.
- 이반 일리히: 그림자 노동, 박홍규 역, 미토 2005.
- 이반 일리히: 병원이 병을 만든다, 미토 2004.
- 이반 일리치: 위기에 처한 산업 문명, 쓸모없는 경제학, 실린 곳: 녹색평론, 통권 131, 2013, 7, 8월호, 130-151쪽.
- 이반 일리치: 젠더, 따님 2003.
- 이반 일리치: 과거의 거울에 비추어, 느린 걸음 2013.
- Bloch, Ernst: Freiheit, ihre Schichtung und ihr Verhältnis zur Wahrheit in: ders. Philosophische Schriften, Frankfurt a. M. 1985, 573-597.
- Gabbard, David A.: Silencing Ivan Illich: A Foucauldian Analysis of Intellectual Exclusion. Austin & Winfield, 1993.

- André Gorz: Kritik der ökonimischen Vernunft, Sinnfrage am Ende der Arbeits-gesellschaft, Zürich 2010.

- Grass, Günter : Im Krebsgang. Eine Novelle, München 2004.

- Illich, Ivan: "Genus. Zu einer historischen Kritik der Gleichheit"; Rowohlt Verlag, Reinbek bei Hamburg, 1983.

- Illich, Ivan: Needs, The Developements Dictionary, ed. by Wolfgang Sachs, London 1992.

- Kuchenbuch, Ludolf: Feudalismus, Materialien zur Theorie und Geschichte, Frankfurt a. M. 1989.

- Polanyi, Karl: The Great Transformation. (독어판) Politische und ökonomische Ursprünge von Gesellschaften und Wirtschaftssystemen, 8. Aufl. Frankfurt 1973.

원시사회는 암반 위에 있고,
문명사회는 절벽을 기어오르는가?

1. 인간의 상상을 동원한 고대 문화의 흔적 내지는 징후 읽기: 김유동 교수의 『충적세 문명』은 학계에 잔잔한 파장을 일으키기에 충분한 가치를 지닌 문헌입니다. 이 책은 만 년을 거슬러 올라가, 고대로부터 현대에 이르는 문명사를 천착하고 있습니다. 이로써 저자는 여러 문화 구조의 특성을 도출해 내어 서로 비교하려고 합니다. 연구에서 저자가 채택하고 있는 방식은 "사실에 대한 역사학의 고증 작업"뿐 아니라, "인간의 상상을 동원한 고대 문화의 흔적 내지는 징후 읽기"입니다. 왜냐하면 선사시대의 문화에 대한 검증은 문헌 연구 작업만으로는 무척 힘들고, 게다가 자료 선택의 제한을 받을 수밖에 없기 때문입니다. 미리 말하건대 김 교수의 책은 오랜 숙고와 독서의 과정을 거쳐 집필된, 근래에 보기 드문 역작입니다. 특히 어떤 세부적 사안에 대한 논평은 적확하고, 깊이 새겨둘 만한 것입니다. 책은 총 10개의 장으로 구성되는데, 각 장 사이에는 간주곡이라는 제목 하에 12편의 "문화로 고전 읽기, 고전으로 문화 읽기"가 삽입되어 있습니다. 필자는 개인적으로 인간의 문명에 대한 김 교수의 입장보다는 12편의 간주곡의 글들을 더 높이 평가합니다. 왜냐하면 그것들은 독자로 하여금 특정한 문화의 궤적을 자발적으로 유추하는 데 도움을 주기 때문입니다. 게다가 서양 문학을 전공한 저자가 동양 문화를 깊이 이해하고, 『도덕경』이라든

가 『반야심경』의 주제까지 꿰뚫고 있다는 사실에 경의를 표하지 않을 수 없습니다. 그럼에도 필자는 책에서 드러나는 몇 가지 문제점들을 비판적으로 기술하려고 합니다. 부디 이 글이 『충적세 문명』에 담긴 근본적 입장을 명징하게 밝히고, 이로써 파생되는 여러 가지 견해 차이를 드러낼 수 있다면 좋겠습니다.

2. 고대사회로 향하는 저자의 시각: 『충적세 문명』은 만 년의 역사를 관통하는 문화의 구도를 추적합니다. 가장 중요한 것은 저자가 인류의 역사를 지배와 소유로 인한 추락과 파멸의 과정으로 파악한다는 사실입니다. 문명의 발전은 인간에게 풍요로움과 편안함을 가져다주었지만, 이는 미국 자본주의의 산업사회에 이르러 권력과 금력의 수탈 관계로 뒤엉킴으로써 몰락으로 치닫고 말았다는 것이 김 교수의 지론입니다(508쪽). 이러한 시각은 역사에 대한 벤야민(Benjamin)과 아도르노(Adorno)의 비판적 관점에 근거한 것입니다. "그렇다면 어떠한 계기로 지배와 소유의 의식이 극대화되었는가?" 이와 관련하여 저자의 시각은 필연적으로 고대사회로 향합니다. 김 교수는 토인비(Toynbee)의 말을 인용하면서, "암반 위에 있는 원시사회"를 "절벽으로 기어오르는 문명사회"와 대립시킵니다(110쪽). 아니나 다를까, 김 교수는 고대사회의 문화 구조에 대한 보편적 규정 작업에 책의 절반 이상을 할애합니다. 그렇지만 미래의 전망 내지 희망의 차원에서 언급될 수 있는 미래 사회 내지 목표, 최전선에 관한 논의는 거의 생략되어 있습니다. 김 교수의 책이 "문화 비관주의"의 의혹을 노출하는 것은 바로 그 때문인지 모릅니다. 요약하건대 저자는 첫째로 시각의 측면에서는 아도르노 사상에 근거하여 비판적 거리감을 유지하고, 둘째로 연구 대상에 있어서는 원시사회를 집중적으로 구명하려고 하며, 셋째로 방법론에 있어서는 이른바 세부적 사항 대신에 전체성을 추구하고 있습니다. 특히 세 번째의 경우는 정신사에 바탕을 둔 연구 방법론의 일환으로서 딜타이

(Dilthey)의 정신사적 역사 기술의 방식을 유추하게 합니다.

3. 방대한 연구 대상: 그렇다면 동서양의 고대 문화의 구조는 김 교수의 주장대로 정립 가능할 정도의 보편성을 지니는 것일까요? 여기에는 여러 가지 난관이 도사리고 있습니다. 서양의 고대만 예로 들더라도, 그것은 제각기 다양성을 표방하며, 하나의 특정한 문화는 수많은 이질적 요소로 뒤섞여 있습니다. 고대 페르시아 내지 메소포타미아의 문화를 보편적 차원에서 몇 가지 특성으로 요약한다는 것은 위험하고도 성급합니다. 왜냐하면 그 속에는 많은 미지의 예외 사항들이 감추어져 있기 때문입니다. 이를테면 바흐오펜(Bachofen)에 의하면 서양의 태고 시대에도 모권 내지 모계사회가 존재하였음을 감안한다면, 서양 문화가 투쟁적 구분을 추구하는 남성 문화이며, 동양 문화가 화해와 조화를 추구하는 여성 문화라고 거칠게 단정 지을 수도 없는 실정입니다. 중요한 것은 정신사적 방법론이 논의와 무관한 지엽적인 예외적 사항들을 무시한다는 사실입니다. 이와 관련하여 『충적세 문명』에서 도입되는 만 년이라는 연구 범위는 너무나 방대합니다. 김 교수 역시 광활한 연구 영역을 충족시킬 수 있는 문헌이 부족하다는 점을 지적하고, "징후 읽기"의 방식을 추가로 도입하여 고대를 탐색합니다. 그렇지만 이러한 방법론 역시 엄밀히 따지면 학문의 방식으로 개진될 수 없는 성질의 것입니다. 자고로 연구 대상의 범위가 확장되면, 특정한 논의는 어쩔 수 없이 학문적 핍진함을 넘어서기 마련입니다. 왜냐하면 거기에는 어떠한 시대·장소적 제한이 주어질 수 없고, 모든 자료 내지 흔적들이 모조리 연구 대상에 편입되기 때문입니다. 수많은, 제한 없는 자료에서 파생되는 예외적 사항들이 다만 소수라는 이유로 모조리 외면될 수는 없는 법입니다.

4. 헤겔에 대한 비판과 헤겔 좌파에 대한 외면: 또 한 가지 문제점을 지적

해 보기로 합니다. 그것은 다름 아니라 헤겔(Hegel) 철학에 대한 김 교수의 입장이 일방적이라는 사실입니다. 김 교수는 칸트(Kant) 이후로 주체의 개념이 더 이상 명료하게 해명될 수 없다고 단언하고 있습니다. 그는 다음과 같이 주장합니다. "헤겔이 언어의 마술을 부려 개념과 사물의 일치, 동일성과 비동일성의 동일성, 절대 정신을 들먹이는데, 이것은 옛것의 속박에서 벗어나 인간의 이성을 신적 높이까지 드높였지만 새것의 부정성이 아직 제 모습을 드러내지 않고 인간 자체에 대한 회의가 본격화되지 않던 근대인의 낙관주의가 가질 수 있었던 허장성세에 불과하다"(22쪽 이하). 헤겔 철학에 대한 김 교수의 평가는 그 자체 타당하지만, 일방적이고 편협합니다. 그것은 나중에 주체의 개념이 이데올로기적으로 침해당하고 포섭되었다는 측면에서 타당성을 인정받아야 하지만(이는 아도르노의 『부정의 변증법』에서 강조되는 입장입니다), 헤겔의 이론이 이후에 나타난 현실적 조건에 의해서 결과론적으로 평가되어야 한다는 것은 무리한 요구일지 모릅니다. 어째서 김 교수는 헤겔 좌파의 사상적 궤적을 완전히 도외시하는지 이해할 수 없습니다. 포이어바흐(Feuerbach)와 마르크스(Marx)로 이어지는 사상적 흐름을 염두에 둔다면, 우리는 블로흐(Bloch)가 『주체와 객체』에서 집중적으로 분석한 바 있는 주체와 객체의 상호 보완에 관한 존재론을 무시할 수는 없을 것입니다. 이데올로기의 결과론적 측면에서 헤겔을 "죽은 개"로 매도하지 말고, "즉자존재는 대자존재와 함께 일원성을 지향하고 있다"는 주장을 철학적 존재론의 역사라는 학문적 차원에서 냉정하게 수용할 수는 없을까요?

5. 과거지향적 시각은 보수 반동의 위험성을 내포하고 있다: 태고 내지 고대의 문화 구조로 향하는 김 교수의 시각은 철저히 과거지향적입니다. 실제로 『충적세 문명』에서 저자는 신약을 논하는 자리에서 원시 인간의 세상을 "소유와 지배를 모르던 하나됨의 세상"으로 규정하고 있습니다(341

쪽). 원시사회는 과연 그랬던가요? 대부분의 원시인들은 야만의 피 흘리는 전투, 광란의 춤, 그리고 깊은 신앙에 근거하는 주술을 일삼지 않았습니까? 태고 시대에 대한 저자의 동경은 케레니(Kerényi), 토마스 만(Thomas Mann), 괴테(Goethe) 등의 태고의 자연을 찬양하는 회귀적 갈망과 일맥상통하고 있습니다. 그게 아니라면 주어진 현실을 회피하고 뜬금없는 숭고함만을 찾으려는 야콥 부르크하르트(Burckhardt)의 문화적 도피주의와 연결되고 있습니다. 한마디로 충적세 문명을 전체적으로 조망하려는 시도는 궁극적으로 영겁회귀의 관점 내지 고대 그리스인들이 추적했던 영원한 원초적 상을 "재기억(Anamnesis)"하려는 태도와 같습니다. 물론 찬란한 황금의 시대의 추적은 — 마치 루소(Rousseau)가 그러했듯이 — 오로지 과거에서 수용할 수 있는 바람직한 특성들을 도출해 내어 현재의 현실에 반영하는 차원에서 부분적으로 도움을 줄 수는 있습니다. 그렇지만 고대 문명에 대한 무조건적 칭송은 현재 삶의 부정적 요소를 외면하게 하고, 자연과 태초를 동경하는 것은 과거지향의 "퇴행"과 같은 정치적 보수주의로 오해받을지 모릅니다. 찬란한 과거에 대한 애호 내지는 동경은 주어진 현실을 외면한다는 점에서 도피주의의 의혹에서 벗어나기 어렵습니다. 이를테면 우리는 조지 D. 톰슨(Thomson), 크리스타 볼프(Wolf) 내지 엥겔스(Engels)의 진보적 관점에서의 비판적 시각을 원용할 수 있을 것입니다.

6. 마르크스와 생태주의는 없는가?: 왜 우리는 멀리서 현대 문명을 부정적으로 고찰해야 하는가요? 현대 문명 속에 지배와 소유의 폐해가 도사리고 있다면, 여기에는 치유 내지 극복을 위한 방안은 없단 말일가요? 가령 권력과 금력을 논하는 데 있어서 마르크스주의만큼 적절한 대안도 없습니다. 비록 이것이 19세기의 유럽의 현실을 전제로 파생된 것임을 고려한다면, 사람들은 이상으로서의 마르크스주의를 부분적으로 용인하면서, 미래 사회의 변모 가능성에 관한 질문을 진척시켜 나갈 수밖에 없습니다. 이

는 구체적 유토피아의 실현 가능성에 관련되는 물음으로서 결코 회피할 수 없는 난제입니다. 이를테면 현대 문명을 논하는 자리에서 머레이 북친 (Bookchin)의 사회 생태주의라든가 루돌프 바로(Bahro)의 근본 생태주의 등과 같은 생태적 담론은 결코 생략될 수 없습니다. 그러나 『충적세 문명』 은 이러한 담론에 관해서 전혀 관심을 기울이지 않습니다. 물론 저자가 미래를 이야기할 때는 희망을 기도할 수밖에 없으며(556쪽), 자본주의의 예측 불가능성과 불확실성 자체에서 희망을 찾을 수 있다고 논평합니다(528쪽). 그러나 그의 관심은 미래에 있지 않고, 고대의 문명 구조를 연역적으로 밝히려는 노력에 집중되어 있습니다. 저자에게 중요한 것은 미래 내지 미래 사회의 삶과 관련된 구체적 논의가 아니라, 처음부터 "역사에 대한 비관적 전망"이라든가 "구원의 관점"입니다(42쪽). 구원은 자연의 개념 속에서 발견될 수 있다고 합니다. 때 묻지 않은, 모든 인위성으로부터 거리감을 지니고 있는 순진무구함으로서의 자연은 저자에게 가장 중요한 대상이며, 태고 시대 내지 고대로 시각을 돌려서 찾으려는 것 역시 이에 대한 원형적 범례로 간주되고 있습니다.

7. 문학은 과연 허구만을 드러내는가? 마지막으로 언급할 사항이 하나 있습니다. 그것은 문학에 대한 저자의 냉소적 견해입니다. 문학은 김 교수에 의하면 "허구의 세계," 실제 세상과 구분되는 "제2의 세상"을 다룹니다. 이로써 문학 연구자는 "정체성의 혼란"을 겪는다고 합니다. 결국 문학 연구자는 학문적 딜레탕트주의로부터 벗어날 수 없다는 것입니다(26쪽). 필자는 이러한 견해에 동의할 수 없습니다. 문학은 학문으로 간파할 수 없는 내용을 상상력을 통해서 예견할 수 있는 영역입니다. 이와 관련하여 사람들은 중요한 사항을 간과하곤 합니다. 그것은 다름 아니라 가능성의 세계를 직관적으로 추적할 수 있는 학문 영역이 오로지 문학이라는 사실입니다. 인간의 갈망이 주어진 현실에서 실현 불가능하다 하더라도 이후의

세계에 어떤 크고 작은 영향을 끼칠 수 있습니다. 김 교수는 인간의 갈망을 "이룰 수 없는 것을 절망적으로 추구하는 무지개 쫓기"로 이해하지만 (386쪽), 그것은 때로는 세상의 개혁과 변화를 선취할 수 있습니다. 가령 로저 베이컨(Roger Bacon)은 중세의 문학작품을 통해서 안경을 위시한, 황당무계한 사물을 연역적으로 도출해 내었습니다. 그런데 그의 이러한 상상은 오늘날 여러 자연과학적 도구로 활용되지 않는가요? 근대에 샤를 푸리에(Fourier)가 상상해 낸 고래와 사자 등의 탈것은 한마디로 자동차와 선박에 대한 선취의 상이라고 말할 수 있습니다. 베이컨과 푸리에가 이러한 상상을 떠올린 배경에는 일련의 문학작품이 커다란 역할을 담당하였습니다. 에른스트 블로흐는 이에 관해서 대작 『희망의 원리』에서 천착한 바 있습니다. 이를 고려한다면 우리는 어떤 가능성을 선취해 내는 놀라운 매개체가 문학임을 인정하는 게 오히려 바람직하지 않을까요?

8. 사실에 관한 사고의 서술: 상기한 사항은 견해 차이에서 비롯하는 어떤 불만일지 모릅니다. 기실 『충적세 문명』은 문명 전체의 문화 구조를 조망하려는 엄청난 시도에도 불구하고, 여러 가지 세부 사항에 있어서도 대단한 강점을 드러내고 있습니다. 가령 저자는 사라진 과거에 대한 흔적 읽기의 방법론을 내세우면서, 자신의 모든 논거가 "사실"에 국한되는 게 아니라 "사실에 관한 사고의 서술"일 수 있다는 것을 솔직히 술회합니다. 이로써 저자는 선사시대의 사실적 내용이 이른바 선사시대의 유물 내지 역사적 고증에 근거하는 내용과 어느 정도에서 구분될 수 있음을 처음부터 용인합니다. 여기서 우리는 논의를 전개해 나가는 저자의 유연하고 세련된 자세를 감지할 수 있습니다. 나아가 『충적세 문명』은 동양과 서양에서 나타난 지배의 법칙이 서로 구분될 수 있음을 분명히 규정합니다. 이를테면 "동양에서는 상하존비의 질서가 엄존하지만 인간성 자체가 부인되지 않는다면, 서양에서는 지배의 법칙이 철저하게 관철된다"는 식으로 말입

니다(114쪽). 간주곡으로 설정된 12개의 단락들은 김 교수의 입장에 대한 논증으로 작용하는 세부 사항들로서 전체적 논거에 도움을 제공합니다. 이를테면 인도의 탈속 문화, 노장사상에 나타난 자연의 법칙, 이집트의 오시리스 신화와 길가메시 신화에 나타난 문명의 폭력에 대한 저주와 강인한 남성적 영웅주의, 헤세의 황야의 이리와 카프카 문학에 관한 언급은 — 비록 필자로서는 근본적 관점과 전체적 시각에 있어서 무조건 동의할 수 없지만 — 세부적 사항에 있어서는 인간이 창조해 낸 오랜 문화적 궤적에 관한 인문적 지침을 마련해 주기에 충분한 자료라고 확신합니다.

푸리에의 유토피아 "팔랑스테르," 그 특성과 한계

1. 왜 하필이면 푸리에인가?: 서양 사람들은 토머스 모어 이래로 바람직한(혹은 끔찍한) 국가상 내지 사회상을 설계해 왔습니다. 이것은 흔히 사회 유토피아라는 용어로 명명됩니다. 이것은 어떤 가능한 갈망의 상을 겉으로 드러내지만, 속으로는 제각기 주어진 현실에 대한 비판에 근거하는 상입니다. 사회 유토피아는 그 규모에 있어서 주로 두 가지 특성을 보여 줍니다. 그 하나는 중앙집권 체제의 강력한 국가에 관한 상이며, 다른 하나는 지방분권적인 도시국가 내지 공동체의 상입니다. 전자가 이를테면 플라톤, 캄파넬라, 생시몽, 카베, 그리고 벨러미 등의 유토피아라면, 후자는 오언, 푸리에, 모리스, 크로포트킨, 그리고 스키너 등이 설계한 유토피아입니다. 그런데 21세기의 현실을 고려할 때 우리의 관심사는 일차적으로 소규모의 지방분권적 공동체의 상으로 향할 수밖에 없습니다. 그 이유는 세 가지 사항으로 요약할 수 있습니다. 첫째로 20세기에 출현한 파시즘과 스탈린주의는 더 이상 개인의 고유한 자유와 평등을 보장할 수 없다고 판명되었습니다. 둘째로 마르크스-레닌주의는 거대한 중앙집권적 국가 체제를 지향하지만, 옳든 그르든 간에, 궁극적으로 국가의 소멸을 목표로 하고 있습니다. 셋째로 현대인들은 생태계 파괴에 즈음하여 엘리트에 의해서 영위되는 제반 관료주의 정책을 더 이상 신뢰할 수 없게 되었습니다. 물론

필자는 아나키즘을 현재 한국 사회의 유일한 대안으로 염두에 두지는 않습니다. 그렇지만 글로벌 자본주의라는 메가시스템의 폐해를 부분적으로 극복할 수 있는 대안은 소규모 공동체 속에 도사리고 있다고 여겨집니다. 그렇다면 이러한 공동체의 구상은 어디서 그리고 누구에 의해서 시작되었을까요? 우리는 이에 대한 해답을 푸리에의 팔랑스테르에서 발견할 수 있습니다.

2. 페미니즘, 생태 공동체 운동의 선구자: 샤를 푸리에(1772-1837)만큼 세인들로부터 악랄한 비난을 받은 사람은 아마 없을 것입니다. 사람들은 그를 "기인," "체제 파괴적인 반정부주의자," "음탕한 속물"로 규정하였습니다. 실제로 푸리에는 참으로 희괴한 논리를 전개하였습니다. 그는 케플러의 천체 법칙에 의거하여 행성들 사이의 비밀스러운 교신을 거론하였으며, 북극성에서 나오는 안달루시아의 열기가 액체를 토해 낸다고 말했습니다 (블로흐: 959). 이러한 황당무계한 주장에도 불구하고 푸리에는 오늘날 페미니즘, 생태 공동체 운동, 그리고 도시계획을 위한 건축 등의 선구자로 인정받고 있습니다. 왜냐하면 19세기의 문명사회에서 "가치 전도된 자연현상"을 정확하게 투시하고 어떤 대안을 제시한 사람이 바로 푸리에였기 때문입니다(Claeys: 135). 19세기 산업사회는 그의 눈에는 "모든 악덕이 조직적으로 발전된 공간"으로 비쳤습니다. 자본가는 경제적 향상과 이윤 추구를 지상 최대의 관건으로 여겼고, 사회 하층민의 가난과 부패는 극한에 달했습니다. 푸리에는 자본주의의 생산양식이 "만인에 대한 만인의 전쟁"을 불러일으킨다고 생각하였습니다. 가장 심각한 것은 여성의 예속, 자연의 황폐화, 공장 건설로 인한 의식주 공간의 상실이었습니다. 대도시 파리에는 쥐들이 우글거렸으며, 쥐와 함께 빈민가를 가득 채웠던 사람들은 가난한 노동자들이었습니다. 그들은 "도시는 사람들을 자유롭게 만든다"는 소문을 듣고 지방으로부터 올라온 무산계급이었습니다. 그들은 남녀노소 할

것 없이 수공업 노동에 매달렸는데, 미성년자들까지 하루 14시간 혹은 그 이상 일해야 했습니다. 가난한 젊은 여성들은 밤마다 파리의 골목길에서 매춘에 종사하였습니다. 산업이 인간으로 하여금 참담한 노동에 시달리게 만들었지만, 이러한 궁핍함은 자본주의에 수반되는 필요악으로서 결코 제거될 수 없다는 것을 푸리에는 통찰하였습니다(블로흐: 1138).

3. 망상 속에 뒤섞인 푸리에의 사상: 미리 말하자면 팔랑스테르는 오래 전에 인간이 갈구한 황금의 시대를 실현할 수 있는 현대적 범례로 이해됩니다. 그렇지만 푸리에의 새로운 행복의 시스템 속에는 약간의 억지 주장이 혼재되어 있습니다. 예컨대 행복의 시스템이 사회적으로 정착되면, 인간은 평균 144살까지 살 수 있으며, 호메로스, 뉴턴, 그리고 몰리에르 등과 같은 위인들이 수없이 출현하리라고 합니다(Saage: 286). 행복의 오로라는 여덟 가지 조화의 단계로 시작되고, 지구는 빛과 열을 내뿜는 북극의 왕관을 얻습니다. 맹수는 사라지고, 반상어, 반고래, 반사자가 태어나서, 많은 사람들을 먼 곳으로 이동시켜 주리라고 합니다. 이러한 주장은 허튼 망상에 불과하지만, 그렇다고 해서 전적으로 엉터리로 치부할 수는 없습니다. 왜냐하면 푸리에의 상상 속에는 ― 중세의 로저 베이컨이 그랬듯이 ― 부분적으로 현대의 발전된 과학기술을 선취하고 있기 때문입니다. 가령 현대인들이 자동차나 고속 전차를 타고 "마르세유를 떠나, 리옹에서 점심을 먹고, 파리에서 저녁 식사를 즐길" 수 있게 된 점은 푸리에의 예언을 뒷받침해 주기에 충분합니다. 인류는 푸리에에 의하면 먼 미래에 40억까지 증가하게 되고, 그 다음부터 풍요롭고 사치스러운 삶의 방식은 줄어들 것이라고 합니다. 어쨌든 우리는 푸리에의 기상천외한 발언 속에는 부분적으로 어떤 놀라운 사상적 단초가 도사리고 있음을 인정해야 할 것입니다.

4. 노동과 성 사이의 아우르기: 푸리에는 산업의 발전으로 인해 태동한 상업을 처음부터 저주하였습니다. 왜냐하면 장사꾼은 오로지 돈을 버는 데 혈안이 되어 있으며, 상행위는 파산, 매점, 투기 자본의 축소 등을 통해서 사회를 교란하는 일감이라고 생각했기 때문입니다. 문명사회 내에서 상업과 산업은 푸리에에 의하면 사회의 질서를 서서히 파괴한다고 합니다. 이와 관련하여 푸리에는 평생 노동과 성을 서로 화해시킬 수 없을까 하고 고뇌했습니다. 노동자들이 경제적으로 윤택하고 에로스를 향유하길 꿈꾼 사상가가 바로 푸리에였던 것입니다(Fourier 84: 154f). 푸리에는 노동이 쾌락이 되고 쾌락이 노동이 되는 인간 삶을 하나의 이상으로 간주하였습니다. 이를 자극한 것은 드니 디드로의 『부갱빌 여행기 부록』이었습니다. 그런데 오늘날 사회주의를 지지하는 무신론자조차도 정념과 경제는 서로 구분되어야 한다고 믿고 있습니다. 노동은 노동이고, 성적 향유는 성적 향유라는 것입니다. 그 밖에 삶을 즐기는 자는 사회적으로 필요한 노동을 행하지 않는다고 합니다. 이러한 비난들은 나름대로 타당성을 지니지만, 엄밀히 따지면 일방적 견해 내지는 편견과 다름이 없습니다. 자고로 성적 향유를 누린다고 해서 노동을 멀리 하라는 법은 없습니다. 장기적인 시각에서 고찰하면, 쾌락을 누리는 자가 오히려 자신에게 주어진 노동의 본분을 더욱 충실히 이행할 수 있습니다. 푸리에에 의하면 쾌락은 반드시 성공을 기약해 주고, 성공은 쾌락을 누리면서 집중적으로 일하는 자에게 재화를 가져다줍니다(변기찬 2011: 245). 문제는 노동자 또한 귀족과 마찬가지로 즐거운 노동과 유희의 여가를 즐길 수 있는가? 하는 물음으로 향합니다. 만인은 푸리에에 의하면 풍요로운 재화를 창출하고, 풍요로움은 다시 새로운 쾌락을 재생산할 수 있다고 합니다(Fourier: 255).

5. 푸리에의 팔랑스테르 공동체: 푸리에의 공동체의 토대가 되는 경제 이론 및 변증법적 사고는 「네 개의 운동과 보편적 규정에 관한 이론(Théorie des quatre mouvements et des destinées générales)」(1808), 「우주의 일원성에 관한 이론(Théorie de l'unité universelle)」(1822), 그리고 「새로운 산업의 세계와 사회(Le nouveau monde industriel et sociétaire)」(1829) 등에서 개진되고 있습니다. 이는 차제에 팔랑스테르 공동체의 토대로 작용하는 것들입니다. 푸리에는 돈과 권력으로부터 배제된 노동자들이 독립적으로 자신들의 고유한 공동체를 형성해야 한다고 믿습니다. 푸리에의 이러한 믿음은 자신의 시대 비판에서 비롯된 것입니다. 예컨대 모어와 캄파넬라의 유토피아는 당시 권력을 지닌 귀족과 수사 계급과 같이 경제적으로 착취하며 살아가는 유한계급의 악습을 철폐하기 위해서 제각기 설계되었습니다. 이에 비해서 푸리에의 유토피아는 노동 없이 부를 획득하는 계층, 이를테면 상인, 은행가들의 안하무인격의 이윤 추구를 차단시키기 위해서 창안된 것입니다. 푸리에의 공동체에서 철저히 금지되는 것은 무엇보다도 이윤 추구의 제반 상행위입니다. 모든 재화는 공동 조합을 통해서 교환되고 분배됩니다. 공동체 속에서 살아가는 사람들은 노동과 향유를 동시에 해결할 수 있다고 합니다. 팔랑스테르는 프랑스어로 "팔랑주(phalange)"로 표현됩니다. 고대 그리스인들은 보병의 밀집 방어를 위한 방진으로서 "팔랑스(phalanx)"를 활용했습니다. 이로써 적은 밀집 대형을 뚫고 들어오기 힘이 듭니다. 푸리에는 자신의 공동체를 어떤 독립적이고 완전한 소규모의 방진으로 구축하려고 구상하였습니다. 푸리에가 처음에 자신의 공동체를 "소용돌이(teurbillon)"라고 표현한 것은 아마도 공동체의 독자성, 응집력을 강조하려고 했기 때문입니다(박주원: 225).

6. 정밀한 구도에 의해 설계된 팔랑스테르: 푸리에는 팔랑스테르의 크기, 인구, 건물 등을 구체적으로 주도면밀하게 설계하였습니다. 팔랑스테르는 크기에 있어서 그리고 외견상 베르사유 궁전과 유사합니다. 베르사유 궁전의 정면은 600미터 너비로 구성되며, 3층의 르네상스식 건물로 축조되

어 있는데, 중앙에 원형의 건물, 좌우로 "ㄷ"자 모형의 건축물로 구성되어 있습니다. 좌우 건물의 정면 너비는 제각기 300미터로 이루어져 있습니다. 중앙 건물에는 식당, 도서관, 회의실, 그리고 겨울 정원 등이 마련되어 있고, 왼쪽 건물에는 공장과 유아 시설이 있습니다. 오른쪽 건물에는 거주 공간 내지 외부인을 위한 숙박 시설이 위치하고 있습니다. 공동체는 연인 남녀, 아이 달린 가정으로 구성되어 있는데, 부부들도 얼마든지 공동체의 회원이 될 수 있습니다. 공동체의 구성원은 총 1620명으로서 남자는 830명, 여자는 790명으로 확정되어 있습니다. 이는 푸리에가 염두에 둔 인간의 810가지 제반 특성을 모조리 수집하기 위함이라고 합니다(Saage: 76f). 푸리에에 의하면, 노동 자체가 바로 쾌락과 연결되어야 합니다. 모든 사람은 두 시간 동안 한 가지 일을 행할 수 있고, 그 다음에는 다른 일감을 맡을 수 있습니다. 이를테면 두 시간 동안 사과나무를 가꾼 사람은 다른 일, 예컨대 계산 장부를 작성할 수 있습니다. 여기서 중요한 것은 두 시간마다 노동의 내용, 즉 일감을 바꾸는 것입니다. 이로써 사랑과 쾌락이 오래 지속될 경우에 나타나는 권태와 불쾌감 등은 미연에 방지됩니다. 게다가 새로운 일감에 대한 열정은 현재의 쾌락이 남용되는 것을 사전에 차단시켜줍니다(푸리에: 139). 삶에 있어서 바람직한 것은 푸리에에 의하면 절제도 남용도 아닌, 균형적인 생활 패턴이라는 것입니다. 물론 여기에는 예외가 있습니다. 만약 한 가지 일에 재미를 느끼는 노동자는 여섯 시간 동안 그 한 가지 일을 행할 수 있습니다.

7. 공동체 내에서 노동에 종사하는 소년단: 청소년들은 푸리에에 의하면 원래 파괴적인 본능을 지니고 있으며, 더러운 물건으로 장난치기를 즐긴다고 합니다. 그렇기에 아이들로 하여금 힘들지는 않지만 더럽고 지루한 노동을 담당하게 하면, 이는 효과적이라고 합니다. 푸리에는 공동체 내에 "소년단(petites Hordes)" 결성을 제안하고 있습니다. 그렇기에 푸리에의

팔랑스테르 공동체에서는 아이들이 작은 그룹을 형성하면서 공동으로 생활합니다. 이들은 항상 새벽 세 시에 일어나서 마구간을 청소하고, 동물들을 돌보거나 도살장의 청소를 담당하기도 합니다. 나아가 아이들은 지방 도로를 청소하여 주요 도로에서 더 이상 뱀, 독을 품은 곤충 등이 기어 다니지 않도록 합니다. 푸리에가 아이들로 하여금 청소 내지 잡일 등을 담당하게 하는 것은 때로는 "미성년 학대"라고 비난당할지 모릅니다. 그렇지만 푸리에는 아이들도 공동체의 일원이므로 자신의 일을 통해서 공동체에 나름대로 기여할 수 있다는 것을 보여 주어야 한다고 확신합니다. 푸리에의 이러한 입장은 다만 시끄럽게 한다는 이유로 다섯 명의 자식을 고아원에 보낸 장 자크 루소의 그것보다는 그래도 온건한 편입니다. 푸리에는 청소년들에게 많은 수당을 제공하지 않았습니다. 청소년들은 애국의 열정과 사회에 대한 헌신의 마음을 지니면 그것으로 족하다는 것이었습니다. 소년단에 속한 젊은이들은 가급적이면 돈과 재화를 중요하게 생각하지 말아야 하며, 대신에 공동체를 위한 희생정신과 봉사 정신을 지녀야 한다는 게 푸리에의 지론이었습니다(Berneri: 218).

8. 사유재산의 부분적 용인과 공동 분배: 팔랑스테르 공동체는 — 모어와 캄파넬라의 경우와는 달리 — 사유재산을 부분적으로 용인하고 있습니다. 재산, 성격, 개개인의 충동 등이 다르면, 공동체는 그만큼 다양하고 생기 넘친다고 합니다. 게다가 약간의 사유재산이 주어지면, 노동에 있어서 활력이 넘치고, 노동에 대한 욕구를 강화시킬 수 있습니다. 이러한 생각은 평등과 재화 공동체에 관한 푸리에의 깊은 숙고를 통해 생겨난 것입니다. 예컨대 푸리에는 로버트 오언이 추구한 목표로서의 "재화 공동체 내에서의 완전한 평등"을 "박애주의자의 허튼 망상"으로 규정합니다(Saage: 74). 왜냐하면 실제 현실에서 재화는 만인에게 똑같이 분배될 수 없기 때문입니다. 1500명 이상의 공동체 사람들은 "능력, 재산, 그리고 노동의 유형" 등

에서 최소한 15000가지의 이질적 특성을 드러내기 마련이라고 합니다. 공동체는 농업, 공업, 그리고 숙박시설 등을 통해서 약간의 수입을 얻습니다. 총 수입금은 월말에 정리되어 공동체 주민들에게 분배됩니다. 분배는 노동시간, 투자 금액, 그리고 노동에서 발휘한 능력의 기준에 의해서 책정되는데, 분배의 기준은 노동시간 12분의 5, 투자 금액 12분의 4 그리고 노동에서 발휘한 능력 12분의 3 등의 비율로 책정됩니다. 이로써 공동체 내에서는 자본가와 노동자, 생산자와 소비자, 채권자와 채무자 사이의 갈등이 해결되고 극복될 수 있다고 합니다. 푸리에는 금, 은, 그리고 보석을 재화로서 소지하는 것을 허용하고 있습니다. 인간의 욕망은 끝이 없는데, 10분의 1에 해당되는 축재의 욕망은 충족되어도 무방하다는 것이 푸리에의 지론이었습니다. 팔랑스테르 공동체는 과학기술과 학문을 최대한 활용하려 합니다. 새로운 사회질서는 학문과 기술에 의해서 추진되는 생산력의 신장을 요구합니다. 과거의 학문이 실제 현실의 경제적 생산 구도를 은폐하거나 무시한 것은 사실입니다. 그렇지만 공동체의 삶과 직결되는 학문과 과학기술은 공동체에게 전체적으로 공동선과 부를 마련해 줄 수 있다고 합니다.

9. 남녀평등과 성생활: 푸리에는 인간 삶의 황폐화의 원인이 산업 외에도 일부일처제에도 있다고 생각했습니다. 사랑이라는 이름하에 부부간에 영속적인 정조를 강요하는 것은 인간의 본성에 부합하지 않는다고 합니다. 일부일처제는 때로는 상대방을 속이고, 은밀하게 행해지는 성적 관행을 은폐하게 합니다. 따라서 성적 욕망을 무시하고 종족 보존을 결혼의 목적으로 규정하는 것은 겉 다르고 속 다른 인간형을 양산시키게 합니다. 19세기 유럽의 남자들은 아내를 속이고 술집이나 홍등가에서 성적 욕망을 충족하였습니다. 이로 인하여 고통을 느끼는 사람들은 시민사회의 여성들이었습니다. 가부장적 시민사회에서 여성들은 남편의 사랑을 받지 못할 경

우 고독하게 살아간다고 푸리에는 말합니다. 실제로 19세기에 여성은 사랑하는 사람으로부터 버림받을 경우 남자와 달리 홍등가를 찾을 수도, 다른 남자를 사귈 수도 없었습니다. 왜냐하면 당시에는 남창이 거의 없었기 때문입니다. 여성들은 시민사회에서 경제적으로 남편에게 완전히 의존하는 존재로 교육받고 그렇게 길들여져 있었습니다(Schröder: 53). 그렇기에 "일부일처제 하에서는 여성이 노예로 살아가고 있다"는 것은 사실이었습니다. 러셀이 "결혼한 여성은 가축 같은 존재이다"라고 주장하는 것도 바로 시민사회의 남성 중심주의의 강력한 영향 때문입니다(러셀: 65). 팔랑스테르 공동체는 시민사회와는 달리 여성에게도 자유로운 사랑의 삶을 누릴 수 있는 기회를 부여하려고 합니다. 여기서 우리는 남녀평등에 관한 푸리에의 진보적 입장을 읽을 수 있습니다.

10. 일부일처제의 문제점과 대안: 팔랑스테르의 규정에 의하면 회원들은 본인이 원할 경우 2개월 내지 3개월마다 한 번 성의 파트너를 교체할 수 있습니다. 이는 남녀 당사자가 서로 사랑하는 마음을 느낄 경우에 가능합니다. 이로써 팔랑스테르의 사람들은 육체적 쾌락과 정신적 쾌락을 동시에 충족시킬 수 있다고 합니다. 확실한 것은 공동체 사람들이 대체로 일부일처제를 무조건적인 절대적 진리로서 신봉하지는 않는다는 사실입니다. 자유로운 인간은 육체와 정신의 측면에서 사적 소유물이 될 수 없습니다. 인간의 인간에 대한 소유 개념이 없으니, 혼인, 가족의 의미는 공동체에서는 시민사회의 경우처럼 중요하지는 않습니다. 물론 오랫동안 부부처럼 살아가려는 공동체 회원의 경우 예외가 인정됩니다. 이를테면 18세 이상의 성인들은 푸리에에 의하면 세 명의 이성을 당당하게 사랑할 수 있습니다. 여기에는 남자와 여자의 구분이 없습니다. 예컨대 성년의 처녀(혹은 사내)가 조우하는 세 사람의 파트너는 (1) 삶의 파트너, (2) 출산 후보자, (3) 애인 등으로 나누어집니다. 첫째로 "삶의 파트너"는 차제에 마치 남편

혹은 아내처럼 오랜 세월을 함께 살아갈 사람을 가리킵니다. 둘째로 출산 후보자는 자식의 아버지 혹은 어머니가 될 사람을 지칭합니다(Saage: 80). 여기서 우리는 놀랍게도 애정관계가 자식 출산과 별개로 이해된다는 사실을 알 수 있습니다. 셋째로 "애인"은 육체적·심리적 위안을 얻는 당사자를 가리키는데, 2개월 내지 3개월마다 교체 가능하다고 합니다. 장차 "삶의 파트너"는 삼각관계의 갈등과 질투의 고통을 견뎌내는 여러 번의 검증 과정을 통해서 삶의 진정한 동반자로 거듭나게 됩니다.

11. 소유와 질투의 극복: 19세기의 많은 학자들은 팔랑스테르의 삶이 생물학적으로 불결하고 도덕적으로 문란하다고 비난하였습니다. 혹자는 인간이 동물과 다르다고 규정하면서, 일부다처제 내지 다부일처제가 더럽고 추악하다고 규정했던 것입니다. 푸리에는 팔랑스테르 공동체가 방종하고 저열한 단체로 전락하지 않기 위해서는 두 가지 전제 조건이 필요하다고 주장합니다. 그 하나는 어떠한 경우에도 남녀 관계에 있어서 폭력이 행해지지 말아야 하며, 다른 하나는 파트너에 대한 존중과 배려의 관습이 정착되어야 한다는 것입니다. 이를 통해서 공동체의 갈등은 자발적으로 조절될 수 있다고 합니다. 문제는 성에 있어서 소유와 질투의 감정을 어떻게 해결하는가 하는 물음에 있습니다. 예컨대 사랑하는 임이 다른 사람의 품에 안긴 경우, 당사자의 마음은 결코 편하지 않을 것입니다. 푸리에는 이 역시 더 나은 삶을 실천하기 위해 거쳐야 하는 과정이라고 생각합니다(푸리에: 144). "프시케(ψυχή)"는 그리스어로 나비를 뜻합니다. 인간 영혼인 프시케는 나르키소스로 인한 자신의 괴로움과 불행을 스스로 받아들입니다. 왜냐하면 나르키소스는 다른 이성이나 자기 자신을 사랑할 뿐, 프시케를 거들떠보지 않기 때문입니다. 그러나 괴로움과 고통을 정화시킨 이후에 프시케는 가장 순수한 행복의 기쁨을 만끽하게 됩니다. 마치 보기 흉한 애벌레가 나중에 아름다운 나비로 거듭나는 것처럼, 푸리에는 가장 보기 흉

한 일부다처 내지 다부일처의 생활 방식을 통해서 인간은 의외로 가장 숭고한 삶을 향유할 수 있다고 믿었습니다(Fourier 84: 259). 사랑하는 남녀는 더럽고 불결하게 보이는 성적 욕구를 일부일처제 속에 묶어둘 게 아니라, 그것을 해방시킴으로써 나와 타인에게 고결한 성적 파트너로 거듭날 수 있다는 것입니다.

12. 푸리에의 유토피아에 도사린 몇 가지 문제점 (1): 푸리에의 유토피아는 지방분권적인 공동체를 추구한다는 점에서 혁신적이기는 하지만, 몇 가지 치명적인 하자를 드러내고 있습니다. 첫째로 유토피아 공동체는 제아무리 독자적인 삶을 추구한다고 하더라도, 구성원들은 외부와의 단절속에서 공동체를 꾸려 나갈 수 없습니다. 전통적 유토피아가 고립된 섬이라든가 미지의 공간을 미리 설정한 것은 처음부터 기존 사회의 정치적, 경제적, 사회적 영향을 차단시키기 위함이었습니다. 이를테면 모어, 캄파넬라, 안드레애(Andreae) 등의 공동체는 외부의 공격으로부터 방어를 우선적으로 고려하고 있습니다. 따라서 외부인들과의 전쟁이야말로 유토피아를 구상하기 전에 해결해야 할 난제였습니다. 또한 푸아니(Foigny)의 양성 인간의 오스트레일리아 공동체가 붕괴된 근본적인 원인 역시 외부인들과의 전쟁 때문입니다. 이와 관련하여 푸리에의 팔랑스테르는 외부의 적에 대해 어떻게 대응해야 하는가? 하는 문제에 있어서 구체적인 해결책을 마련하지 못하고 있습니다. 푸리에 공동체가 19세기 프랑스에서 단 한 번도 성공리에 실천되지 못한 것은 바로 그 때문입니다. 푸리에는 초기 자본주의의 삶의 양식이 정착되기 시작하는 시점에서 자치, 남녀평등, 그리고 공동의 삶이라는 슬로건을 내걸었습니다. 이는 당시의 사회체제에서는 실현되기 어려운 요구 사항들이었습니다. 가령, 19세기 시민사회는 프로테스탄트의 가부장주의적 윤리에 토대를 두고 있었는데, 푸리에가 제시한 대안 공동체의 사랑의 삶은 그 자체 부도덕하고 체제 파괴적인 것으로 이해되었습

니다.

13. 푸리에의 유토피아에 도사린 몇 가지 문제점 (2): 둘째로 푸리에의 팔랑스테르는 공동체의 운영 과정에서 적잖은 어려움에 봉착할 수 있습니다. 1600여 명의 공동체 회원들의 경제적 삶을 관장하는 일은 그렇게 간단하지 않습니다. 이를테면 팔랑스테르에서는 노동시간 12분의 5, 투자 금액 12분의 4, 그리고 노동에서 발휘한 능력 12분의 3 등의 기준으로 부의 분배가 이루어진다고 하지만, 공동체는 이를 보편적 정책으로 시행하는 데 있어서 시행착오를 겪을 수 있습니다. 왜냐하면 개별 사람마다 노동의 능력, 일감 등이 다르며, 노동의 결과로서 얻어낸 재화의 양 역시 개별적으로 편차를 드러내기 때문입니다. 어쩌면 팔랑스테르에서도 핵심적 부서가 마련되어, 지도자 내지 경영자가 경제와 사회의 제반 문제를 기획하고 경영하는 것이 필수적이고 시급한 일일지 모릅니다. 물론 팔랑스테르에는 여러 문제를 조정하는 "조정위원회(Régence)"와 "최고재판소(Aréopage)" 등이 존재하지만, 이것들은 아무런 권한이 없는 자문기관으로 기능할 뿐입니다(김재기: 33). 예컨대 스키너는 유토피아 소설,『월든 투(Walden Two)』에서 어느 범위까지는 엘리트들의 경영을 용인하고, 이들의 권한을 제한하기 위하여 순번제를 도입한 바 있습니다. 물론 전문 엘리트들의 특권을 어떠한 방식으로 허용하거나 제한할 수 있는가? 하는 물음은 또 다른 논의를 필요로 할 것입니다. 어쨌든 푸리에의 팔랑스테르에서는 공동체 내에서의 사랑의 삶과 관련된 갈등과 분쟁을 해결하기 위한 장치가 구체적으로 마련되어 있지 않습니다. 요약하건대 팔랑스테르의 공동체는 치밀하게 구획되고 질서 잡힌 체제로 설정되어 있지만, 공동체를 영위하는 과정에서 혼란과 갈등이 얼마든지 속출할 수 있습니다.

14. 푸리에의 유토피아에 도사린 몇 가지 문제점 (3): 셋째로 우리는 창의

적 노동에 대한 푸리에의 사상에서 어떤 결정적인 취약점을 도출해 낼 수
있습니다. 앞에서 언급했듯이, 푸리에는 쾌락과 노동을 하나의 일감으로
전환시켜서, "즐거운 노동"과 "노동하는 유희"의 삶을 실천하려 하였습니
다. 인간이 소외되지 않은 노동을 행하려면, 무엇보다도 전체주의의 강압
적 규제 내지 자본가의 횡포가 사라져야 한다고 푸리에는 주장하고 있습
니다. 푸리에의 이러한 견해는 의심할 여지가 없습니다. 그런데 문제는 창
의적인 노동 내지 자발적으로 영위되는 일감이 오로지 성의 충족에 의해
서 배가되지 않는다는 사실입니다. 다시 말해서, 자발적이고 창의적인 노
동은 성적 충동이 충족되지 않더라도 다른 열정이라든가 즐거움에 의해서
얼마든지 행해질 수도 있습니다. 노동 자체에 대한 즐거움이 존재할 수 있
으며, 명예욕과 관련된 창의적인 자발적 노동은 성과 무관하게 출현할 수
있습니다. 이러한 이유로 인하여 푸리에의 사상은 인간의 정념을 오로지
성충동에 국한시킨다고 심하게 비판당할 수 있습니다. 마르크스와 엥겔스
가 정념 내지 쾌락에 커다란 비중을 두지 않고, 오로지 경제의 차원에서 인
간의 창의적이고 자발적인 노동은커녕 일말의 노동의 욕구마저 감소시키
는 잉여가치의 문제를 집요하게 파고든 까닭은 바로 그 때문입니다.

15. 푸리에의 상상 속에 담긴 핵심 사항: 지금까지 우리는 푸리에의 공동
체와 그의 사상 속에 도사린 취약점을 살펴보았습니다. 푸리에의 설계 속
에는 부분적 하자가 뒤섞여 있지만, 그 속에는 놀라운 사상적 단초 또한
은폐되어 있습니다. 그것은 남녀노소를 불문하고 억압 없이 경제적으로
그리고 성적으로 동등하게 살아갈 수 있는 삶의 가능성을 가리킵니다. 푸
리에의 광적인 환상 배후에는 제반 유토피아 사회상에서 나타나는 내용과
정반대되는 어떤 가상적 사회가 설계되어 있습니다. 푸리에의 유토피아는
국가의 폭력 내지는 충동의 억압 등에 강하게 저항하는 시민 주체의 자의
식을 저변에 깔고 있습니다. 토머스 모어 이후로 출현한 사회 유토피아 속

에는 아이러니하게도 쾌락이 부차적 사항으로 언급되고 있습니다. 사람들은 사회적 부를 전제로 한 전체의 안녕만 고려했을 뿐, 개개인의 정념에 대해서는 커다란 관심을 드러내지 않았던 것입니다. 푸리에의 사상은 현대에 이르러 헤르베르트 마르쿠제와 빌헬름 라이히의 이론에 커다란 영향을 끼쳤습니다(Marcuse: 49). 러시아의 작가, 니콜라이 체르니셰프스키는 소설 『무엇을 할 것인가?』(1863)에서 푸리에의 팔랑스테르와 유사한 공동체를 설계한 바 있습니다. 마지막으로 한 가지 사항만 지적하기로 합니다. 1845년 페트라셰프스키라는 외교관은 푸리에를 연구하면서 러시아의 전제 정치와 농노제를 비판한 바 있습니다. 4년 후 그를 포함한 22명은 체르니셰프스키의 공동체 운동에 동조했다는 혐의로 사형선고를 받았는데, 그들 가운데 한 명이 처형 직전에 황제의 명령으로 감형되었습니다. 그 사람은 다름 아니라 나중에 러시아의 문호로 거듭나게 될 도스토예프스키였습니다. 도스토예프스키의 소설, 「지하 생활자의 수기」에는 시민사회로부터 등을 돌리며 살아가는 기인이 등장하는데, 그는 푸리에를 떠올리게 합니다.

참고 문헌

- 김재기: 푸리에의 사회 철학의 기본 원리, 사회 철학 대계 2, 민음사 1991, 11-43쪽.
- 드니 디드로: 부갱빌 여행기 보유, 정상현 역, 숲 2003.
- 박주원: 푸리에의 팔랑쥬, 즐거운 노동사회의 유토피아, 실린 곳: 장동진 외, 이상국가론, 연세대 출판부 2004, 209-242쪽.
- 변기찬: 샤를 푸리에의 정념. 조화 혹은 사회성을 향한 욕망, 석당 논총, 49집, 2011, 239-271쪽.
- 에른스트 블로흐: 희망의 원리, 박설호 역, 열린책들 2004.

- 버트란드 러셀: 결혼과 도덕에 관한 10가지 철학적 성찰, 김영철 역, 자작나무 1997.

- 샤를 푸리에: 사랑이 넘치는 신세계, 변기찬 역, 책세상 2007.

- Marie Louise Berneri: Reise durch Utopia, Berlin 1982.

- Gregory Claeys: Ideale Welten. Die Geschichte der Utopie, Darmstadt 2011.

- Gabriel de Foigny: The Southern Land, Known, Trans. and ed. David Fausett.

  Syracuse UP, 1993.

- Charles Fourier: Ökonomisch- philosophisch Schriften. Eine Textauswahl, Berlin

  1980.

- Charles Fourier: Aus der neuen Liebeswelt. Über die Freiheit in der Liebe, (독어

  판), Berlin 1984.

- Herbert Marcuse: Triebstruktur und Gesellschaft, Schriften 5, Frankfurt a. M.

  1979.

- Hannelore Schröder (hrsg.), John S. Mill u. a.: Die Hörigkeit der Frau und andere

  Frauenemazipation, Frankfurt a. M. 1976.

- B. F. Skinner: Walden Two, die Vision einer besseren Gesellschaftsform,

  München 2002.

- Nikolai Gawrilowitsch Tschernyschewski: Was tun?, Aus Erzählungen von

  neuen Menschen, Berlin u. Weimar 1979.

"생존은 막힘없이 피어나는 우주의 꽃이다."
윤노빈의 한울 사상

　　1. 배달민족에 대한 충직한 조언: 『신생철학』은 현세에서 고통당하며 목숨을 이어가는 분들의 피와 땀과 관계되는 문헌입니다. 그것은 식자들을 위한 현학 서적도 아니고, 부유층 자제를 위한 교재도 아니며, 배부른 자세로 주문을 외는 사제들을 위한 교리서는 더더욱 아닙니다. 그것은 억압과 강제 노동에 시달리며 무거운 짐을 진 채 살아가는 인간을 위한 지침서와 같습니다. 1973년에 간행된 윤노빈의 『신생철학』은 세상에서 가장 핍박당하는 민족, 그것도 배달의 민족을 위한 충직한 조언을 담고 있습니다. 그리하여 책은 모든 "인위적(人爲的)"이고 "인위적(人僞的)"인 억압, 강제노동, 감금, 고통, 죽임 등을 분명하게 인지하고, 이러한 부자유의 질곡으로부터 벗어나, 새로운 해방(Exodus)의 삶을 선택할 수 있는 길을 수미일관 모색하고 있습니다. 윤노빈이 서양의 철학사상 외에도 유대교와 기독교의 메시아사상, 페르시아에서 유래하는 조로아스터교의 전투적 이원론, 유불선, 노장사상, 그리고 동학사상 등에서 자신의 사상에 대한 본질적 모티프를 발견하려 하는 것도 그러한 실천적 가능성을 고려했기 때문입니다.

　　2. 서양의 시각적 · 요소론적 사고에 대한 비판: 윤노빈은 세계를 대하는

서양의 관찰 방법을 통렬하게 비판합니다. 서양인들은 무엇보다도 눈(目)을 통해서 모든 사물과 세계를 "요소론(要素論)"적으로 규정합니다. 모든 대상은 마치 요소와 같은 객체로 투영되고 있습니다. 눈은 있는 것만 바라보고, 살아 있는 것을 보지 못합니다. 심지어는 움직임 역시, 철학자 제논에게서 분명하게 드러나지만, 정태적인 상의 연속적 변화로 이해되고 있습니다. 가령 고대 그리스에서 발달한 양분법적 논리를 생각해 보십시오. 본질, 영혼, 형상, 신, 주관, 그리고 주인은 비본질, 신체, 질료, 인간, 객관, 그리고 노예와 수평적 평등 관계가 아니라, 수직적 대립 관계로 설정되어 있습니다. 수직적 지배 구조의 대립 관계는 바로 명사적·요소론적 시각에 의해서 처음부터 정당성을 획득했습니다. 이로써 사람들은 사물은 물론이며, 생동하는 모든 생명체들을 오로지 사물로, 즉 "유물론적 시각으로" 바라보면서, 이것들을 명사적으로 구분하고 차단시키게 됩니다. 여기서 말하는 유물론은 마르크스의 유물론이 아니라, 가시적인 물질의 상으로, 다시 말해 세상을 물화시켜서 바라보는 태도를 가리킵니다. 관념론 역시 이러한 특성에서 결코 제외되지 않습니다. 윤노빈은 다음과 같이 말합니다. "세계를 소유하기 위하여 세계를 실체와 원소와 본질에다 감금하며, 인간을 소유하기 위하여 정의와 개념에다, 그리고 철창 속에다 인간의 정신과 신체를 가두는 것이다"(윤노빈: 67).

3. 나누어라 그리고 지배하라: 이와 관련하여 눈(眼)은 "쪼개는 칼"로서 모든 것을 내려다보고 깔봅니다. 바라보는 주체가 세계보다 더 나은 존재로 이해되므로, 모든 사물과 생명체가 경멸의 대상이 되는 것은 당연합니다. "동사를 명사화하는 것, 바로 이것이 인류의 톨레미적 전환이다. 세계를 소유하기 위하여 세계를 실체와 원소와 본질에다 감금하며, 인간을 소유하기 위하여 정의와 개념에다, 그리고 철창 속에다 인간의 정신과 신체를 가두는 것이다"(윤노빈 73: 67). 모든 사물과 생명체들을 분할하고, 물

화시키며, 수직 구조로 파악하려는 배후에는 그것들을 소유하고 정복하려는 남성들의 야심이 도사리고 있습니다. 이는 "나누어라 그리고 지배하라(Divide et impera)"라는 정복자의 소유욕과 결코 무관하지 않습니다. 정복자의 권력 및 금력을 지향하는 욕구는 서구의 실용주의와 접목되어, 역사적으로 다른 인종, 생각을 달리하는 분들을 수없이 탄압하고 구속하게 하였습니다. 윤노빈은 요소론의 세계관 속에 분단과 지배의 논리가 숨어 있다고 지적합니다. 분할하고 통치하기 위해서 서양의 사상가들은 포섭의 수직 논리를 강화해 왔다고 합니다. 이러한 의도는 모순 논리에서 가장 극명하게 드러납니다. 사실과 사태에 대한 판단은 실제 현실이라는 하나의 잣대에 의해서 행해지는 게 아니라, 인간의 의식 속에 투영된 현실, 다시 말해서 상상 속의 현실이라는 잣대에 의해서 행해지기도 합니다. 전자가 실제 현실의 기준이라면, 후자는 이른바 변증법적인 현실의 기준입니다. 헤겔의 모순 개념, 프로이트의 모순된 정서인 부리당의 당나귀 등은 바로 이러한 이중적 잣대에 의해서 해명되고 있습니다. 따라서 양분법적 지배 논리 내지 포섭적인 지배 논리는 바로 이러한 변증법적 지배의 논리에 의해서 강화되어 왔습니다. 가장 표독스러운 서양의 양분법적 논리의 칼은 다름 아니라 한반도의 군사 분계선이라고 합니다(윤노빈 73: 91). 따라서 한민족의 생명을 옥죄는 선이 바로 DMZ인데, 이는 단순히 정치적 분단의 의미를 넘어서, 나누어라 그리고 지배하라는 서양의 지배 구조를 상징적으로 보여 주는 "살인의 줄"이라는 것입니다.

4. 악마는 이간질하는 존재이다: 인민의 자연스러운 살림을 방해하는 존재는 악마로 규정됩니다. 악마는 교활하게 사물을 강탈하고, 땅을 차단시키며, 무고한 사람들을 감금하는 자입니다. 어원을 고려하면 "악마(διάβολος)"는 두 사람을 이간질시켜서 "물속에 내팽개치는(βάλλειν)"이라는 의미를 지니고 있습니다. 악마는 사탄과 같은 초능력의 존재가 아닙니다. 그는

윤노빈에 의하면 중상모략하는 자들로서, 사탄과 같은 초능력의 존재가 아니라, 인간들 속에 뒤섞여 있습니다. 제3자에 관한 나쁜 이야기를 전하는 것은 그의 일과입니다. 그렇기에 악마는 싸움을 붙이는 야수로서, 불신, 분열, 갈등, 증오를 부추기는 일을 우선적으로 행합니다. 그는 오후르마츠드(선의 에너지)의 세력을 약화시키고, 언제나 사악한 아흐리만(악의 에너지)의 세력을 키우려고 애를 쓰는 인간군을 가리킵니다. 그는 힘없는 사람들에게 복종을 강요하고, 공포심을 조장하며, 인위적으로 거짓말을 퍼뜨립니다. 악마가 "절단 기계(devil)" 내지 "감금 기계"를 가리키는 것도 그 때문입니다(윤노빈 73: 156). 이로써 힘없는 사람들은 언어의 본질이 왜곡된, 엄청난 고통과 부자유 그리고 감금과 불신의 상태에 빠져들게 됩니다. 그들은 고통의 계곡으로 인도되어, "인내천(人乃蚕)"의 시퍼런 도깨비불 속에 갇힌 채 서로를 헐뜯고, 불신하며, 기만하고 경멸하면서 살아가게 됩니다.

5. 거짓말과 흑색선전: 언어는 사람과 사람 사이의 생명을 이어주는 "제2의 피"입니다. 그러나 악마는 참말을 거짓으로 왜곡시키며, 거짓을 참이라고 전달합니다. 악마가 사용하는 무기는 거짓말과 흑색선전입니다. 윤노빈은 인간의 언어에 관하여 놀라운 사상을 피력합니다. 그것은 다름 아니라 언어의 여백의 공간을 가리킵니다. 이로써 형성되는 것은 인간과 인간 사이에 여백 내지 틈(間)입니다. 바로 이러한 여백과 틈이 악마가 돌아다니는 통로와 같습니다. 언어의 여백의 공간에는 금지된 언어, 강요된 침묵과 발언되지 못한 언어들로 가득 차 있습니다. 사람들이 인내천의 혁명 사상을 쉽사리 깨닫지 못하는 것도 바로 사악한 자들의 간계 때문입니다. "사람이 한울이다(人乃天)"라는 혁명적 명제는 "사람은 지렁이다(人乃蚕)" 또는 "사람은 천박하다(人乃賤)"라는 현실적 명제와 정반대됩니다. 악마의 영향은 참으로 큽니다. 악마의 작용으로 인하여 "사람을 한울처럼 모시기

는커녕(事人之天) 아예 인간을 지렁이처럼 취급하는(事人之蚕) 현실에 태어나 인내천(人乃蚕)의 현실에서 일생 동안 천대받고 살며, 인내천(人乃賤)의 현실 속에서 사람을 천대하는 교육만 받느라 평생을 보낸 사람은 인내천의 진리를 깨닫지 못"하게 합니다(윤노빈 73: 358). 악마의 영향에 사로잡힌 인간들에게서 드러나는 특성은 두 가지입니다. 그 하나는 무관심이며, 다른 하나는 신경질입니다. "무관심은 큰 것과 작은 것에 대한 동일한 반응이며, 중대한 것과 사소한 것의 구별을 무시하는 심리상태라면, 신경질은 큰 것과 작은 것을 혼동하는 반응이며, 중대한 것과 사소한 것을 뒤바꿔서 보며, 사소한 것을 중대한 것으로 잘못 알고 있는 심리상태"를 가리킵니다(윤노빈 73: 240).

6. 분석 언어철학의 허구성: 서구의 분석 언어철학은 사악한 인간군의 이러한 "인위적(人爲的)"이고 "인위적(人僞的)"인 날조를 처음부터 도외시하고 있습니다. 가령 비트겐슈타인(Wittgenstein) 등의 분석 언어철학은 언어의 자유로운 사용이 허용된 공간을 전제로 한 것이며, 거짓과 흑색선전이 난무하는 현실의 상황을 무시하고 있습니다. 그것은 윤노빈에 의하면 억압 이데올로기와 한계상황의 현실적 제반 조건을 전제로 하지 않은 의미 없는 이론, 다시 말해서 통일적인 견해를 갖지 않은 언어 과학이라고 합니다(윤노빈 73: 170). 왜냐하면 분석 언어철학은 언어의 왜곡된 조작 내지 이데올로기 등을 좌시한다는 점에서 현실과는 동떨어진 추상적·형이상학적 이론에서 벗어날 수 없기 때문입니다. 실제로 비트겐슈타인은 사람들로 하여금 침묵을 강요하는 비상사태의 유신체제, 돈을 벌기 위해서 서로 싸우고 물어뜯는 아비규환의 전쟁터에다 언어적 공간을 설정한 게 아니라, 아무런 갈등도 투쟁도 없는 추상적 "빈 공간(Tabula rasa)"에다 언어의 행위를 적용하고 있습니다.

7. 분단은 세계사의 비극이며, 통일은 해방의 최종적 의미와 같다: 배달민족에게 가장 처절한 극한 상황은 무엇보다도 분단 상태입니다. 윤노빈은 한반도의 피맺힌 분단 상태를 거짓 이데올로기와 사기 그리고 기만으로 가득 찬 갈등과 지배의 결과라고 단언합니다. 남북의 분단 상태는 윤노빈에 의하면 두 개의 분단국가 사이에 그어진 단순한 국경선 그 이상의 의미를 지닙니다. 한반도는 비유적으로 말하자면 허리가 두 동강 난 채 신음하는 병든 "아담 카드몬(Adam Kadmon)"이나 다를 바 없습니다. 세상 전체가 분단의 아픔으로 고통을 느끼고 있습니다. 따라서 남북한의 분단 상태는 갈등과 모순 등으로 얽혀 있는 서양의 세계관 속의 투쟁적인 전투적 지배 논리를 그대로 보여 주는 상징적 범례입니다. 그것은 인류의 역사에서 끊임없이 이어져 온 차단, 감금, 억압, 굴종, 부자유, 그리고 거짓된 삶의 표본이나 다를 바 없기 때문입니다. 그것은 가해자의 범죄에 대한 응징으로서 형성된 독일 분단의 경우와는 전적으로 다릅니다. 한반도의 분단은 식민지와 제2차 세계대전에 의해서 피해당한 배달민족의 연속적인 수난으로 이해될 수 있습니다. 왜냐하면 세계대전의 전범 국가인 일본이 분단되지 않고, 냉전 이데올로기가 고려된 지정학적 이유에서 핍박당한 한반도가 다시 분단되었기 때문입니다(박설호: 20). 그렇기에 분단의 극복은 악마들에 의해서 수없이 자행된 피해의 고리를 끊고 마침내 새로운 삶을 찾는다는 점에서 정치적 통일뿐 아니라, 메시아사상에서 말하는 해방의 최종적 의미를 포함하고 있습니다. 해방은 인위적으로 형성된 막힘, 침묵, 차단, 그리고 모든 유형의 부자유 등에 대한 투쟁 내지 극복으로 이해됩니다.

8. 인간은 한울 속에서 생존해야 한다: 그렇다면 한반도의 분단 상태는 어떻게 극복되어야 할까요? 윤노빈은 동학사상에서 말하는 "사람이 한울이다(人乃天)"라는 거룩한 명제에서 어떤 해답의 촉수를 발견합니다. 여기

서 "사람"이란 서양의 이른바 나누어지지 않는 "아톰," "개인(Individuum)" 등의 개념이 아니라, 동양의 이른바 대아(大我, Atman)의 개념과 결부되고 있습니다. 나아가 윤노빈의 인간 개념은 개별적 사람들, 추상적 종(種)으로서의 인간, 그리고 "너와 나 사이의 고리" 등을 모두 포괄하고 있습니다. 따라서 그것은 마르틴 부버(Martin Buber), 에마뉘엘 레비나스(Emmanuel Lévinas) 등이 그토록 찾으려 하던 "더 큰 나를 임신한 나"와 일맥상통하고 있습니다. 윤노빈에 의하면, 나와 너는 서로 타자로 대하는 상대적 대상이 아닙니다. "나"는 비록 실제 현실에서 너와는 다른 별개의 존재이지만, 사고에 있어서 "너"를 아우르고 있습니다. 마찬가지로 "너"는 사고 및 감정에 있어서 동일한 사항을 지니고 있으므로, 얼마든지 "나"와 함께 교감을 나눌 수 있습니다. "더 큰 나를 임신한 나"는 비유적으로 말하자면 임신부의 상을 가리킵니다. 임신부는 뱃속의 아이를 자신과 동일시하면서 살아갑니다. 예컨대 생명의 탄생은 생성의 전체적 플럭스(flux)와 관련되는 순간으로서, 이 경우 생명은 "하나도 아니고 둘도 아닌(不一不二)" 무엇으로 이해될 수 있습니다. 마찬가지로 더 큰 나를 임신한 나는 "너"를 다만 "너"라고 생각하지 않고 자신의 분신이라고 여깁니다. 그렇기에 두 사람 사이에는 보다 큰 자아로서 우리 내지는 한울타리로서의 "한울"이라는 존재가 자리할 수 있습니다. 이는 크로포트킨의 상호부조를 포괄하는 사고로서 "너는 나와 육체적으로는 다르지만, 너의 안녕은 심리적 차원에서 나의 안녕과 동일하다"라는 식으로 이해될 수 있습니다.

9. 무신론을 뒤집은 인간신 사상: "사람이 한울이다"라는 전언은 궁극적으로 "왜 신은 인간인가(Cur Deus homo)?"라는 포이어바흐의 인간학적 질문에 대한 답과 같습니다. 포이어바흐는 신은 인간이 떠올린 하나의 가상적인 상이라는 점을 밝히려고 했습니다. 이로써 포이어바흐는 신의 권위적 허구성을 허물고 종교의 무신론을 입증하려고 했습니다. 그러나 윤노

빈은 신이 없다는 단순한 확인을 넘어서서, 인간의 발전 가능성을 타진합니다. 그것은 인간이 악마의 탈을 벗어던지고 신으로 격상될 수 있는 가능성을 가리킵니다. 우리는 이에 대한 예를 인간의 아들, 예수 그리스도에게서 찾을 수 있습니다. 그렇기에 인간은 사랑을 통해서 악마가 심화시킨 편협한 자아의 존재 구속성에서 벗어나 찬란하게 해방되어야 합니다. 이는 오로지 사람들끼리 상호부조하고 아우르며 살아가는 방식을 통해서 가능합니다. 그것은 어쩌면 기독교에서 말하는 성령과의 진정한 조우일 수 있습니다. 인간은 신의 아들이 보낸 성령과 조우함으로써 믿음과 사랑의 마음으로 하나의 인간신으로 발돋움할 수 있습니다. 성령과의 조우는 죄악과 불의, 고통과 감금을 인식하는 행위입니다. 이러한 인식은 삶에 있어서 매우 중요합니다. 왜냐하면 그것은 큰 자아로서의 한울, 즉 "우리"의 의미를 깨닫게 해 주고, 진리와 정의에 대한 소시민들의 이른바 "무관심"과 "신경질"이라는 보편적인 아집으로부터 벗어나게 해 주기 때문입니다. 이를테면 에른스트 블로흐는 "은폐된 인간(homo absconditus)"의 개념으로써 인간이 신과 같이 거룩하게 살아갈 수 있는 가능성을 비유적으로 지적한 바 있습니다(Bloch: 126). 마찬가지로 윤노빈 사상에 나타나는 "인간신"의 개념을 추적함으로써, 우리는 현대인들이 오늘날 좌시하고 있는 가장 중요한 신학적 인간학 내지 인간학적 신학을 축조할 수 있을 것입니다.

10. 협동하고 도와주는 "한울님"의 특성 (1): 따라서 가장 중요한 것은 한울의 협동적 행위로서의 사랑입니다. "서로 일으켜주며, 서로 붙잡아주며, 서로 구원해주며, 서로 도와주며, 서로 가르쳐주며, 서로 생각해 주며 사람들은 함께 살아 있다"(윤노빈: 295). 우리는 악마에게 맡긴 힘을 되찾아와서, 서로 아우르면서 협동하면 족합니다. 그렇게 되면 불신, 감금, 미움, 갈등, 분열 등의 연결고리는 저절로 끊어지게 된다는 것입니다. 이와 관련하여 윤노빈은 인간의 자연 상태를 협동으로 이해합니다. 다른 생명

체 및 다른 자연환경과의 싸움에서 사람들은 서로 반목하기는커녕 서로
힘을 합쳐 뭉쳤다는 것입니다. 그렇기에 홉스 식의 "인간은 인간에 대한
늑대이다(Homo homini lupus)"라는 공식은 인위적이고 왜곡된 사회계약설
에 불과합니다(윤노빈 73: 199). 진정한 삶을 생존이라는 용어로 설명합니
다. 마찬가지로 진정한 신앙은 한울의 자유와 생존, 해방과 초월을 도모해
야 합니다. 이와는 다른 맹목적 신앙은 "뜻 모르고 중얼거리는 기도는 혀
의 부질없는 무용이며, 뜻 모르고 중얼거리는 주문은 입술의 부질없는 풀
무질"일 뿐이라고 합니다(윤노빈 73: 32). 한울의 협동적 행위로서의 사랑
의 범례는 오로지 한울의 생존을 도모하기 위한 무엇입니다. 그것은 이를
테면 두레 공동체의 울력 행위를 통해서 나타나는데, 무엇보다도 동학사
상과 동학운동에서 그 단초가 발견되고 있습니다.

 11. 협동하고 도와주는 "한울님"의 특성 (2): 윤노빈은 논문 「동학의 세
계사상적 의미」에서 협동하고 도와주는 한울님의 특성들을 구체적으로
지적합니다. 그것은 시천, 양천, 그리고 체천의 의미로 설명될 수 있습니
다. "시천(侍天)"은 한울을 모신다는 의미로 이해되는데, 이는 최제우의 사
상과 삶과 관련됩니다. 우리는 나의 곁에 계시는 한울을 받들어 모셔야 합
니다. "양천(養天)"은 한울을 키운다는 의미로 이해되는데, 이는 최시형의
사상과 접목될 수 있습니다. 우리는 무언가 배우려는 분을 키우고 가꾸어
나가야 합니다. 마지막으로 "체천(體天)"은 한울의 정신을 실천에 옮긴다
는 의미로 이해되는데, 이는 녹두장군 전봉준의 동학혁명 운동과 연결되
고 있습니다. 기독교에서 말하는 성부, 성자, 그리고 성신의 존재가 수직적
구도 내지 시간적으로 구분되는 존재라면, 시천의 주인과 양천의 주인 그
리고 체천의 주인은 사람과 동등한 위상을 지닌, 동시적인 분으로 이해되
고 있습니다. 자고로 인간은 자신의 노력과 판단에 따라서 악마 내지는 지
적 야수의 길을 걸을 수 있으며, 이와는 정반대로 천사의 길을 걸을 수 있

습니다. 이와 관련하여 윤노빈은 다음과 같이 일갈합니다. "사람은 사람의 부모이며, 사람은 사람의 사형집행인이다"(윤노빈: 271). 다시 말해서, 인간은 악마의 영향으로 이웃을 죽임으로 몰아갈 수 있지만, 다른 한편으로 선한 노력을 통해서 신적 존재로 거듭날 수 있습니다.

12. 한울타리의 세계관: 그렇다면 한울은 어떻게 존재론적으로 구명될 수 있을까요? 윤노빈에게서 한울의 개념은 물리적 차원과는 다른 형이상학적 영역에서 이해될 수 있습니다. 하늘은 이른바 서양의 수직 구조로 설정된 "상부" 내지 저세상의 영역이 아닙니다. 지금까지 세상 사람들은 하늘을 우라노스, 크로노스, 그리고 주피터 등이 막강한 권능을 행사하는, 수직 구조에 바탕을 둔 공간으로 이해하였습니다. 그것은 상부로서의 천국으로 처음부터 설정되어 있습니다. 이에 비해서 윤노빈은 하늘을 어떤 비어 있는 공간으로 받아들이고 있습니다. 이러한 사고는 유불선에서 이해되는 "무우주론(無宇宙論)"의 세계관에 입각한 것입니다. 윤노빈에 의하면, 하늘은 없고, 한울이 있습니다. 하늘은 윤노빈에 의하면 높이 떠 있는 우주의 뚜껑이 아닙니다. 우리의 방석과 우리의 등 받침과 우리의 팔걸이가 바로 하늘이라고 합니다(윤노빈 73: 323). 더 큰 자아로서의 "나"는 한울타리 속에서 살아갑니다. 한울타리의 세계관은 이승과 저승이 일도양단되지 않는 노장사상의 관점과도 연계되어 있습니다. 인간은 죽지만, 인간에 대한 기억과 신뢰는 후세인들에게 살아 있습니다. 인간은 실제로 개별적 존재이지만, 사고 속에서는 한울입니다. 왜냐하면 사랑과 우정, 임의 안녕을 바라는 마음이 한울의 여러분들을 서로 결속시키기 때문입니다. 따라서 하늘은 상부 내지 저세상으로서의 높은 공간이 아니라, 인간의 사고 속에 자리하는 영역으로서의 "한울," 바로 그것입니다. 한울의 공간이 비어 있는 까닭은 그것이 (신이 아니라) 인간에게 속하기 때문입니다. 하늘과 땅, 다시 말해서 건(乾)과 곤(坤)은 서로 아우르면서 하나를 이루고 있습니

다. 이로써 신정주의의 체계는 완전히 파괴되고, 기독교에서 말하는 하나님은 "행동하는 임"으로서의 "하는님"일 수 있으며, 나아가 전체(全體)로서의 "한울(한울타리)"의 안녕을 도모하는 임의 존재로서 얼마든지 확장될 수 있습니다. 윤노빈은 다음과 같이 간단명료하게 말합니다. "이웃이 한울 나라다"(윤노빈: 327).

13. 우주의 꽃으로서의 생존: "생존"은 윤노빈 사상의 핵심적 사항입니다. 윤노빈은 인간의 본질을 생존이라고 규정하고, 이것을 "막힘없이(無窮) 피어나는 우주의 꽃이다"라고 명명한 바 있습니다. 생존은 한울 속에 가득 핀 무궁화라고 합니다. 이와 관련하여 윤노빈은 최시형의 시 「降詩」를 인용합니다. "물은 네 바다 한울에 흐르고, 꽃은 만 사람의 마음에 피었어라(水流四海天 花開萬人心)"(윤노빈: 292). 이러한 발언 속에는 시각적이자 요소론적인 차원으로 파악되는 "존재론"이 아니라, 협동과 해방에 토대를 둔, 서로 아우르는 인간의 관계론 내지 "상호성의 자아"가 내재하고 있습니다. 이것은 주체와 주체의 구분을 극복하는 상호주관적인 상호성 내지 협동적 의미를 지니고 있습니다. '만 사람의 마음에 핀 꽃'은 생존하는 큰 자아를 가리킵니다. 상호성의 자아는 서구의 개인주의에 바탕을 둔 일방적인 주체 내지는 개인으로 차단된 휴머니즘의 범주를 벗어날 뿐 아니라, 나아가 스피노자(Spinoza)의 범신론의 한계를 완전히 극복하는 "서로주체성" 내지 "상호 주체성"의 의지를 표방합니다. 더 큰 나, 나를 임신한 나, 상호성 속의 자아는 인민들에게 가해지는 질시, 모략, 미움, 간계, 감금, 그리고 분단을 떨치게 하고, 찬양, 협동, 사랑, 상호부조, 해방, 그리고 통일 등을 추구하게 합니다. 더 큰 나, 나를 임신한 나, 상호성의 자아야말로 인위적인 날조를 예리하게 깨닫게 하며, 이를 협동적으로 거부할 수 있는 힘을 지니고 있습니다.

14. 사고는 협동적 행위로 이해될 수 있다: 스피노자에 의하면 인간은 신의 섭리에 따라 유동하다가 사라지는 티끌에 불과할 뿐입니다. 그러나 "나"는 상대방의 응답 속에서 언제나 우리일 수 있습니다(김상봉: 287). 인간의 행위는 우주 전체를 고려할 때에는 휴식에 불과할 뿐입니다. 그렇지만 윤노빈에 의하면 소우주로서의 인간은 오로지 상호 도움을 통해서 대우주에 해당하는, 자연 속의 "불카누스"를 포괄하는 가장 고귀한 생명체로 발전할 수 있습니다. 왜냐하면 살아 계시는 인간은 모든 불신, 거짓, 갈등, 싸움, 구속, 분단 등을 극복하고, 같은 생각을 공유하며, 이웃과 한울타리 속에서 서로 협동하고 살아갈 가능성을 지니고 있기 때문입니다. 그렇기에 사유(思惟)는 윤노빈에 의하면 사유(私有)가 아닙니다(윤노빈 73: 262). 지금까지 한국 사람들은 고통, 감금, 불신, 그리고 분단이라는 질곡에서 살아왔습니다. 만약 분단을 극복하고 해방을 이룰 수 있다면, 배달민족의 생존은 이를테면 위로 솟아오르는 포르피리오스의 나무가 아니라, 생명의 가지를 옆으로 퍼뜨림으로써 많은 열매를 제공하는 포도나무로 비유될 수 있다고 합니다(윤노빈 73: 293). 협동적 생존과 관련하여 윤노빈은 사고를 다음과 같이 정리합니다. 생각은 일방적 지배관계가 아니라 기능적 상호 협조의 관계로 이해될 수 있다고 합니다. 이는 다음과 같은 명제로 표현될 수 있습니다. "우리는 함께 생각한다. 고로 나는 존재한다"(윤노빈 72: 126).

15. 동학의 세계사상적 의미: 인간은 본질적으로 우주의 꽃이지만, 주어진 현실에서는 억압당하며 살아가고 있습니다. 인간의 존재와 본질 사이의 거대한 위화감을 극복하기 위하여, 윤노빈은 무엇보다도 동학의 정신에서 하나의 해답을 찾으려 했습니다. 주지하다시피 착취와 정복의 욕망을 감춘 채 극동으로 파고든 서양의 학문은 결국 동학을 창조하게 하였습니다. 이 점을 고려할 때 동학은 처음부터 사랑과 단결이라는 정서 외에도

저항과 거역의 자세로 무장할 수밖에 없었습니다. 사랑과 단결 그리고 저항과 거역은 앞에서 언급했듯이 한울을 모시고(侍天), 한울을 키우며(養天), 한울을 실천하는(體天) 사상으로 발전되었습니다. 윤노빈은 세 가지 중요한 사항들 가운데 특히 해월 최시형의 "양천(養天)"을 가장 귀중하게 생각하였습니다. 한울을 키우는 과업이 무엇보다도 중요한 까닭은 거기에 어떤 새로운 깨달음, 갱생 속에 도사린 과정이라는 함의, 그리고 진리의 전달과 가르침이라는 방법론이 도사리고 있기 때문입니다. 이로써 한울은 자신의 삶의 의미를 깨닫고, 지금까지 살아오던 삶의 방식을 완전히 뒤집으며, 결국 더 나은 생존의 길로 향해서 나아갈 수 있습니다. 따라서 "초월, 해방, 그리고 통일"이라는 목표가 가능성 내지 과정으로서 한울을 키우는 작업을 무엇보다도 중요한 수단으로 삼아야 하는 것은 바로 그 때문입니다.

16. 윤노빈의 한울 사상은 생태계와 관련되는 생명 사상과 직결되지 않는다: 생존에 관한 윤노빈의 사상은 자연에 대해 이기적 태도를 취하는 서구의 휴머니즘과는 근본적으로 다릅니다. 이미 언급했듯이 서구의 휴머니즘이 개인 주체의 존재론적 가치를 부각시키는 반면에, 윤노빈은 사고의 공유화를 주창하며, 이와 관련하여 "더 큰 자아(Atman)," "나를 임신한 나"라는 보다 포괄적인 한울의 삶이 가능할 수 있다는 것을 조심스럽게 타진하기 때문입니다. 그렇기에 윤노빈의 한울 사상은 고통, 불신, 억압, 구금, 그리고 분단에 대한 극복을 우선적으로 추구합니다. 그렇기에 그것이 인간과 인간 사이의 협동을 추구하는 것은 당연합니다. 윤노빈은 한울과 관련하여 다음과 같은 도종법경(道宗法經)의 구절을 인용합니다. "사람이 바로 한울덩어리오/사람이 바로 만물의 정기니라/사람이 바로 한울이오/한울이 바로 사람이니/사람 밖에 한울 없고/한울 밖에 사람 없다(人是天塊也 天是萬物之精也 人是天 天是人 人外無天 天外無人)." 비록 윤노빈의 문헌에서 인간과 자연 사이의 교감에 근거한 이른바 "접화군생(接化群生)"의 입장이

부분적으로 엿보이기는 하지만, 엄밀하게 『신생철학』에 국한할 경우, 윤노빈의 사상은 흔히 말하는 생태계와 관련되는 생명 사상과는 다른 맥락에서 이해되어야 합니다. 왜냐하면 그것은 배달의 생존을 방해하는 거짓 이데올로기에 대항하는 과업을 일차적인 관건으로 생각하기 때문입니다. 누군가 김지하의 생명 사상과 율려 등을 언급하면서, 이를 윤노빈의 사상에 원용하려고 한다면, 이는 윤노빈 사상을 결과론적으로 뒤집어 해석하려는 처사가 아닐 수 없습니다. 1970년대에 나온 『신생철학』의 사상은 주어진 시대의 관점에서 이해될 수 있으며, 우리는 이와 관련하여 역사적·비판적 태도를 취해야 할 것입니다.

17. 생명 사상을 태동해 내는 엔텔레케이아: 그렇지만 윤노빈의 신생의 철학은 차제에 얼마든지 어떤 새로운 각도로 발전될 수 있습니다. 이미 언급했듯이 한울 사상에서 중요한 것은 다음과 같습니다. 인간은 모든 권위적 체제에서 태동하는 "인위적(人僞的)" 죽임을 간파하고, 한울의 생존을 위해 실천적으로 투쟁해 나가야 합니다. 『신생철학』이 간행된 지는 벌써 40년이 지났습니다. 아직도 한반도는 분단 상태로 남아 있으며, 생태 문제, 과학기술 내지 핵 문제 등, 우리의 삶을 위협하는 난제가 도처에 깔려 있습니다. 글로벌 자본주의 시대에 전체주의적 정책으로 일관하는 제반 국가들은 개개인의 삶을 힘들게 만들고 있습니다. 그렇기에 우리는 분단의 극복 외에도 국가의 거짓 이데올로기에 대응하며, 자유롭고도 평등하게 그리고 자연 법칙에 위배되지 않게 살아가는 실천적 방안을 강구해야 할 것입니다. 이와 관련하여 윤노빈 사상은 김지하의 생명 사상에 어떤 사상적 모티프를 전할 수 있을 것입니다(박준건: 28). 생각과 믿음 속에서 "더 큰 나"를 찾고 이를 가꾸어 나가야 한다는 윤노빈의 주장은 엄밀하게 고찰할 때 일차적으로 새로운 인간학의 관점에서 이해될 수 있습니다. 이는 나중에 김지하의 "내유신령" 사상과 간접적으로 접목될 수도 있습니다.

"內有神靈 外有氣化 一世之人 各知不移者也(내유신령 외유기화 일세지인 각지 불이자야)"(天道教 經典: 12), 즉 "안으로는 신령함이 있고, 밖으로는 기화가 있어, 온 세상 사람들이 모두 짝이 되어, 따로 떨어질 수 없다." 모든 생명 체, 모든 무기물 속에는 자체적으로 우주적인 영성이 도사리고 있는데, 이 는 김지하에 의하면 모든 생명체, 박테리아, 무기물질의 입자 속에서 일관 되게 활동한다고 합니다.

18. 자청해서 고통을 감수하며 협동적 사랑을 도모하는 한울: 생명의 출발 은 개체와 개체 사이의 흐름 속에서 접촉, 상호 교류, 그리고 분화의 과정 을 거칩니다. 마찬가지로 생존 역시 개별적으로 분화되고 구분될 성질의 것은 아닙니다. 이러한 사고는 개체로서의 "자아"와 "더 큰 자아" 사이의 상호작용에 관한 윤노빈의 이론에서 그대로 발견되고 있습니다. 물론 그 것은 피에르 테야르 드 샤르댕(Pierre Teilhard de Chardin)의 창조적 진화론 에서 유래한 것일 수 있으며, 나아가 에른스트 블로흐(Ernst Bloch)의 자연 주체에 관한 가설에서 암시된 바 있습니다(김진: 56 이하). 어쨌든 윤노빈 의 인간학은 장일순의 무위사상과 함께 상기한 생명 사상을 태동해 내는 엔텔레케이아를 지니고 있습니다. 만약 누군가 오늘날 『신생철학』을 깊이 탐독하면, 그는 아마 두 가지 사항을 결코 잊지 못할 것입니다. "큰 기쁨을 위해서 자청해서 고통을 감수하려는 인간 유형" 내지 "권력의 거짓된 폭력 에 저항하면서 협동적으로 사랑을 도모하는 한울에 대한 견고한 믿음" 말 입니다.

참고 문헌

- 김진: 에른스트 블로흐와 희망의 원리, 울산대출판부 2006.

- 라명재: 천도교 경전 공부하기, 모시는 사람들 2013.
- 박설호: 실패가 우리를 가르친다. 통일 전후의 독일 소설 연구, 열린책들 2013.
- 박준건: 김지하 생명사상과 율려사상에 대한 하나의 고찰, in: 대동 철학, 제20집, 2003, 23-50쪽.
- 윤노빈: 신생철학, 학민사 개정 증보판 1973/2003.
- 윤노빈: 동학의 세계사상적 의미, 실린 곳: 앞의 책, 333-363쪽.
- 윤노빈: 생각의 사회적 성격, 실린 곳: 철학 연구 7권 1972, 105-127쪽.
- 윤석산: 동학 경전, 동학사 2009.
- Ernst Bloch: Spuren, Frankfurt a. M. 1985.
- Ernst Bloch: Das Prinzip Hoffnung, Frankfurt a. M. 1985.
- Buber, Martin: Ich und Du. Mit einem Nachwort von Bernhard Casper. Reclam, Stuttgart 2008
- Lévinas, Emmanuel: Ausweg aus dem Sein. Hamburg: Felix Meiner, 2005
- Pierre Teilhard de Chardin: Evolution — die Schöpfung Gottes, Mainz 1996.

유물론적 모더니스트, 발터 벤야민

"그는 모든 사항을 죄다 알고 있었지만, 어떠한 하나의 이념을 최선으로 수용하지 않았습니다. 특히 정치적 이데올로기와 관련되는 문제일 경우 방관자와 같은 태도로 일관했습니다." (박설호)

1. 서툴게 살아가는 괴짜: "벤야민과 함께 있다. 그는 보들레르에 관한 에세이를 집필 중이다. (⋯) 아마 읽을 가치가 있을 것이다. 이 괴짜 벤야민이 그것을 쓸 수 있다는 것은 매우 진귀한 일이다. 그는 자신이 아우라라고 명명하는 것을 착수하려고 한다. 아우라는 지나간 시대의 제식과 함께 파괴된 것이라고 한다. (⋯) 모든 게 신비주의적이다. 신비주의에 반대하는 자세를 취하고 있음에도. 그러한 방식 속에다가 유물론적인 역사관을 적용하겠다니! 상당히 소름이 끼친다"(Brecht: 14). 인용문은 브레히트가 1938년 7월 23일 자신의 『작업일지』에 기록한 것입니다. 당시 브레히트는 히틀러의 폭력을 피해서 덴마크의 스벤보르크에 임시로 망명의 거처를 마련하고 있었는데, 그때 괴짜 유대인 비평가가 브레히트를 찾아온 것이었습니다. 이 기록은 벤야민에 대한 브레히트의 태도를 잘 나타내고 있을 뿐 아니라, 벤야민의 예술관의 특징을 암시해 줍니다. 어떻게 마르크스주의

미학이 이른바 보들레르의 문학에 담긴 유미적 퇴폐성과 접목될 수 있는
가? 그러나 다른 한편으로 이 점이야말로 브레히트가 벤야민의 깊이를 제
대로 이해하지 못했음을 반증하고 있습니다.

  2. 실험 미학: 벤야민은 유대주의의 종교적 체제 내지 율법을 체질적으
로 받아들이려고 하지 않았으나, 평생에 걸쳐 유대적 신비주의에 바탕을
둔 사물 인식에 대한 시각을 잃지 않았으며, 20년대 중엽부터 마르크스주
의 세계관을 수용하여, 이를 자신의 종말론적 역사관에 접목시켰습니다.
그러나 그 방법에 있어서 벤야민은 루카치와는 달리 부르주아 자본주의
문학에서 언제나 경원시되었던 전위적이고 국외자적인 특징을 찾아내려
고 하였습니다. 이를테면 그는 문예사조 가운데에서도 바로크 문학이라든
가 독일 낭만주의 문학을 집중적으로 연구하였던 것입니다. 이러한 특징
은 창작 기법적인 다양성과 깊이를 확장하려는 그의 올곧은 자세에서 기
인하는 것입니다. 발터 벤야민에게 중요한 것은 마르크스주의 미학의 완
벽한 틀을 재정립하려는 작업이 아니라 그것의 확장이었습니다. 말하자면
당시에 벤야민은 예술가의 지조라든가 세계관을 고려할 때 마르크스주의
가 가장 합당한 사상이라고 인정하였습니다. 그렇지만 그는 창작 방법론
을 염두에 둘 때 현대의 제반 예술적 사조 가운데에서 기이한 것들이 최대
한으로 수용되고 재생산되어야 한다고 주장하였습니다. 이를테면 벤야민
은 예술가의 예술적 생산의 힘을 특히 강조하였으며, 이를 전달하기 위해
서는 심지어 예술적 매체를 변혁시킬 정도의 적극성을 인정하였습니다. 바
로 이러한 까닭에 발터 벤야민은 유물론적 모더니스트라고 명명될 수 있
을 것입니다. 그렇다면 생산 이론이 마르크스주의 미학의 영역에서 얼마
나 커다란 입지점을 차지하며, 어떻게 확장될까요? 이에 관해서 연구할 가
치는 아직도 많습니다.

3. 벤야민 문예 이론의 수용 (1): 일단 발터 벤야민의 문예 이론이 서구에서 어떠한 각도에서 향수되었을까요? 이러한 물음은 한국에서 벤야민의 이론이 어떻게 수용될 수 있으며, 어떻게 수용되어야 하는가? 하는 문제에 좋은 범례를 제공해 줄 것입니다. 첫째로 20세기의 몇몇 문예 이론가들은 벤야민의 세계관의 핵심을 유대주의의 종말론으로 설명하려 하였습니다. 이를테면 벤야민의 오랜 친구이자 『유대교 문헌(Judaica)』을 저술한 게르숌 숄렘, 벤야민론을 집필한 사회학자 한나 아렌트, 그리고 실질적인 벤야민 연구자이자 유대교 내지 기독교의 신학적 차원에서 벤야민의 사상적 연원을 추적한 게오르크 카이저 등이 있습니다. 물론 벤야민의 사고의 근본을 이해할 때 유대주의를 도외시할 수는 없습니다. 이를테면 그의 글 「독일 문화에 있어서 유대인(Juden in der deutschen Kultur)」에서 나타나지만, 벤야민은 독일어권에서 활약한 유대인들의 사상적 깊이를 긍정적으로 받아들였습니다. 그러나 그가 『탈무드』라든가 유대적 카발라주의에 완전히 몰입되어 그것을 유일한 척도로 파악하지는 않았습니다. 그렇기에 벤야민은 나치가 독일 전체를 장악했을 때 "팔레스티나로 가자"는 게르숌 숄렘의 권고를 받아들이지 않았습니다(Scholem: 75, 79).

4. 벤야민 문예 이론의 수용 (2): 둘째, 벤야민의 예술론은 유물변증법적 미학과 관련 있습니다. 여기서 말하는 유물변증법적 미학이란 넓은 의미에서의 마르크스주의 예술론을 지칭합니다. 이에 속하는 학자들은 매우 많으며, 벤야민 연구에서 거의 주류를 이루고 있다고 해도 과언이 아닙니다. 이를테면 벤야민 사후에 그의 저작들을 정리하여 발표하는 데 일익을 담당한 테오도르 아도르노, 구동독의 사회주의 리얼리즘의 철칙을 수정, 보완, 변화를 꾀하려고 했던 미하엘 샤랑, 에른스트 블로흐 연구자이자 「상품으로서의 예술 작품」을 분석한 한스 하인츠 홀츠, 벤야민의 글을 모아서 편찬한 H. 슈베펜호이저, 그리고 벤야민 연구에서 빠뜨릴 수 없는

자로서 『발터 벤야민의 철학에 대한 연구』를 집필한 롤프 티데만 등이 있습니다. 벤야민의 대부분의 글들은 20년대에서 30년대 중엽에 집필된 것입니다. 게다가 1940년 9월 26일에 에스파냐 국경에서 음독자살하였으므로, 벤야민은 자신이 의도한 유물변증법적인 미학을 체계적으로 완성하지는 못했습니다. 비록 완전한 체계를 갖추지는 못했지만, 그의 논문 「생산자로서의 작가」, 「기술 복제 시대의 예술 작품」은 벤야민의 생산미학적인 입장을 극명하게 드러내고 있습니다.

5. 벤야민 문예 이론의 수용 (3): 특히 70년대에 이르러 서구의 몇몇 학자들은 벤야민의 문학론을 모더니즘의 주류라고 볼 수 있는 서구의 아방가르드 예술 운동으로 해석하려고 하였습니다. 이는 특히 20세기 전후에 유럽 전역에서 거세게 일기 시작한 초현실주의 내지 전위예술적인 제반 경향과 결부되는 해석이기도 합니다. 이를테면 서구의 아방가르드 문학에서 모더니즘의 실험 정신의 주류를 찾아내려는 페터 뷔르거, 벤야민의 예술에서 마르크스주의의 역사의식을 단절시키고 급진적인 예술관을 내세운 카를 하인츠 보러 등을 예로 들 수 있겠습니다. 이러한 이론들은 70년대에 이르러 — 비록 그 의도에서는 차이를 드러내지만 — 독일 전역에 대두되기 시작한 "역사 발전에 대한 환멸," "사회주의 공동체 운동의 약화" 그리고 "인간 내면의 문제에 대한 관심" 등에 의해서 적극적으로 수용되었습니다. 서구의 아방가르드 운동은 19세기 초에 프랑스혁명의 실패에 반기를 들고 일어난 낭만주의 운동과 평행선상에서 이해됩니다. 그런데 보러의 이론에는 여러 가지 의문이 도사리고 있습니다. 이러한 서구의 낭만주의 운동을 가장 특징적으로 나타내는 작가들은 독일의 낭만주의자, 프리드리히 슐레겔, 노발리스, 게오르크 포르스터 등이라고 말할 수 있습니다. 이들 문학은 혁명적 전위성을 추구하였으며, 20세기 모더니즘 운동에 지대한 영향을 끼쳤습니다. 나아가 표현주의라든가 초현실주의 문학에 반영

된 실험 예술 역시 사회 개혁적이고 혁명적인 문화 운동과 전적으로 위배되지는 않습니다. 전위적인 예술 구상이 이른바 사회주의 예술론과 엄격하게 구분되므로 배척되어야 한다는 보러의 주장은 성급하고 단선적일 수밖에 없습니다.

6. 번역 이론 (1): 필자는 벤야민의 문헌을 번역하기 위해서 번역 행위에 관해서 숙고하였습니다. 무릇 번역 작업은 한 언어를 다른 언어로 옮겨 놓는 것을 뜻하는 것만은 아닙니다. 그보다는 텍스트 속에 담긴 사상이나 감정을 가급적이면 정확하게 "옮겨 놓는 것(über-setzen)"을 뜻합니다. 그러기 위해서는 저자의 근본적인 사상을 이해함은 물론이며, 저자 및 독자의 이질적인 문화권의 차이 및 저자와 독자가 처해 있는 시대적 환경 내지 시대정신이 역자와 역자의 독자가 처해 있는 시대적 환경과 얼마나 차이점을 드러내는가? 하는 문제를 면밀하게 고려하지 않으면 안 됩니다. 문제는 번역 작업에 있어서 저자와 독자 사이의 "소통의 코드(Kommunikations-Code)"가 이중적으로 얽혀 있다는 사실입니다. 다시 말해, 번역 작업의 경우 "저자 → 원래 문헌 → 독자"라는 일차적 코드에다 "다른 문화권의 역자 → 번역 문헌 → 다른 문화권의 독자"라는 이차적 코드가 첨가됩니다. 바로 이러한 까닭에 번역 작업은 여러 가지 난제를 안고 있습니다.

7. 번역 이론 (2): 벤야민은 가장 훌륭한 번역 작업으로 자구적 의미에서 원문에 충실한 것을 손꼽은 바 있습니다. 그런데 그가 "유럽 언어권 내에서"라는 단서를 달았더라면, 그의 견해는 전적으로 타당했을 것입니다. 자고로 유럽어의 언어 체계는 동양의 그것과는 다르고, 문화권 및 주어진 시대정신 역시 이질적이므로 벤야민의 주장은 전적으로 타당하다고 말할 수는 없습니다. 현대의 번역 이론 역시 이를 증명해 주고 있습니다. 종래의 번역 이론에 의하면, 원전에 나타난 내용을 그대로 살려서 — 오리게네

스가 성서 해석의 방법으로 제시한 바 있듯이 ─ 자구적으로 옮겨야 한다는 것입니다. 이러한 주장을 내세운 사람으로 우리는 베르너 콜러(Werner Koller), 볼프람 빌스(Wolfram Wilss) 등을 들 수 있습니다. 이를테면 스위스의 언어학자, 베르너 콜러는 모든 텍스트를 비문학 텍스트와 문학 텍스트로 분류합니다. 전자의 경우 저자가 말하려는 내용은 한 가지이며, 후자의 경우는 여러 가지일 수 있다고 합니다. 그러므로 역자는 가급적이면 원저자의 의도를 살려야 한다는 이른바 일치 이론을 내세웠습니다(Koller: 216).

   8. 번역 이론 (3): 번역에서의 일치 이론이란 원저자의 의도와 번역서의 내용이 일치점을 드러내는 것을 중요한 골자로 여기는 이론입니다. 그런데 이러한 일치 이론의 중요성을 반박한 사람은 한스 요아힘 페르메어(Hans J. Vermeer)입니다. 번역자가 가급적이면 원저자의 의도를 충실히 따르는 것은 당연할 것입니다. 그렇지만 번역자가 저자의 노예로 기능할 수는 없습니다. 원저자의 문헌을 수용하여 번역하려는 역자의 마음속에도 어떤 나름대로의 의도가 도사리고 있습니다. 이러한 의도는 원저자의 의도와는 얼마든지 다를 수 있다는 것입니다. 이를테면 페르메어는 가다머의 해석학 이론을 번역 이론에 접목시켜서 원저자의 의도보다도 번역자의 의도와 독자의 관심사를 더욱 강조하였습니다(Vermeer: 30f). 그렇다고 해서 페르메어가 원저자의 집필 의도를 완전히 무시하자고 주장한 것은 아닙니다. 오히려 그의 번역 이론은 원문에 완전히 종속된 연역적 해석 이론을 벗어날 수 있는 가능성을 열어 주고 있습니다. 특정 저자의 책들 가운데 어느 책을 선택하는가? 하는 문제에서 역자는 많은 기여를 담당할 수 있습니다.

   9. 벤야민의 문헌들: 흔히 사람들은 벤야민의 대표적인 글들로서 다음을 언급합니다. 『독일 낭만주의의 예술 비평의 개념』(1919), 「괴테의 친화력

연구」(1921/ 22), 『독일 비애극의 원천』(1924/ 1928), 『일방통행로』(1925/ 28), 『베를린의 유년시절』(1932, 벤야민 사후 간행), 「기술 복제 시대의 예술 작품」(1935년 프랑스어로 집필, 1936/1955), 「역사의 개념에 대하여」(1940년 집필, 벤야민 사후 간행) 등이 그것들입니다. 독일의 주어캄프 출판사를 경영한 지크프리트 운젤트는 다음과 같이 말한 적이 있습니다. 벤야민의 좋은 글들은 학위 논문 내지 두툼한 글들이 아니라, 파리 시절의 산문, 편지들 그리고 「대마초에 관하여」와 같은 짧은 글들이라고 말입니다. 사실 벤야민의 사상은 짤막한 글에 담겨 있는 충격과 알레고리를 통해서 가장 잘 표출되고 있습니다. 그런데 벤야민의 짧은 논평의 글들은 대부분 빵을 벌기 위해서 집필된 것들입니다. 그러므로 전집 8권과 9권에 실려 있는 글들은 20세기의 탁월한 작가들, 이를테면 하인리히 만, 에즈라 파운드, 로베르트 무질 등에 관한 게 아니라, 오늘날 이름이 별로 알려지지 않은 작가들만 다루고 있을 뿐입니다. 게다가 루카치가 집중적으로 추적한 사회주의 예술론(이를테면 빌리 브레델과 루카치 사이의 논쟁)은 현장 비평에서 거의 언급되고 있지 않습니다.

10. 『**일방통행로**』: 『일방통행로』와 『베를린의 유년시절』은 벤야민이 남긴 탁월한 산문 작품입니다. 벤야민은 편지 이외에는 결코 "나"라는 단어를 사용하지 않는 탁월한 미셀러니를 집필하려고 하였습니다. 실제로 그의 산문 작품들은 논문보다도 더 커다란 예술적 가치를 지니고 있습니다. 왜냐하면 벤야민은 예술적 대상의 단편적이고 순간적인 모티프를 추적함으로써 사물의 핵심을 포착하려고 노력했기 때문입니다. 이는 이를테면 에른스트 블로흐의 중후한 글들 가운데에서 단상 모음집인 『흔적들(Spuren)』이 가장 훌륭한 이유이기도 합니다. 필자는 이 가운데에서 『베를린의 유년시절』을 선택하였습니다. 『일방통행로』는 너무 경구적이고, 바이마르 시대의 제반 정치적 사건과 관련되어 있으므로, 한국 독자에게는

생경한 느낌을 줄지 모릅니다. 게다가 책은 난해하고 모호하게 서술되어 있습니다. 책이 난해한 까닭은 벤야민이 하나의 가치 표현을 통하여 여러 의미를 부여하려 했기 때문이며, 그것이 모호한 까닭은 논리적 비약이 심하기 때문입니다. 바로 이러한 이유에서 에른스트 블로흐는 이 작품을 "리뷰 형식으로 쓴 철학서라기보다는 알레고리의 형상을 통해 묘사한 정치"라고 규정하였습니다(Bloch 62: 368f).

11. 『베를린의 유년시절』: 이에 비하면 『베를린의 유년시절』은 그 자체 훌륭한 회상록일 뿐 아니라, 이후 벤야민 이론의 기본적 사고의 초석이 되고 있습니다. 그가 어릴 때 대하던 사물이나 공간은 하나의 시적 대상이며, 예술 작품의 상이나 다를 바 없습니다. 이 작품을 통하여 우리는 "아우라," "예술 형식," "기억" 등에 나타나는 벤야민의 시각의 특성이 유년기의 직관적 상과 어떻게 결부되어 있는가를 이해할 수 있을 것입니다. 예술적 대상이 일상으로부터 독자적으로 파악된다면, 그것이야말로 사물의 가장 순수한 본질을 접하는 행위일 것입니다. 『베를린의 유년시절』은 일부 잡지에 발표되었는데, 하나의 책으로 간행된 것은 1950년대에 이르러서였습니다. 모든 출판사들이 시장성이 없다는 이유로 이 글의 출간을 거절했기 때문입니다. 그때 벤야민은 "독자층은 감독관이지만, 정신 나간 사람들이나 다를 바 없다"는 사실을 재확인해야 했습니다.

12. 벤야민의 생산 미학의 작품들: 마르크스주의 생산 이론의 진면목을 드러내는 벤야민의 글은 「생산자로서의 작가」 외에도 「기술 복제 시대의 예술 작품」일 것입니다. 벤야민은 1935년 경제적으로 매우 궁핍했을 때, 호르크하이머의 도움을 받아서 파리에서 이 글을 집필하였습니다. 호르크하이머는 벤야민의 글을 탐탁하게 여기지 않았으나, 그에게 원고료는 일시불로 지불하였습니다. 이는 ─ 50년대 초에 뉴욕에서 고통스럽게 살

던 막스 라파엘이 호르크하이머로부터 아무런 도움도 받지 못하고 자살한 데 비하면 ─ 대단한 호의였습니다. 호르크하이머가 벤야민에게 호의를 베푼 까닭은 오로지 아도르노의 중개 역할 때문이었습니다. 「생산자로서의 작가」에서 벤야민은 다음과 같이 주장합니다. 작가는 사회에 대한 어떤 책임감을 지니고 있는데, 주어진 자본주의의 생산의 틀을 수동적으로 활용하지 않고, 그것을 변화시키려고 노력합니다. 만약 사회체제가 바뀌면, 작가가 활용하는 창작 기법 역시 바뀌어야 한다고 벤야민은 믿습니다. 그런데 벤야민은 작가가 언제, 어디서, 어떠한 예술적 생산도구를 변화시켜야 하는가? 하는 물음에 관해서 분명한 대답을 하지는 않습니다 (Raddatz: 204f).

13. 「기술 복제 시대의 예술 작품」 (1): 예술 작품이 유일한 특성을 지닐 수 있는 까닭은 벤야민에 의하면 그 속에 아우라가 담겨 있기 때문이라고 합니다. 실제로 예술 작품은 과거의 전통과 관련하여 문화, 제식, 그리고 종교 등과 구분되지 않았습니다. 원래 예술 작품은 문화적 풍속, 제식, 그리고 종교 의식을 반영하려는 의도에서 탄생하였던 것입니다. 따라서 예술 작품이 독창성을 지니려면, 그것은 무엇보다도 내재적으로 신비롭고도 근접 불가능한 특성을 지녀야 했습니다. 이는 예술 작품이 관찰자와 얼마나 가깝게 위치하고 있는가? 하는 물음과는 무관합니다. 따라서 아우라는 예술 작품의 근접 불가능한 특성을 신비롭게 그리고 신화적으로 전해 주는, 그러한 기능을 담당하였습니다. 오늘날, 사진과 영화와 같은 임의로 복제 가능한 예술이 발전되었습니다. 이로써 예술 작품의 풍속 가치는 상품 가치로 교체됩니다. 이때 특히 영화의 경우 어떤 새로운 인지 형태가 출현합니다. 영화는 주어진 현실의 미세한 그물 구조를 파고듭니다. 그것은 세부 사항들을 사회적 관련성으로부터 일탈시킴으로써 새롭게 결합시킵니다. 가령 우리의 소외된 현존재(대도시, 사무실, 그리고 공장 등과 같은 간

힌 세계)는 필연적 당위성에 의해 조종되고 있지 않습니까? 영화는 바로 그러한 필연적 당위성에 대한 견해를 다양화시키고 증가시킵니다. 아우라를 담고 있는 예술 작품을 대할 때 관찰자는 "반사회적"인 명상에 사로잡히지만, 영화를 감상할 때 어떤 사회적 방향 전환을 체험합니다.

14. 「기술 복제 시대의 예술 작품」(2): 예술 작품의 기술적 복제 가능성은 벤야민에 의하면 예술과 정치 사이의 관계에도 지대한 영향을 끼칩니다. 가령 정치적 삶의 대중적인 "예술화"는 파시즘의 특성을 규정짓는 범례적인 표현이 아닐 수 없습니다. "정치의 예술화"는 모든 예술적 수단을 동원하여 실제로 전쟁을 미화시켰습니다. 그러니까 전쟁이란 벤야민에 의하면 "미적인 사건"으로 해석되었으며, "예술을 위한 예술(L'art pour l'art)"의 완성으로 수용되었다고 합니다. 벤야민은 다음과 같이 말합니다. "인류는 한때 호메로스에 의하면 올림포스 신들의 관찰 대상에 불과했다. 이제 인류는 자기 자신의 관찰 대상으로 변모했다. 인류의 이러한 자기소외는 계속 진척되었고, 끝내 자신의 고유한 존재를 없애는 일을 가장 훌륭한 미적 향유로 체험하게 만든다." 다시 말해서, 인류는 자신이 저지르는 전쟁 놀음을 이제 자신의 눈으로 관람하고, 이를 즐기게 되었습니다. 따라서 "정치의 예술화"라는 슬로건이 얼마나 예술지상주의로 남용되고, 파시즘의 전쟁 광분으로 악용될 수 있는가? 하는 물음은 우리에게 분명한 하나의 해답을 제공해 줍니다. 따라서 "정치의 예술화"는 지금까지 마르크스주의자들이 표방해 온 "예술의 정치화"와 정반대되는 슬로건으로 이해될 수 있습니다.

15. 괴테의 『친화력』 연구 (1): 「괴테의 친화력 연구」는 벤야민이 박사 학위 과정을 마치고 난 뒤에 집필한 본격적인 작품론입니다. 괴테의 작품에는 두 명의 남자와 두 명의 여자가 등장하는데, 이들은 제각기 부부임

니다. 그럼에도 그들은 제각기 상대방의 이성에 대해 호감을 느낍니다. 두 부부 사이의 어긋나는 애호의 감정은 마치 화학에서 서로 다른 개체에게 끌리는 화학 성분들 사이의 친화력의 관계로 설명될 수 있습니다. 괴테의 소설『친화력』은 「놀라운 이웃 아이들」이라는 그의 단편과 일맥상통하는데, 벤야민은 끝없이 성찰하려는 자세를 아무런 선입견 없이 수미일관 견지하고 있습니다. 이 단편에서는 어떤 젊은이가 등장하는데, 그는 물에 빠져 죽은 연인의 알몸을 망연자실한 채 바라봅니다. 그는 이전에 느끼지 못한 연인에 대한 깊은 사랑의 감정을 체험합니다. 이는 지극히 상징적입니다. 여기서 벤야민은 비평을 하나의 평가가 아니라 끝없는 성찰의 행위로 활용하고 있습니다. 괴테는 친화력을 통하여 다음의 사항을 성찰하려고 하였습니다. 즉, 사랑의 감정은 결혼과는 무방하게 출현할 수 있으며, 결혼이라는 체제 내에서의 사랑은 어쩌면 자연에서 일탈되어 버린 이상에 불과할 수 있다는 것입니다. 괴테는 알레고리의 이 장면을 통하여 사각의 애정관계에 둘러싸인 한 개인의 심리 상태를 예리하게 해부하였습니다. 벤야민은 바로 이 점을 예리하게 꿰뚫어보고 있습니다.

16. 괴테의『친화력』연구 (2): 벤야민은『친화력』에 담겨 있는 사각의 애정관계를 자신의 체험에 입각하여 분석하고 있습니다. 1917년에 벤야민은 도라 소피 폴락과 결혼했는데, 그 이후에도 그는 학교 친구였던 알프레트 코온과 한 집에 기거한 적이 있었습니다. 코온에게는 조각가 율라 코온이 있었는데, 벤야민은 그미에게 묘한 사랑의 감정을 품었다고 합니다. 여기서 중요한 것은 비평가의 사생활이 아닙니다. 여기서는 문학작품의 해석자가 바로 자기 자신의 체험을 해석한다는 사실이 가장 중요합니다. 자고로 예술 작품을 대하는 사람은 주어진 가상적 예술 세계에서 자기 자신의 모습을 고찰하게 되는 법입니다. 이는 예술의 향수 과정에서 드러나는 자신과의 만남인데, 에른스트 블로흐의『유토피아의 정신』에서도 묘사

된 바 있습니다. 두 명의 유대인 학자가 같은 시대에 달리 살면서도 어떻게 거의 유사한 사고를 개진할 수 있었는가? 하는 물음을 떠올리면, 우리는 동일한 시대적 배경과 현실의 영향이 얼마나 강렬한지를 감지할 수 있습니다.

17. 지배계급을 위한 역사적 범례:『독일 비애극의 원천』은 벤야민이 1924년 프랑크푸르트 대학교에 제출한 교수 자격 취득을 위한 논문입니다. 그런데 독문학자 프란츠 슐츠가 이를 거부했다는 사실은 널리 알려져 있습니다. 지금까지 학자들은 많은 역사적 범례들을 단순히 귀납적으로 추적하여 거기서 비애극이라는 개념을 도출해 내었습니다. 그런데 벤야민은 언어를 통하여 찾아낼 수 있는 비애극의 경험이나 근원을 중시합니다. 다시 말해서, 장르의 역사적 출처보다도 역사에서 비롯되는 동기가 중요하다는 것입니다. 벤야민은 다음과 같이 자신의 논리를 피력합니다. 즉, 역사적 학문을 다루는 연구자는 자신이 처한 현재에 중요하다고 판단되는 역사적 범례만을 고려한다고 말입니다. 이로써 연구에 필요하지 않은 범례들은 자동적으로 무시될 뿐입니다. 나아가 연구자는 인과율의 법칙에 의거하여 현재의 사실을 무의식적으로 과거의 사실에다 대입하려고 합니다. 벤야민은 이렇게 주장함으로써 다음의 사실을 지적하려고 했습니다. 즉, 상식적이고 무비판적인 역사는 오로지 지배계급을 위해서 활용된다는 사실 말입니다.

18.『독일 비애극의 원천』(1):『독일 비애극의 원천』은 서문을 제외하면 두 개의 부분으로 이루어져 있습니다. 그런데 가운데 실려 있는 제목 없는 부분을 내용상 하나의 독립된 장으로 파악할 수 있습니다. 제12장 "독일 비애극과 그리스 비극"에서 벤야민은 바로크 시대에 등장하는 권력자인 왕(王)을 두 가지 관점에서 해석하고 있습니다. 왕은 독재자 아니면 순

교자이며, 그가 사는 왕궁 역시 권모술수의 산실 아니면 타인을 위한 세계 시민이 거주하는 장소입니다. 왕들이 처한 시간과 장소 역시 파국의 시공간 아니면 목가적인 천국으로 이해됩니다. 벤야민은 독일 비애극을 그리스 비극과 구분합니다. 그리스 비극의 경우 주인공은 죽음을 통해서 자신의 운명을 극복하지만, 독일 비애극의 경우 장렬한 죽음과 관련되는 신화적 문제는 출현하지 않습니다. 이러한 구분을 통하여 벤야민은 바로크의 비애극 속에서 어떤 절대 국가의 폭력을 도출해 냅니다. 이러한 폭력은 두 말할 나위 없이 개개인의 무제한적 결정 능력에 바탕을 둔 민중의 주권 이론과는 정반대되는 것입니다. 벤야민은 카를 슈미트(Carl Schmitt)의 『정치신학 — 주권 이론에 대한 네 개의 장』을 인용하면서, 모든 국가 이론이 이른바 세속화된 신학의 개념임을 밝혀내고 있습니다(Benjamin, Bd.1: 248f). 현대 국가의 목표는 한 시대의 신학적 강령과 정치기구의 형태와의 관련성을 재구성하는 데 있다는 것입니다.

19. 『독일 비애극의 원천』 (2): 제2장에서 벤야민은 실제 세상의 모든 문제에 대한 해결책을 파기하는 대신에, 알레고리를 바로크 극의 핵심적 표현 형태라고 지적합니다. 바로크 극작가들은 자연적인 제반 관련성으로부터 고립되고 분해된 사상 속에서 어떤 이질적인 것을 결합시킨다는 것입니다. 이를 위해서 원용되는 부호는 알레고리라고 합니다. 알레고리의 사용은 그 자체 비연속적인 역사 진행과 형식적으로 일치합니다. 다시 말해, 고전 예술의 마지막 시기에 대두되는 방법론이 바로 알레고리의 사용인 것입니다. (이는 "자연은 더 이상 현재를 반영할 수 없다"라는 전위주의 예술 운동의 슬로건과 일맥상통하는 방법론입니다.) 다시 말해서, 바로크의 작가들은 이른바 인용이라는 놀라운 모자이크의 형식을 인정하자는 반고전주의의 방법론에 간접적으로 동조하고 있습니다. 심지어 논문 기술에 있어서 벤야민은 여러 가지 다양한 인용문들을 서로 끼워 맞추고 있습니다. 다시 말

해, 그는 알레고리의 사용자로서 자신의 고유한 사고를 인용문 속에다 대입시키는 셈입니다. 종래의 학자들은 세상의 비연속적 구조를 의식하면서도, 의도적으로 인과율의 관련성을 도입하는데, 이는 벤야민에 의하면 잘못이라고 합니다. 이러한 고전적·연속적 방법론을 깨뜨릴 수 있는 것이 바로 알레고리의 서술 방식이라는 것입니다.

20. **『독일 비애극의 원천』의 문헌학적 의미:** 여기서 우리가 가장 염두에 두어야 하는 것은 다음과 같은 두 가지 사항입니다. 그 하나는 주관적 정신의 오류 가능성이며, 다른 하나는 지식인의 모순적인 행위입니다. 전자에 의하면, 연구자는 자신이 중요하다고 판단하는 사항만을 연구 대상으로 삼으려 합니다. 후자에 의하면, 지식인은 한편으로는 자신의 이러한 주관적 판단을 맹신하면서 자신을 상실하지만, 다른 한편으로는 아담과 같이 진리를 찾는 자가 됩니다. 그렇기에 지식인은 끝내 모순적인 역할을 수행할 수밖에 없습니다. 그 하나는 죄인의 행위이며, 다른 하나는 성자의 행위입니다. 그런데 우리는 포스트모더니스트들이 성급하게 주장하는 것처럼 벤야민이 원칙적으로 주관적 정신의 오류 및 지식인의 역할 등을 부정적으로 간주했다고 결론을 내릴 수는 없습니다. 왜냐하면 벤야민은 예술 비평가의 행위를 서술한 게 아니라, 예술 비평가가 행할 수 있는, 어떤 가능한 특징을 있는 그대로 서술했기 때문입니다. 서문에서 나타나고 있듯이, 그는 극한적인 것에서 나타난 제반 현상을 구조함으로써 자신만의 독특한 예술적 이념을 발견하려고 하였습니다.

21. **「역사의 개념에 대하여」 (1):** 이 글은 벤야민이 1940년에 쓴 것으로서 불과 10페이지 남짓한 분량으로 이루어져 있습니다. 문장들은 의미론적 다양성을 드러내기 때문에 처음부터 다양한 해석의 가능성이 주어져 있습니다. 아니나 다를까, 「역사의 개념에 대하여」는 때로는 유대주의

의 신학으로, 때로는 유물변증법으로, 때로는 반유토피아주의 내지는 탈역사적 진보 이론으로 다루어지곤 하였습니다. 벤야민의 글에 나타난 유토피아의 특성은 한마디로 혁명적 메시아주의로 요약될 수 있습니다. 혁명적 메시아주의란 착취와 부패가 들끓고 있는 세상에 끔찍한 파국이 도래하기를 기대했던 예수 그리스도의 혁명적 기다림과 관련됩니다. 여기서 끔찍한 파국이 도래하기를 기다리는 태도는 그 자체 수동적인 것은 아닙니다. 왜냐하면 자연의 파국은 혁명적 대용물이지만, 아주 광범위한 사회적 변혁을 의미하기 때문입니다(Bloch 85: 581). 그러므로 벤야민의 혁명적 메시아주의는 유대교 및 기독교의 "종말론(Eschtologie)"과 평행선을 이루고 있습니다. 에른스트 블로흐가 『희망의 원리』에서 황금의 시대를 갈구하는 사람들의 갈망을 유토피아의 제반 성분으로 끌어들이려고 했다면, 벤야민은 그의 짤막한 글을 통하여 유토피아의 정신이 이미 "마지막 사실(Eschaton)" 속에 담겨 있다고 암시하였습니다.

22. 「역사의 개념에 대하여」(2): 벤야민은 역사 인식의 주체가 프롤레타리아라는 사실을 전제로 논의를 개진합니다. 지금까지의 역사란 가진 자들의 역사였으며, 문화 역시 이들의 전리품에 불과하다고 합니다. 역사란 동질적이고 공허한 시간이 아니라, "지금, 여기"라는 "현재 시간(Jetztzeit)"에 의해 충만된 것이라고 합니다. 다시 말해, 역사란 수학적 개념으로서의 시간이 아니라, 프롤레타리아의 의식에 떠오르는 혁명적 달력으로서의 시간을 뜻합니다. 벤야민은 "현재 시간"이라는 용어를 사용합니다. 현재 시간은 인과율에 입각한 역사의 집적체라기보다는 메시아적인 시간의 단편들로 중첩되어 있는 무엇입니다. 왜냐하면 괴로움과 억압을 당하며 사는 사람에게 황금의 시대를 기억하는 행위는 순간적으로 어떤 혁명의 촉발제로 작용하기 때문입니다. 이는 신비주의자 에크하르트 선사가 의식한 응축된 시간으로서의 "고정되어 있는 지금(nunc stans)"의 특성과 일맥상통

하는 것입니다.

23.「역사의 개념에 대하여」(3): 벤야민의 글에는 두 개의 알레고리가 등장합니다. 그것은 인형과 난쟁이의 비유 그리고 새로운 천사의 비유를 가리킵니다. 벤야민이 파울 클레의 그림을 토대로 묘사한 새로운 천사의 비유는 조아키노 다 피오레(Joachim di Fiore)의 천년왕국설을 연상시킵니다. 조아키노는 "어째서 모든 인간들은 마지막 시간에 정의의 심판을 받아야 하는가?" 하고 질문하였습니다. 마찬가지로 벤야민의 새로운 천사는 죄악을 처벌하는 자로서 묘사되고 있습니다. 인형(역사적 유물론)이 난쟁이(신학)의 조종에 의하여 장기 놀이에서 승리한다는 것은 무슨 의미를 담고 있을까요? 우리는 단순히 인형을 스탈린에 대한 비유로, 난쟁이를 기독교 사회의 히틀러로 이해할 수는 없을 것입니다. 왜냐하면 벤야민의 글은 단순히 정치 풍자의 차원을 넘어서기 때문입니다. 자고로 역사적 유물론은 풍요롭고도 평등한 사회를 이룩하려는 인간의 의지에서 태동한 것입니다. 이러한 의지는 역사철학적으로 유토피아의 상으로 이어져 왔습니다. 그렇지만 그것은 난쟁이가 인형을 조종하듯이 천년왕국을 기리는 인간의 종교적 의지를 세속적으로 탈바꿈시킨 것입니다.

24.「역사의 개념에 대하여」(4):「역사의 개념에 대하여」는 다양한 해석을 낳았습니다. 혹자는 벤야민이 문제의 접근 방법으로서 역사적 인과율을 처음부터 부정하고 있다고 주장하였습니다. 여기서 사람들은 역사 발전의 불연속성을 강조하며, 유토피아의 사고를 비판하려고 하였습니다. 이를테면 벤야민은 "더 나은 세상을 기리는 인간의 욕망은 결코 현실 속에서 이룩될 수 없다"고 주장한다는 것입니다. 이는 오늘날 벤야민을 자신의 논리 속으로 끌어들이려는 포스트모더니스트들의 태도이기도 합니다. 그러나 벤야민은 제반 학문의 역사적 연구에서 제외되는 사항을 새롭게

찾아내려는 의도에서 인과율을 부정했을 뿐, 유토피아가 지향하는 역사적 진보를 통째로 거부한 것은 아니었습니다. 이미 언급했듯이, 벤야민은 모든 사항에 관심을 드러내었을 뿐, 세계관에 있어서 하나의 확고한 해답을 선택하지 않았던 것입니다.

25. 『독일 낭만주의의 예술 비평의 개념』(1): 이것은 벤야민이 1919년 철학박사학위 논문으로 집필한 것입니다. 이 문헌은 20세기 초의 가장 탁월한 세 권의 예술철학서의 반열에 올랐습니다. 여기서 말하는 다른 두 권의 책은 게오르크 루카치의 『소설의 이론』과 에른스트 블로흐의 『유토피아의 정신』을 가리킵니다. 『예술 비평』(약칭)은 두 개의 장으로 이루어져 있으며, 맨 마지막에는 예술 비평에 관한 괴테의 견해와 초기 낭만주의자의 그것을 서로 비교하고 있습니다. 제1장은 독일의 초기 낭만주의자들이 직관적으로 파악하려고 했던 성찰의 개념을 체계화시켜서, 피히테의 인식 이론과의 차이점을 구명하고 있습니다. 자기 자신을 생각하는 성찰의 행위는 슐레겔과 노발리스의 경우 무한대로 이어진다고 합니다. 이는 분명히 피히테가 추구한 사고의 끝없이 이어지는 성찰의 행위와 어느 시점에서 멈추어 서는 정착의 행위와는 다르다고 합니다. 슐레겔은 이러한 성찰의 무한성을 그의 저작물에서 서술하고 있는데, 이는 벤야민에 의하면 하나의 절대적 시스템으로 정리될 수 있다고 합니다. 이러한 성찰의 역할 때문에 초기 낭만주의자들은 자기 인식의 바깥에 위치하는 인식을 인정하지 않았습니다.

26. 『독일 낭만주의의 예술 비평의 개념』(2): 벤야민은 예술 작품을 성찰의 매개체의 하나로 파악합니다. 예술 작품을 대하는 사람들은 예술을 통하여 자기 자신을 사고하게 되는데, 이러한 사고는 차단되지 않고, 계속 이어진다고 합니다. 예술의 수용자는 자신을 사고하며, 이러한 사고는 꼬

리에 꼬리를 무는 상처럼 계속 이어진다는 것입니다. 따라서 중요한 것은 예술가의 의도 내지 그가 처한 환경이 아니라, 예술 수용자의 성찰하는 행위와 예술의 형식이라고 합니다. 예술의 수용자는 아무런 선입견 없이 작품을 대하는데, 이러한 행위는 비평의 출발점이 된다고 합니다. 그것은 첫째로 성찰의 발전 가능성을 담지하기 때문에 직접적이고, 둘째로 예술 작품의 가치 평가와는 무관하며, 셋째로 부정적 평가를 불가능하게 합니다. 예술 수용자는 이러한 예술 비평의 행위를 통해서 예술의 절대적인 이념에 도달한다고 합니다.

27. 예술 비평의 가치와 문제점 (1): 그러면 벤야민의 예술 비평은 어떠한 이유에서 고유한 가치를 지닐까요? 우리는 이에 대한 해답을 두 가지 사항에서 찾을 수 있습니다. 첫째로 서구의 모더니즘 운동은 독일의 초기 낭만주의자들의 인식 이론적인 노력에서 기인하는데, 이러한 노력은 그들이 독자적으로 추구한 자기 성찰적인 특성에서 발견할 수 있습니다. 흔히 모더니즘 내지 아방가르드 예술 운동은 사회주의 예술론과는 거리감이 있는 자본주의 시민사회를 대변하는 것으로 취급되었습니다. 혹자는 초기 낭만주의에 나타난 자기 성찰의 문제가 어떻게 모더니즘 내지 아방가르드 예술론과 관계될 수 있는가? 하고 의구심을 품을지 모릅니다. 그러나 모더니즘과 아방가르드 예술에서 나타난 실험 정신은 인간의 주관과 자아의 문제를 집요하게 추적하는 것을 골자로 하고 있습니다. 놀라운 것은 70년대 구동독 작가들이 사회주의 문화 운동의 새로운 방법론으로서 자기 성찰의 문제를 다루고 있다는 사항입니다. 한마디로 말해서, 벤야민의 예술 이론은 정치적 이데올로기와는 별개로 해명될 수 있습니다. 그렇기에 그것은 사회주의 예술 이론의 방법론적 실험 내지 확장에 기여하는 것이지, 이에 전적으로 대립하는 것은 아닙니다.

28. 예술 비평의 가치와 문제점 (2): 결론적으로 말하건대 벤야민의『예술 비평』은 사회변혁의 동력으로서의 유토피아를 부정하려는 세계관과는 결코 접목될 수 없습니다. 이를테면 카를 하인츠 보러는 더 나은 세계를 공통적으로 갈구하는 노력을 처음부터 부인하면서, "오로지 예술 작품 속에서 유토피아의 요소가 발견될 수 있을 뿐이다"라고 주장한 바 있습니다. 물론 더 나은 세상을 갈구하는 인간의 노력이 역사적으로 결실을 맺지 못한 것이 거의 태반입니다. 그렇다고 해서 우리가 이러한 노력을 결과론적으로 부인할 수는 없습니다. 70년대에 이르러 서구에서는 독일 낭만주의, 발터 벤야민의 문예 이론, 그리고 니체의 철학에 관해 새로운 관심을 표명하였습니다. 68 학생운동의 후세대들은 더 나은 삶을 위한 공동체의 운동에 더 이상 커다란 기대감을 견지하지 않았던 것입니다. 이러한 입장은 포스트모더니즘으로 이어지고 있습니다. 그러나 벤야민의 예술 이론은 이른바 집단적 문화 운동으로서의 유토피아의 사고를 부정하는 보상 이론과 직접적으로 결부될 수는 없습니다. 물론 프랑스혁명 이후에 발생한 독일 낭만주의 운동은 68 학생운동 이후의 경향 전환과 묘한 평행선을 보여주는 것은 사실입니다. 그러나 벤야민은 초기 낭만주의 운동을 유토피아를 부인하려는 회의주의적 예술사조로 이해하지는 않았습니다. 낭만주의 운동 속에 담겨 있는 역사적 진보에 대한 비판적 시각은 초기가 아니라, 19세기 초반의 후기 낭만주의자들에게서 엿보이는 대목입니다. 벤야민은 전통 이론의 원칙에서 제외된 사항을 찾아서 거기에다 어떤 새로운 의미를 부여하려고 시도했을 뿐이지, 전통 이론의 원칙을 처음부터 매도하려고 하지는 않았습니다.

참고 문헌

- 반성완 (편역): 발터 벤야민의 문예이론, 민음사 1980.
- 벤야민, 발터: 괴테의 친화력, 최성만 역, 길 2012.
- 벤야민, 발터: 독일 비애극의 원천, 조만영 역, 새물결 2008.
- Benjamin Walter/Scholem G.: Briefwechsel, Frankfurt a. M. 1985.
- Benjamin, Walter: Gesammelte Schriften, Rolf Tiedemann (hrsg.), 12 Bände, Frankfurt a. M. 1980.
- Bloch, Ernst: Erbschaft dieser Zeit, in: GW. Bd 4., Frankfurt a. M. 1962.
- Bloch, Ernst: Das Prinzip Hoffnung, Frankfurt a. M. 1985.
- Brecht, Bertolt: Arbeitsjournal 2 Bde, Frankfurt a. M. 1974.
- Koller, Werner: Einführung in die Übersetzungswissenschaft. 4. völlig neu bearbeitete Auflage. Quelle & Meyer, Heidelberg/Wiedbaden 1992.
- Raddatz, Fritz J.: Revolte und Melancholie, Hamburg 1979.
- Vermeer, Hans J.: Übersetzen als kultureller Transfer, in: Mary Snell-Hornby (hrsg.), Übersetzungswissenschaft Eine neue Orientierung, München 1986.

발터 벤야민의 "아우라" 개념에 관하여

1. 발터 벤야민에 관한 의혹: 발터 벤야민의 문예 이론에 관한 연구는 특히 70년대 이후로 여러 나라에서 활발하게 진행되고 있습니다. 실제로 벤야민은 문학의 역사, 문학 비평, 그리고 이론적 토대를 쌓는 작업에 이르기까지 다양하고도 주도면밀한 관심을 기울인 것은 사실입니다. 그렇지만 벤야민 이론의 기저를 이루고 있는 세계관을 염두에 둘 때, 우리는 어떤 의혹에 사로잡히지 않을 수 없습니다. 벤야민은 자신의 특정한 세계관을 받아들이는 데 있어서 무척 신중한, 때로는 우유부단한 태도를 취했습니다. 그는 마르크스주의에 동조했으나, 스스로 진정한 마르크스주의자가 되지 못했습니다. 더욱이 자신의 문예 이론의 배후에는 유대주의적 사고가 도사리고 있었으나, 결코 그는 신념에 찬 시오니스트가 되지 못했습니다(블로흐 2012: 35). 그러니까 벤야민의 시각은 결국 모든 것을 지니고 있었으나 아무것도 소유하지 않았던 것입니다. 벤야민이 카프카의 문학에서 자신의 내밀한 문학적 정서를 발견한 것은 결코 우연이 아닙니다.

2. 본고의 목적: 본고의 목적은 벤야민의 문예 이론에서 나타나는 아우라 개념을 집중적으로 규명하는 데 있습니다. 따라서 본고는 벤야민의 문예 이론의 핵심 사항을 거시적으로 개관하려는 게 아니라, 아우라 개념만

을 미시적 차원에서 집중적으로 천착하려고 합니다. 예컨대 매체 이론, 역
사철학 논의, 미메시스와 언어철학의 논의 등은 본고에서 주제상의 이유
로 배제되었습니다. 그렇다고 해서 우리는 다음의 사항을 부인할 수 없
습니다. 즉, 아우라 개념은 오늘날 매체 이론의 논거의 모티프로 작용할
뿐 아니라, 현대 예술의 미의 본질적 개념의 중요한 열쇠가 되는 "순간성"
(Bohrer)을 이해하는 데 간접적으로 도움을 줍니다. 벤야민은 아우라의 개
념 및 이의 기능에 관해 집중적으로 추적하지는 않았습니다. 아우라 개념
은 특히 30년대 중반부터 집필된 일련의 논문에서 부분적으로 언급되고
있을 뿐입니다(가령 「기술 복제 시대의 예술 작품」, 「보들레르에게 나타난 몇 가
지 모티프에 관하여」, 「중앙 공원」 등이 그것들입니다). 일단 "아우라의 파괴"에
관해 언급한 다음, 벤야민의 예술 비평에 나타나는 아우라 개념을 약술하
고, 마지막으로 아우라 개념과 관련된 벤야민 문예 이론의 핵심 사항과 문
제점 등을 규명하기로 합니다.

   3. 예술 작품의 기능의 변화: 예술 작품은 오래전에 마법, 주술 등과 같은
종교적 제식의 일환으로 탄생하였습니다. 그리하여 그것은 오랫동안 일회
적이고도 신비로운 독창성이라는 권위를 지니고 있었습니다. 독창성은 관
찰자와의 거리감을 유지하게 만드는 자생적 권위인데, 관찰자는 처음부터
이러한 권위를 무의식적으로 인정할 수밖에 없습니다. 신의 얼굴(Peniel)
을 함부로 볼 수 없듯이, 예술 작품에 나타난 종교적 상 역시 함부로 쳐다
볼 수 없습니다. 유럽의 예술사를 고찰할 때, 18세기 초에 이르기까지 종
교, 특히 기독교 신앙은 예술적 창조와 불가분의 관계에 있었습니다. 따라
서 중요한 것은 제식의 가치가 예술의 기능 가운데 핵심 사항으로 작용하
였다는 사실입니다. 그런데 18세기와 19세기에 예술 작품에 새롭게 첨가
된 기능은 — 상품 가치를 반영한 — 이른바 전시 가치였습니다. 전시 가
치 내지 상품 가치는 과거 예술 작품이 지녔던, 이른바 종교적 제식의 기능

을 대치시키지는 않았으나, 이것과 차이를 드러내게 되었습니다. 아우라의 현상은 1850년경에 나타난 초상화에서도 여전히 남아 있고, 그 이후에는 드물게 발견될 뿐입니다(Benjamin GS. II: 368; Benjamin 69: 233).

4. 예술 활동의 기능 변화: 과거의 예술 작품은 이를테면 주조(鑄造), 목판화, 동판화 등의 방법으로 수공업적 재생산이 가능했습니다. 그러나 오늘날 예술은 인쇄술과 사진술의 발달로 대대적으로 복제할 수 있게 되었습니다. 특히 19세기 말 사회주의의 발전과 병행해서 나타난 것은 바로 사진술이었습니다. 현대에 이르러 아우라는 벤야민에 의하면 본연의 기능으로부터 멀어졌다고 합니다. 왜냐하면 기술 복제의 시대에는 예술 작품 속에 담긴 고유하고도 독창적인 아름다움이 제대로 기능할 수 없다는 것입니다. 이로써 과거에 한 번 존재했던 "진정한" 예술 작품은 본연의 가치로부터 일탈되기 시작합니다. 영화 산업에서 흔히 대두되는 "스타 숭배 현상"은 오로지 사라진 아우라를 대신해서 나타난 현상에 불과합니다. 영화배우는 관객 앞에서가 아니라, 하나의 기구, 다시 말해서 카메라 앞에서 연기합니다. 그러니까 카메라가 영화배우를 기술적으로 테스트한 다음에 관객은 그의 연기를 접할 수 있게 됩니다.

5. 영화 감상의 과정, 예술의 정치화: 예술 작품을 감상하는 과정과는 아주 다르게 전개되는 영화 감상의 과정을 생각해 보세요(Benjamin GS. I: 479). 예컨대 한 장의 그림은 개별적 관찰자를 요구합니다. 그림을 바라보는 관찰자의 태도는 결코 사회적이 아닙니다. 그것은 개인적으로 진행된다는 점에서 독자적이고 명상적입니다. 이에 반해 영화는 즉시 전체적인 수용을 요구합니다. 영화관 속의 관객들은 깊은 명상에 사로잡히지 않으며, 그러한 상황에 침잠할 수도 없습니다. 왜냐하면 영화 속의 상은 그야말로 "쇼크"처럼 변화되기 때문입니다. 상의 변화는 관찰자의 집중된 상의

수용을 방해합니다. 관객은 시험관(Examinator)이기는 하나, 분산(分散)된 사람일 수밖에 없습니다. 영화 감상은 벤야민에 의하면 "하나의 분산 속의 수용(Rezeption in der Zersteuung)"에 해당하는 무엇입니다. 예술 작품의 기술적 복제 가능성은 예술과 정치 사이의 관계에도 지대한 영향을 끼칩니다. 가령 정치적인 삶의 대중적인 "예술화"는 파시즘의 특징을 규정짓는 범례의 표현입니다. "정치의 예술화"를 처음으로 사용한 사람은 이탈리아의 미래주의자이자 파시스트인 마리네티(Marinetti)였습니다. 실제로 마리네티는 1936년 이탈리아의 에티오피아 식민지 전쟁 당시에 그러한 표현을 사용했던 것입니다. "정치의 예술화"는 벤야민에 의하면 "예술을 위한 예술(L'art pour l'art)" 원칙의 성도착적인 완성이라고 합니다. 대신에 벤야민은 예술이 더 이상 "제식"과 주술이 아니라 "정치"에 입각한 것으로 규정되어야 한다고 주장합니다. 그러니까 벤야민에 의하면 파시즘의 미학에 대해 공산주의는 "예술의 정치화"로 답해야 한다고 합니다.

6. 아우라의 쇠퇴와 현대 예술의 기능: 벤야민은 현대 예술에서 아우라의 쇠퇴를 무조건 부정적으로 평가하지는 않았습니다. 오히려 정반대입니다. 비록 아우라가 우리에게 직접 전해 주는 기능은 약화되었지만, 예술가는 다양한 예술적 수단을 동원하여 새로운 예술적 기법을 실험할 수 있게 되었다는 것입니다. 이를 위해서 벤야민은 다른 논문에서 초현실주의 문학의 긍정적 기능을 언급한 바 있습니다(Benjamin 75: 87f). 예컨대 이로써 벤야민은 연극, 영화, 그리고 사진 예술 등에 필요한 제반 기법들의 개발을 강조하였고, 나아가 생산 미학적 예술 창조의 가능성을 열어 주고 있습니다. 그렇지만 예술의 창조적 유형, 특히 무산계급에 적합한 새롭고도 분산된 유형 가운데 과연 무엇이 그들의 정치적 미래를 보장해 줄 것인지에 관해서 벤야민은 침묵을 지키고 있습니다. 그렇지만 우리는 벤야민의 논문에서 벤야민의 입장을 어느 정도 유추할 수는 있습니다. 앞에서 언급했

듯이, 벤야민은 아우라를 지닌 자생적 작품이 사라지는 데 대해 찬성합니다. 그렇지만 아울러 그는 아우라의 파괴 이후에 과연 무엇이 미적으로 그리고 정치적으로 비판적 기능을 수행할 것인지에 대해 심히 우려하고 있습니다. 이러한 우려는 테오도르 아도르노에게서 특히 강조되어 나타났습니다. 아도르노는 아우라의 상실을 매우 부정적으로 평가하였습니다. 가령 그는 수차에 걸쳐 재즈를 반동적이고 원시적인 새로운 야만 등으로 규정하였습니다(Adorno 77: 135). 아도르노에 의하면, 모던 예술에서 역사적 인식은 표현될 수 없었다고 합니다. 그렇기에 순간적 인식만이 하나의 쇼크처럼 드러날 수 있는데, 역사적 인식은 오로지 예술이 은근히 드러내는 "방자함(désinvolture)"을 통해서 도전 받을 수 있다고 합니다(Kracauer: 195).

7. 아도르노에게서 아우라의 상실, 자연미: 아도르노의 세밀한 이론을 여기서 축약한다는 것은 한마디로 무리입니다. 그럼에도 간단하게 지적하자면 벤야민의 아우라 개념은 아도르노에 의하면 "동경적 부정(die sehsüchtige Negation)"으로 규정될 수 있다고 합니다(Adorno 71: 73). 개인적이고 특수한 경험은 전체적이고 보편적인 체험에 의해 잠식당하기 일쑤인데, 벤야민은 이를 그렇게 표상할 수밖에 없었다고 합니다. 그러나 이러한 입장은 엄밀히 말하자면 벤야민을 아도르노 자신의 입장으로 편입 내지는 끌어들인 것입니다. 벤야민이 현대 예술에서 "아우라의 쇠퇴(Verfall der Aura)"를 이야기했다면, 아도르노는 현대 예술에서 "아우라의 상실(Verlust der Aura)"을 지적하고 있습니다. 기실 아우라의 쇠퇴와 아우라의 상실 사이에는 엄청난 의미론적 차이가 도사리고 있지 않습니까(Benjamin GS. II: 372). 물론 자연미의 기능은 아도르노에 의하면 아우라의 그것과 유사한 맥락에서 파악될 수 있습니다. 예술 작품에 대한 감동은 아도르노에 의하면 작품 속에 내재한 자연미에 영향을 받기 때문입니다. 자연의 아름

다움은 스러져 가는 제반 자연의 일회성 내지는 덧없음, 상실에 대한 아쉬움 등을 간접적으로 인지하게 해준다고 합니다. 따라서 예술 작품은 아도르노에 의하면 궁극적으로 유토피아적 사고를 비판하는 "훌륭한" 기능을 지닙니다. 기술 복제 시대의 예술에서는 아우라의 기능이 거의 무시되고 있는데, 이로 인해서 인공적 조작, 얄팍한 조종, 그리고 통속적 기법 등이 상품 예술 창조의 수단으로 이용될 위험성을 안고 있다고 합니다.

8. 아우라는 대체 무엇인가?: 지금까지 우리는 벤야민의 논문 「기술 복제 시대의 예술 작품」에 실린 아우라의 쇠퇴와 현대 예술에 관해서 약술해 보았습니다. 지금까지의 언급 속에는 부분적으로 잘 알려진 내용이기 때문에 별반 새로운 것은 없습니다. 그러나 아우라의 개념 및 기능은 엄밀한 해명을 요합니다. 일단 아우라의 어휘적 의미를 살펴보기로 합시다. "아우라"란 라틴어의 "aura"(αύρα, 공기라는 뜻)에서 비롯하였습니다. 어원상으로 고찰할 때 그것은 그리스 신화에도 등장하는 "오로라"에서 파생된 개념입니다. 아우라는 첫째로 부드러운 바람 내지 메아리, 둘째로 (보편적으로 사용하는 개념으로서의) 공기, 그리고 셋째로 숨결 내지는 호흡이라는 뜻을 지니고 있습니다. 그런데 호흡 내지는 숨결이라는 표현 속에 생명을 지닌 영혼의 뜻이 담겨 있다는 점은 — 나중에 다시 언급되겠지만 — 무척 중요한 사항을 암시해 주고 있습니다. 넷째로 아우라는 희미한 빛, 흔적으로서의 상, 그리고 여명 등을 뜻합니다. 예컨대 17세기 네덜란드의 렘브란트(1606-1669)의 회화 작품에 나타나는 독특하고 환상적인 풍경화, 종교적 신비주의, 기이한 명암 효과를 통한 대담한 극적 구성 등을 생각해 보세요. 다섯 번째로 아우라는 죽지 않은 영혼 내지는 영적인 기운(靈氣)이라는 뜻으로 사용되고 있습니다. 벤야민의 아우라 개념은 상기한 내용 가운데에서 무엇보다도 세 번째, 네 번째, 그리고 다섯 번째 사항과 관련됩니다. 영적인 기운 내지 신비로울 정도로 희미한 빛 등은 반드시 예술 작품 속에

만 등장하는 것은 아닙니다. 우리는 일상생활에서도 하나의 가상과 마주칠 때가 있고, 마치 죽은 영혼이 우리 앞에서 하나의 상과 착종되어 나타나는 것을 경험할 수도 있습니다. 특히 예술 작품에서 그러한 빛, 흔적으로서의 상, 그리고 영적인 기운과 마주칠 수 있습니다. 예술 작품이 맨 처음에 종교적 · 주술적 기능을 담당했다는 것을 생각해 보세요.

9. 예술 작품의 아우라 속에 나타나는 세 가지 특성: 벤야민은 과거의 전통적인 예술 작품에서 풍겨 나오는 현상적 아름다움을 거시적인 의미에서 "아우라"라고 명명하고 있습니다. 아우라는 예술적 경험의 전달 가능한 조건이며, 이러한 조건은 예술 작품의 유일한 독창성과 결부되어 나타나는 것입니다. 벤야민이 아우라 개념을 집중적으로 숙고한 시기는 보들레르의 문학을 추적할 때였습니다. 실제로 보들레르는 자본주의 사회의 병리적 물화 현상을 아이러니하게도 "후광의 상실(Verlust der Aurora)"로 표현한 바 있습니다. 그렇다면 예술적 경험의 전달 가능한 조건은 어떻게 현상적으로 설명될 수 있을까요? 아우라는 겉으로 드러난 양태를 고려한다면 1. 원근 관계의 착종 현상, 2. 주체와 객체 사이의 교차 현상, 3. 은폐와 발현의 매개 현상 등으로 설명될 수 있습니다.

10. 원근 관계의 착종 현상 (1): 아우라의 현상적 특성으로서 우리는 원근 관계의 착종 현상을 들 수 있습니다. 벤야민에 의하면 예술 작품은 아무리 가까이 있다고 하더라도 "멀리 떨어진 것의 일회성"을 드러낸다고 합니다. 일단 우리는 벤야민의 글을 인용해 보기로 하겠습니다. "후자의 이것[자연적 대상의 아우라: 필자]을 우리는 아주 가까이 있다 하더라도 어떤 먼 곳의 일회적 현상으로 정의 내릴 수 있을 것이다. 어느 여름날 오후 느긋한 상태에서 휴식하는 사람은 그림자를 드리운 먼 지평의 산맥과 나뭇가지를 바라보게 된다. 이때 산맥과 나뭇가지의 아우라는 마치 하나의 생명

처럼 숨 쉬고 있다"(Benjamin GS. I: 479). 예술적 대상이 되는 자연은 예술
가에게 생명이 깃든 신비로운 본질을 전해 줍니다. 예술의 대상은 그 자체
생동하는 범신론적인 신비로움입니다. 그런데 "아주 가까이 있다 하더라
도 어떤 먼 곳"으로 느끼게 하는 것은 무엇 때문일까요? 그것은 종교적 기
능 때문에 생겨난 것입니다. 숭배의 대상인 신에게 가까이 접근해서는 안
되듯이, 예술 작품 역시 근접 불가능한 요소를 지니고 있었던 것입니다. 가
령 17세기 말까지 특히 회화 작품은 거의 종교적 색채를 드러내고 있었습
니다. 그렇기에 눈앞에 보이는 작품은 아주 먼 곳의 일회적 모습으로서의
원근 관계의 착종(錯綜, intricateness)으로 느껴질 수밖에 없습니다.

   11. 원근 관계의 착종 현상 (2): 자연현상에 대한 형상 이미지는 예술 작
품과 관찰자 사이에서 미적인 긴장 관계를 불러일으킵니다. 탁월한 예술
작품은 우리의 눈앞에 있으나 아주 멀리 떨어져 있는 것처럼 착각을 불러
일으킵니다. 작품 자체가 발하는 고유한 아름다움인 아우라는 낯설고 기
이한 생동감 속에서 표출되는데, (특히 회화 작품의 경우) 원근, 색채의 조화,
그리고 명암 등의 차이에 의해서 관찰자에게 무엇보다도 하나의 생명력을
전해 줍니다. 바로 그러한 낯설음을 통해서 예술 감상자는 "마치 눈꺼풀
이 찢겨 나간 듯한(als ob einem die Augenlider weggeschnitten wären)" 느낌
을 받으며(클라이스트), 다음의 사항을 예술적으로 경험하게 됩니다(Kleist:
327). 즉, 예술 작품 속의 대상이 마치 하나의 생명체처럼 살아서 생동하는
그러한 경험 말입니다.

   12. 원근 관계의 착종 현상 (3): 라파엘로의 〈시스티나의 성모〉를 예로
들어 봅시다. 그림 속에서 우리는 기하학적으로 완벽한 일원성을 조망할
수 있습니다. 그럼에도 불구하고 이러한 일원성은 그림 속의 등장인물을
어떤 특정한 장소에 국한시키지 않고 있습니다. 등장인물은 가까이 서 있

지도 않고, 멀리 떨어져 있지도 않습니다. 그러니까 성모가 위치한 곳이 이 승인지 저승인지 분간이 가지 않습니다. 그림 속에서 커튼은 어떤 아우라 를 형성시키고 있는 틀로 작용하고 있는데, 성모가 커튼 앞에, 혹은 커튼 사이에, 혹은 커튼 뒤에 둥둥 떠 있는지 분간이 가지 않습니다. 성모는 내 려오는 듯이 솟아오르고 계시며, 천국에서 내려오면서도 상승하는 것 같 습니다(Bloch 85: 990). 성모가 계신 곳은 한마디로 납치당하는 장소이자, 동시에 귀향의 장소이기도 합니다. 영광스러운 성모(Madonna gloriosa)의 특성은 둥둥 떠 있는 상태인데, 『파우스트』에서 이와 근친하게 다루어지 고 있습니다.

13. 주체와 객체 사이의 교차 현상 (1): 우리는 아우라의 현상적 특징을 주체와 객체 사이에서 일회적으로 나타나는 착종 내지는 교차 현상으로써 설명할 수 있습니다. 주체와 객체의 뒤바뀜은 예술적 상에 대한 인지 내지 는 의식의 차원에서 가능할 뿐, 결코 현실적으로 출현할 수 없습니다. 이 러한 현상은 예술 작품을 대하는 주체와 객체로서의 예술 작품 사이의 어 떤 관점의 전환을 통해서 출현할 수 있습니다. 벤야민은 보들레르에 대한 논문 「보들레르에게 나타난 몇 가지 모티브에 관하여(Über einige Motive bei Baudelaire)」에서 다음과 같이 말합니다. "아우라의 경험이란 인간 사회 에서 통상적으로 드러나는 어떤 반응 형식을 인간에 대한 생명 없는 무엇 혹은 자연의 관계로 이전시키는 데 근거한다. 누군가에 의해 바라보이는 자 혹은 누군가 자신을 바라보고 있다고 느끼는 자는 눈을 부릅뜬다. 우 리가 어떤 현상의 아우라를 경험한다는 것은 시선을 부릅뜰 수 있는 능력 을 부여받았다는 것을 뜻한다"(Benjamin GS. I: 647). 벤야민은 이러한 능력 을 포에지의 원천이라고 설명하며, 카를 크라우스의 말을 인용하고 있습 니다. "우리가 어느 단어를 가까이 응시하면 할수록 그 단어는 더욱 멀리 서 우리를 되돌아본다."

14. 주체와 객체 사이의 교차 현상 (2): 예술 작품을 바라보고 있으면, 관찰자가 예술 작품을 바라보는 게 아니라, 마치 작품이 자신의 존재를 바라보고 있음을 불현듯 느끼게 됩니다. 마찬가지로 예술 작품 속의 객체는 스스로 누군가에 의해서 "바라보이"고 있다고 느낄지 모릅니다. 물론 이는 인간의 인식에 의해 확인될 성질의 것은 아닙니다. 또 하나의 예를 들어 봅시다. 어느 종교인은 "자신이 신에 의해서 관찰 당하고 있을 때 그야말로 영적인 긴장감에 사로잡힌다"라고 말합니다. 이러한 긴장감은 인용문에서 "(눈을) 부릅뜬"다고 표현되어 있습니다. 바로 이러한 긴장 관계 속에서, 다시 말해서 예술 작품과 예술 감상자 사이의 쌍방의 조우를 통해서 아우라는 형성될 수 있습니다. 여기서 주체와 객체의 만남은 작품과 관찰자 사이의 공간적 만남일 뿐 아니라, 자기와의 만남이기도 합니다. 자기와의 만남이란 다음의 상황을 뜻합니다. 예술 감상자와 예술적 대상 사이의 차이가 없어지는 상황이 바로 그것입니다. 미적 체험은 예술 작품을 하나의 거울로 만들고, 그 속에서 인간 자신의 (갈망하는) 모습을 바라보게 됩니다. 가령 에른스트 블로흐는 예술적 상을 거울에 비친 자신의 (다른) 상으로 규정하고, 여기서 "자신과의 만남"이라는 카테고리를 끌어내고 있습니다 (Bloch 64: 47f).

15. 주체와 객체 사이의 교차 현상 (3): 나아가 미적 체험은 과거와 현재 사이를 조우하게 하는 역사적 만남이기도 합니다. 왜냐하면 예술 작품이 역사적 내용을 담고 있다면, 예술 감상자의 의식 속에는 현재의 내용이 전의식으로 남아 있기 때문입니다. 아우라의 경험은 자연적 풍경, 유년, 그리고 시대상 등에서 발견될 수 있으며, 주체와 객체 사이의 교차 내지 착종을 통한 어떤 가능한 화해의 상을 암시합니다. 주체는 예술 작품 속으로 빠져 들어가고, 대상인 예술 작품은 하나의 생명력을 지닌 채 예술 작품을 감상하는 주체에게 화답하는 경우를 상상해 보세요. 이러한 경험은

현재와 과거를 동시에 의식하는 응집된 행위에서 비롯하는 것입니다. 벤야민은 이를 자신의 특유한 개념인 "환기(喚起, Eingedenken)"로 설명하고 있습니다. 이는 어떤 가능한 "자아의 상호주관적 상태"로 명명되며, 시공 사이를 연결시켜 주는 "교묘한 거미줄"의 구조로 비유될 수도 있습니다(반성완: 379). 그것은 주체와 객체의 교차 내지는 뒤바뀜을 전제로 하고 있다는 점에서 "간주객적(間主客的)"이자 상호 엉켜 있는 착종 상태에 머물고 있습니다. 한마디로 말해서, 아우라의 경험은 "무의지적 기억(mémoire involontaire)"을 통해서 드러나는 갈망의 구조입니다. 아우라는 주체와 객체 사이의 교차 내지는 착종 상태에서 출현하는데, 이로써 "망각된 인간적인 것"이 우리의 의식 속에 떠오르게 됩니다(Krückeberg: 40).

16. 은폐와 발현 사이의 매개 현상 (1): 예술적 경험의 전달 가능한 조건으로서의 아우라는 은폐와 발현 사이의 매개 현상으로 설명될 수 있습니다. 아우라는 벤야민에 의하면 "무의지적 기억(mémoire involontaire)" 속에서 불현듯 떠오르는데, 이때 아우라의 발현은 오로지 일회적이라고 합니다. 일단 보들레르에 대한 논문에 실린 벤야민의 언급을 살펴보기로 하겠습니다. "만약 우리가 무의지적 기억 속에 자리 잡은 채 직관의 대상들을 모으려고 애를 쓰는 상상들을 '아우라'라고 명명한다면, 직관의 대상에 있는 아우라는 어떤 연습으로서의 실용적 대상으로부터 일탈되는 경험과 일치한다"(Benjamin GS. I: 232). 같은 논문의 뒷부분에는 다음과 같은 글이 기술되어 있습니다. "그 밖에 그것들[무의지적 기억의 자료들: 필자]은 일회적이다. 즉, 이러한 자료들은 그것을 붙잡아 자기 것으로 만들려고 시도하는 기억으로부터 빠져나간다. 이러한 특성은 아우라 현상의 주술적 특성을 투영시켜 준다. 본질적으로 멀리 있는 것은 근접 불가능하다. 실제로 근접 불가능함이란 종교적 제식에 관한 상의 주요한 특징이다"(Benjamin GS. I: 646; Benjamin 69: 234f).

17. 은폐와 발현 사이의 매개 현상 (2): 인용문에 나오는 무의지적 기억이라는 개념은 일상 용어가 아닙니다. 이미 언급했듯이 벤야민은 보들레르에 대한 논문에서 시간과 기억의 개념을 이중적으로 설명하고 있습니다. 프루스트의 작품에서 자아가 잃어버린 과거의 흔적을 떠올리는 기억은 "의지적인 기억"과는 달리 "무의지적"입니다. 다시 말해서, 그것은 "주체 중심적인" 일방적인 자기 의지에 따른 것이 아니라, 주체의 인위적이고 임의적인 기억 행위를 벗어난 기억입니다. "의지적 기억"이 일상에 바탕을 둔 것이며 과거의 체험에 국한되는 것이라면, "무의지적 기억"은 우연히 떠오른 — 현재의 심적 상태와 무관하지 않는 — 과거에 대한 내밀한 경험입니다. 무의지적 기억과 의지적 기억 사이의 관계는 베르그송의 개념인 "순수 기억(mémoire pure)"과 습관적 기억 사이의 관계와 상통하는 것입니다. 그러니까 순수 기억이 무의지적 기억과 연결되는 것이라면, 습관적 기억은 의지적인 기억과 관련되는 것입니다.

18. 베르그송의 시간 개념: 베르그송은 사람들이 시간을 너무 공간적으로 파악하고, 시간에다 공간적 인식을 적용했다고 주장합니다. 그리하여 사람들은 시간을 수학적으로 셀 수 있는 것으로 만들었다고 합니다. 이에 비해 인간의 직관은 베르그송에 의하면 인식 주체와 대상과의 동일성에 이르도록 하고, 시간을 하나의 "지속(durée)"으로 파악하게 한다는 것입니다. 이로써 현실을 무한한 창조적 다양성으로 체험할 수 있다고 합니다(Bergson: 45). 그러니까 순수 기억은 이른바 습관적인 기억과는 다릅니다. 습관적 기억이 현재와 구분되는 과거의 수학적인 시간에 국한되는 것이라면, 순수 기억은 인간의 의식 속에서 현재로 연장되는 시간에 대한 경험을 포괄하고 있습니다. 따라서 그것은 현재와 관련되며, 현재를 풍요롭게 만드는 기억인 것이다. 바로 이러한 특성 때문에 순수 기억은 벤야민의 "환기"와 일맥상통하고 있습니다. 논의에서 벗어난 말이지만, 오스트리아

의 문예 이론가, 에른스트 피셔(Ernst Fischer)는 "환기"의 개념을 「창세기」에 나오는 처음으로 대하는 상 내지 어린아이의 첫 현실 경험으로서의 상과 관련되는 "직접성(Unmittelbarkeit)"이라는 개념으로 설명하려고 했습니다(Fischer: 200).

19. 은폐와 발현 사이의 매개 현상 (3): 상기한 내용과 관련하여 아우라의 세 번째 특성이 드러납니다. 즉, 아우라는 "연습으로서의 실용적 대상"으로부터 일탈된 무의지적 기억에서 출현합니다. 왜냐하면 실용적 대상은 "자기 것으로 만들려고 시도하는" "의지적 기억"의 대상으로서 주체의 특정한 필요에 의해서 끌어낸 과거 사실로 국한된 기억이기 때문입니다. 여기서 우리는 한 가지 명확한 사항을 추출해 낼 수 있습니다. 즉, 아우라는 인간의 인위적·임의적 자기의식으로부터 일탈된 것이라는 사항 말입니다. 아우라가 무의지적 기억에 입각하여 전통적 예술 작품에서 일회적으로 발현하는 반면에, 영화나 사진 예술에서는 결코 드러나지 않습니다. 왜냐하면 카메라라는 인위적·임의적 도구가 이미 예술 창조의 수단으로 작용하기 때문에, 영화 내지 사진 예술은 주로 "의지적 기억(mémoire volontaire)"에 의존하고 있다고 보아야 타당합니다. 은폐와 발현 사이의 매개 현상으로서의 아우라가 무의지적 기억 속에서 일회적으로 출현한다는 점은 벤야민의 신비적 존재론과 무관하지 않습니다. 벤야민의 독특한 태도는 이념이나 진리의 구현이 스스로 생겨난다는 데에서 발견됩니다. 이와 마찬가지로, 과거의 훌륭한 예술 작품은 신학적 의미에서 가장 의미 있는 내용, 즉 아름다움을 순간적으로 드러냅니다. 벤야민에 의하면, 아름다움이란 껍질 속에 은폐된 게 아니라, 예술 비평의 이념으로서, 비밀로서의 미에 대한 직관으로 상승되는 것입니다(Benjamin 69: 141).

20. 요약. 아우라의 특성: 지금까지 언급한 내용을 정리해 보겠습니다.

아우라는 벤야민에 의하면 예술적 경험의 전달 가능한 조건입니다. 예술적 상으로서의 아우라는 가까이 위치한 예술 작품에서 나타나지만, 예술 감상자는 근접할 수 없는 신비로운 분위기를 감지합니다. 이 순간 예술적 대상은 마치 하나의 생명체로 인지됩니다. 아우라의 경험은 예를 들면 생명이 깃든 자연의 모습, 주체와 객체 사이의 상호주관적인 조우일 수 있으며, 나아가 신(神)을 바라보는 일종의 접신론적 광휘이거나, 잃어버린 인간성에 대한 경험(Déjà-vu)일 수 있습니다. 문제는 예술적 아우라를 인지할 때 어떠한 인위적·임의적 의지가 작용하지 않는다는 데 있습니다. 아우라는 아무런 작위적 의지가 기능하지 않는 순간 마치 어떤 "쇼크"처럼 일시적으로 떠오르는 하나의 영적이고 예술적인 기운입니다. 이러한 기운은 외부적 자극에 의한 것이 아니라 스스로 생겨나고 발현되는 것입니다. 아우라의 중요한 특징은 그것이 어떤 특정한 미적 대상의 외피 내지는 껍질로 이해될 수 없다는 사실입니다. 아우라는 "사물 외적으로(extra rem)" 스스로 생겨나고 스스로 은폐됩니다.

21. 무의지적 기억과 역사: 그런데 아우라의 개념을 규명하는 과정에서 우리는 다음과 같은 문제에 봉착하게 됩니다. 첫째, 어째서 아우라는 오로지 무의지적 기억과 관련되는 것일까요? 다시 말해서 아우라의 발현은 어떠한 이유에서 의지적 기억에 의해서 거의 가능하지 않는 것일까요? 이러한 물음에 대해 답하기란 결코 쉽지 않습니다. 왜냐하면 사물에 대한 인간의 관심 속에 미처 포함되지 않는 사항을 하나의 학문적 담론으로 소환하기란 결코 간단한 작업이 아니기 때문입니다. 이와 관련하여 우리는 한 가지 가능한 경우를 언급하려고 합니다. 역사란 벤야민에 의하면 이른바 퇴행(Regression)이라는, "호랑이의 도약으로서의 불연속적인 현상"이라고 합니다. 게다가 지금까지의 역사는 언제나 승리자의 손에 의해서 기술되었다고 합니다(Benjamin GS. I: 696). 그런데 의지적 기억은 현대사회의 주

어진 제반 현상에 의존합니다. 다시 말해, 그것은 벤야민에 의하면 인간의 일상적 현재 삶과 밀착되어 있을 뿐, 역사의 퇴행에 의해서 상실되거나 망각된 과거의 순수성 내지 이상을 결코 기억해 내지 못합니다. 바로 그러한 까닭에 유년, 근원의 상으로서 자연, 과거의 황금의 시대 등은 오로지 무의지적 기억에 의해서 떠오를 수밖에 없다고 합니다.

22. 가능성의 상으로서의 아우라와 블로흐의 예측된 상: 그렇다면 아우라를 통해 떠올린 상은 근본적으로 인간의 고유한 갈망과 관계되는 것일까요? 벤야민의 아우라 개념이 잃어버린 고유한 자아, 접신론적 광휘, 분화되지 않은 자연 등에 대한 동경이라면, 아우라는 예술적 갈망이 혼입된 긍정적 가능성으로서의 상을 떠오르게 하는 촉매제인 셈입니다. 그렇다면 이러한 상은 블로흐의 가능성으로서의 예측된 상(Vorschein)과 어떻게 다른가요? 이러한 질문은 이 글의 주제에서 벗어나지만, 그럼에도 불구하고 약술할까 합니다. 벤야민의 상기한 갈망의 상은 비약적으로 선취된 하나의 상입니다. 이는 아우라 현상을 통해 일시적으로 출현하고, 우리의 의식에 일회적으로 의식될 뿐입니다. 나아가 그것은 소극적이며, 미래와 차단된 상으로서, 예술 감상자에게 순간적 비판을 허용할 뿐입니다. 이에 비하면 블로흐의 예측된 상은 과거와 미래로부터 차단 내지는 분리되어 있지 않습니다. 미적 조직의 힘을 지닌 예측된 상은 무엇보다도 미래를 유추하게 하는 기능을 지니고 있습니다. 그것은 궁극적으로 끝나지 않은 세계를 보여 주고, 가능한 존재로서의 다양성을 표방합니다.

23. 벤야민의 이론에 나타난 점성술의 특성과 블로흐의 이론에 나타난 연금술의 특성: 이를 고려할 때, 수동적 폐쇄성을 지닌 벤야민의 예술론이 결정주의적 성향의 점성술에 비유할 수 있다면, 블로흐의 예술론은 능동적 개방성을 지니고 있다는 점에서 개혁적 성향의 연금술에 비유할 수 있습

니다. 여기서 나타나는 벤야민의 정서가 멜랑콜리와 연결된다면, 블로흐의 정서는 다혈질과 관련되는 태양의 특징을 지니고 있습니다(김영옥: 229쪽). 마찬가지로, 블로흐의 사고가 연금술을 통한 접신론을 시도한 야콥 뵈메(Jakob Böhme)에 근친하다면, 벤야민의 그것은 궁극적으로 카바실라스(Kabasilas)와 같은 신비적 카발라주의자의 유형을 따르고 있습니다. 연금술이 인간의 조작을 전제로 한다는 점에서 개혁적이라면, 점성술은 신의 계시에 의해 미리 정해져 있다는 점에서 결정주의의 특성을 드러낸다고 말할 수 있습니다(블로흐 85: 606).

24. 범지 체계와 벤야민의 아우라: 또 한 가지 질문이 여전히 남아 있습니다. 아우라의 상은 이미 언급했듯이 예술적 대상에 담긴 생명력 내지 영적인 기운을 느끼게 해줍니다. 그렇다면 벤야민의 예술관은 어떤 범신론적 사유 체계와의 관련 속에서 이해될 수 있을까요? 모든 예술적 인식은 궁극적으로 고대의 거대한 범지 체계의 붕괴에 대한 인식으로 나아가야 합니다. 예컨대 고대 그리스 시대에는 모든 자연 속에 신적 요소가 깃들어 있었습니다. 그런데 여러 가지 이유에서 이러한 "범지 체계(Pansophie)"는 서서히 사라지고 말았습니다. 예컨대 자연의 독자성 내지는 고유성이 완전히 파괴된 시기는 19세기 초일 것입니다. 벤야민이 신비적 범신론을 추구하며 현대인들의 고독과 소통 단절을 묘사한 벨기에 작가 메테를링크(M. Meterlinck)에게서 아우라로서의 침묵을 고찰한 것도 따지고 보면 상기한 맥락에서 이해할 수 있습니다(Benjamin GS. I.: 674). 괴테, 실러 등이 특히 독일 담시, 예컨대 「마왕(Der Erlkönig)」, 「자이스의 은폐된 상(Das verschleierte Bild zu Sais)」 속에 어떤 사라져 가는 신비로운 존재로서의 자연을 묘사한 것도 범지 체계 내지는 제반 가치 체계의 붕괴와 관련 있습니다. 현대 시인 페터 후헬이 "사물들의 한가운데는 슬픔"만이 도사리고 있다고 노래한 것도 상기한 이유 때문입니다(Huchel: 117).

25. 아우라 개념 요약: 지금까지 우리는 벤야민의 아우라 개념을 집중적으로 분석해 보았습니다. 아우라의 개념은 궁극적으로 퇴행의 역사 속에서 망각되거나 잃어버린 일원성을 깨닫게 하는 기능을 지닙니다. 그것은 현상적 아름다움에 대한 미학적 매개체에 국한되는 게 아니라, 유대주의 신지학의 인식론과 유사한 패러다임으로 확장될 수 있습니다(블로흐 2010: 35). 본질적으로 신, 아름다움, 자연, 그리고 언어 등은 전적으로 규명될 수 없는 것들이며, 완전무결하게 인식될 수 없다고 합니다. 인간은 이러한 진리의 그림자 내지는 가상을 순간적으로 감지할 뿐이라고 합니다. 그러니까 진리는 벤야민에 의하면 예술적 대상 속에 은폐되어 있는데, 어떤 미적인 발현을 통해서 제 스스로의 면모를 드러낸다는 것입니다. 따라서 진정한 예술 비평은 "의향의 죽음(der Tod der Intention)"을 지향해야 한다고 주장합니다. 예술적 진리를 추적하는 사람은 자신의 의도 내지는 의향을 처음부터 없앤 뒤에 예술 작품 속으로 파고들어야 한다는 것입니다. 이로써 예술 비평은 비밀로서의 아름다움을 직관하는 작업을 통해 궁극적으로는 예술 작품의 사멸을 선언할 수밖에 없습니다(Benjamin GS. I.: 216, 357). 상기한 내용을 고려할 때, 아우라의 개념은 벤야민의 문예 이론의 바탕을 간접적으로 중개해 줄 수는 있으나, 그것을 핵심적으로 전해 주지는 못합니다. 왜냐하면 개념 자체가 이미 유대주의 내지는 기독교적 · 신비주의적 정서에 바탕을 두고 있기 때문입니다. 게다가 하나의 개념만으로 벤야민의 이론 전체를 포괄할 수도 없습니다. 서두에서 언급했듯이, 벤야민은 미학적으로 그리고 정치적으로 모든 사항에 대해 관심을 기울였으나, 그들 가운데 하나를 선택하지는 못했습니다(짐멜: 217). 한 가지 사항은 분명합니다. 우리는 예술 장르에 대한 방법론적 차원으로 벤야민의 이론을 수용해야 하지, 이론에 반영된 벤야민의 세계관을 아무런 전제 조건 없이 오늘날의 모더니즘 내지 포스트모더니즘의 논의 속으로 끌어들여서는 곤란할 것입니다.

26 (사족) 개념 규정: Eingedenken은 "회상"으로, 혹자는 불망(不忘)으로 번역하곤 합니다. 이 단어는 자구적으로 고찰할 때 어떤 상념을 떠올리는 행위입니다. 홍윤기 교수는 메츠의 신학 사상의 대목을 번역할 때 "명심(銘心)"이라고 번역한 바 있습니다. 명심이란 "마음에 새긴다"는 의미를 함축합니다. 그런데 문제는 여기서 말하는 사고가 이미 과거에 존재한 사고 내지 생각을 "재기억(anamnesis)"하는 행위가 아니라는 사실입니다. "Eingedenken"은 과거의 사고를 다시 기억해 내는 게 아니라, 지금까지 한 번도 떠올리지 못한 생각을 능동적으로 도출해 낸다는 의미를 지니고 있습니다. 그것은 이를테면 "이미 본 것(Déjà-vu)"을 다시 뇌리에 떠올리는 게 아니라, 지금까지 한 번도 의식하지 못한 생각을 능동적으로 도출하는 행위를 가리킵니다. 이는 에크하르트 선사가 말하는 "고정되어 있는 지금(nunc stans)"의 응축된 새로운 사고 내지 착상과 무관하지 않습니다. 이를테면 가난하고 못 배운 자가 지금까지 한 번도 의식하지 못했던 계급의 문제를 새롭게 떠올리는 경우를 고려해 보세요. 벤야민은 과거의 예술 작품을 감상할 때 어떤 아우라를 생각해 낼 수 있다고 말하면서 이 단어를 사용하였습니다. 명심 내지 재-기억은 과거에 존재했던 진리를 다시 한 번 수동적으로 막연하게 떠올리는 행위를 가리키므로, 여기에는 적절하지 않습니다. 따라서 우리는 Eingedenken을 "생각해 냄" 내지 "환기(喚起)"라고 번역하는 게 가장 적당할 것 같습니다.

참고 문헌

- 김영옥: 시계는 '너무 늦었음'에 멈춰 서 있다? 벤야민의 멜랑콜리적 역사 인식, 브레히트와 현대연극, 제8집, 2000.
- 반성완: 발터 벤야민의 문예 이론, 서울, 1983.

- 블로흐, 에른스트: 마르크스, 뮌처, 혹은 악마의 궁둥이, 박설호 역, 울력, 2012.

- 블로흐, 에른스트: 희망의 원리, 입장 총서 24, 박설호 역, 솔 1993.

- 짐멜, 게오르그: 여성 문화와 남성 문화, 김희 역, 서울 1993.

- 최문규: 불협화음의 문학과 보들레르, in: ders., 문학 이론과 현실 인식, 문학동네 2000.

- 하버마스: 의사소통의 철학, 홍윤기 역, 민음사 2004.

- Adorno, Theodor: Kulturkritik und Gesellschaft 1, in: ders., GS. Bd. 10, Frankfurt a. M. 1977.

- ders.: Ästhetische Theorie, in: ders., GS., Bd 7, Frankfurt a. M. 1971.

- Benjamin, Walter: Gesammelte Schriften, Frankfurt a. M. 1980.

- ders.: Ausgewählte Schriften, Bd. 1, Illuminationen, Frankfurt a. M. 1969.

- ders.: Über Literatur, Frankfurt a. M. 1975.

- Bergson, H.: Die Materie und das Gedächtnis, Jena 1967.

- Bloch, Ernst: Das Prinzip Hoffnung, Frankfurt a. M. 1985.

- ders.: Geist der Utopie, die zweite Fassung, Frankfurt a. M. 1964.

- Fischer, Ernst: Kunst und Koexistenz, Reinbek 1966.

- Huchel, Peter: Werke, Bd 1, Frankfurt a. M. 1984.

- Kleist, Heinrich v.: Werke und Briefe, 3. Bd., Frankfurt a. M. 1986.

- Kracauer, S.: Theory of Film. The Redemption of phisycal reality, N. Y. 1960.

- Krückeberg, E.: Der Begriff des Erzählens im 20. Jahrhundert. Zu den Theorien Benjamins, Adornos und Lukács', Bonn 1981.

- Scholem, Gershom:Walter Benjamin. Geschichte einer Freundschaft, Frankfurt a. M. 1975.

- Tiedemann, Rolf: Studien zur Philosopie Walter Benjamins. Frankfurt a. M. 1973.

거짓된 현실상, 변증법 죽이기.
움베르토 에코의 『장미의 이름』 비판

"솔로몬이 말하기를, 지상에 새로운 것은 없다. 모든 지식은 오로지 기억이라고 플라톤이 말했듯이, 솔로몬은 모든 새로움이 망각일 뿐이라고 언질을 주었다." (Francis Bacon)

"지금까지의 모든 지식은 — 플라톤의 '재기억(ἀνάμνησις)'처럼 — 과거 사항에 의존해 있었다. 이제 새로운 지식은 미래 사항에 의해 식별되어야 한다." (Ernst Bloch)

1. 부정적 종말론과 반유토피아: 인용문은 그 자체 모든 것을 말해 주고 있습니다. 플라톤의 재기억 이론은 전통적 학문 연구의 바탕을 형성하는 것으로서 과거지향적인 특성을 지니고 있습니다. 인간의 인식 행위는 무언가 새로운 사실을 창조하는 게 아니라, 과거에 있었던 원초적 상을 추적하는 행위에 불과합니다. 그러니까 여기에는 어떠한 창조도, 변화된 미래도 용인될 수 없습니다. 모든 새로움은 본질적으로 망각이요, 지식이란 잊혀 버린 것들로부터 떠올린 몇몇 기억의 편린에 불과한 것입니다. 움베르토 에코 역시 이러한 입장에서 크게 벗어난 것 같지는 않아 보입니다. 소설, 『장미의 이름』의 주제는 한마디로 계몽주의와는 거리가 멉니다. 물론 소설의 몇몇 부분은 계몽의 중요성을 시사해 주기도 합니다. 그러나 소설적 주제는 전체적으로 볼 때 계몽 내지는 미래의 더 나은 삶에 관한 의지 자체를 부정하고 있습니다. 왜냐면 소설의 저류에 흐르는 세계관은 근본

적으로 유토피아의 정신을 부인하고 있기 때문입니다. 이 소설에서 나타나는 부정적 종말의 분위기는 독자로 하여금 "보다 나은 세계를 이룩하려는 생각은 한낱 부질없고 오만한 꿈일지 모른다"라는 생각을 지니게 합니다. 이는 분명히 문제의 소지가 있습니다. 에른스트 블로흐가 그의 책 『희망의 원리』에서 주장한 바 있듯이, 예수의 종말론은 한마디로 혁명을 통해 변화된 세상에 대한 신학적 비유나 다름이 없습니다. 에코는 예수의 이러한 종말론을 무엇보다도 인간의 이성 자체에 대한 비판 내지는 역사철학적 진보에 대한 파괴의 상징으로 이해하고 있습니다. 에코는 핵무기 시대의 두 강대국 사이의 대립을 은밀히 그리고 있습니다. 이로써 나타나는 세기말적 분위기는 에른스트 블로흐가 생각한 "마지막 사실(Eschaton)"에 대한 갈망과는 전혀 다릅니다. 무릇 종말론이란 (에코가 말하는) 끝장 내지는 종결이 아니라 새로운 사회의 시작입니다. 그렇기에 에코의 소설에서 묘사되는 세기말적인 회의주의는 (유대교와 기독교의 종말론 속에 담긴) 찬란한 미래에 대한 기대감과는 달리 설명될 수 있을 것입니다.

2. 추리소설, 역사소설, 정치소설, 그리고 연애소설: 일단 소크라테스의 산파법을 빌려 소설을 살펴보도록 합시다. 그러니까 추리소설이나 역사소설의 차원에서가 아니라, 정치소설이나 역사철학적인 차원에서 접근하는 것도 좋을 것 같습니다. 에코의 소설은 작품 전개 과정에 있어서, 그리고 극적인 구도에 있어서 너무 치밀해서 독자를 압도합니다. 이 점은 분명히 장편소설이 갖추어야 할 가장 중요한 특성입니다. 한마디로 이 소설에는 — 전반부의 교회에 대한 장황한 묘사를 제외한다면 — 내용과 무관하거나 불필요한 문장 및 단어는 거의 하나도 없을 정도입니다. 그런데 "포스트모던한 이 소설의 주제는 무엇일까?" 하고 물을 때, 우리는 어떤 당혹감을 떨치지 못합니다. 그렇기에 『장미의 이름』은 아무런 사전 준비 없이 읽을 수 있는 추리소설이자 역사소설이라고 여겨질 정도입니다. 또한 그것

은 교황과 황제의 갈등으로 묘사되는 정치소설이며, (부분적으로는) 탁월한 연애소설입니다. 또한(혹은?) 역사철학적 내용을 담은 사변 소설이기도 하며, 웃음 및 아리스토텔레스의 문헌에 관한 철학 소설이기도 합니다. 움베르토 에코는 인터뷰나 글을 통하여 자신의 소설에 대하여 '단 하나'의 주제를 직접 토로하지 않고, '여러 가지' 주제들을 암시한 바 있습니다. 그렇기에 독자는 자크 데리다가 의심한 바 있는 "원래 글의 다양한 해석학적인 코드"들을 쉽게 유추할 수 있을 것입니다.

3. 절충주의 그리고 포스트모더니즘: 따라서 ― 에코 역시 주장한 바 있지만 ― 우리 자신의 관심과 합당한 주제는 임의로 도출될 수 있다고 합니다. 에코는 현대적인 무엇을 암시하기 위해서 이 작품을 집필하지는 않았다고 술회한 적이 있습니다(Eco: 84: 56). 이는 작가의 의도를 최대한 사장(死藏)시키고, 창조적 수용의 가능성을 개방시키게 작용합니다. 물론 여기에는 작가의 의도를 완전히 배제한 문학적 향수(享受)가 얼마나 가능할 것인가? 하는 의문이 제기될 수 있습니다. 또한 이러한 특성은 이탈리아 문학에서 자주 나타나는 유형인 셈입니다. 이와 마찬가지로 에코의 소설 역시 통속소설과 본격 소설 사이의 구분을 희석(稀釈)시키고 있습니다. 실제로 에코는 통속성의 예찬을 통해서 순수 소설의 대중적 전파 가능성을 유도하였던 것입니다. 에코의 이러한 입장은 탈현대성(포스트모더니즘)을 표방하는 사람들의 "절충주의의 표현"과 무관하지 않습니다. 자고로 모든 담론 내지 모든 주제를 용인한다는 것은 일견 다양성을 인정하는 입장으로 이해될지 모릅니다. 그러나 에코의 일견 관대한 태도는 본질적으로 고찰할 때 주어진 시대에서 가장 중요한 본질적 문제점을 희석시키고 망각하게 하는 데 기여하고 있습니다.

4. 「요한 계시록」과 살인 사건 (1): 소설은 일주일 사이에 일어난 사건

을 다루고 있는데, 총 50장으로 구성되어 있습니다. 에코는 (계절은 다르지만) 아마도 부활절에서 강림절 사이의 기간인 50일을 염두에 둔 것 같습니다(Kamper: 434). 사건은 1327년 11월 마지막 주에 북부 이탈리아의 아페닌 언덕에 있는 부유한 클루니아첸저의 수도원에서 발생합니다. 프란체스코 교단의 승려이자 영국 출신의 학자인 윌리엄 바스커빌은 제자, 아드손 드 멜크와 함께 이곳에 당도합니다. 이야기는 늙은 아드손이 지나간 과거를 회상하는 식으로 기술되고 있습니다. 말하자면, 윌리엄은 황제의 특별 사절로서 비밀스러운 임무를 띠고 이곳 수도원에 도착한 것입니다. 윌리엄은 이단 혐의를 받고 있는 소수파 사람들과 아비뇽에 머물고 있는 교황의 사절 사이에 어떤 정치적 회담을 준비하려고 의도하고 있습니다. 그럼에도 이곳에 도착한 후 마치 묵시록의 이야기 같은 끔찍한 살인 사건이 차례로 발생한 것입니다. 일주일 동안에 윌리엄과 아드손은 — 특히 밤 시간에 — 기이하고도 낯선 사건을 직·간접적으로 체험합니다. 어떤 수사는 누군가에 의해 살해되어 돼지 피를 담은 통 속에 처박혀 있는가 하면, 다른 수사는 어떤 동료에 대한 동성애의 감정을 견디지 못해 투신자살합니다. 세 번째 수사는 목욕실에서 독살된 채 알몸으로 발견됩니다. 사원에서는 온갖 소문이 나돕니다.

5. 「요한 계시록」과 살인 사건 (2): 모든 사건은 어떤 책을 둘러싼 비밀로 이어진다는 것입니다. 수도원장 역시 이를 숨기지 않습니다. 에코는 수도원장을 마치 토마스 아퀴나스와 흡사한 인물로 묘사하고 있습니다. 매번 누군가가 의도적으로 흔적을 지우려고 애를 씁니다. 그 이후에도 살인 사건은 연쇄적으로 이어집니다. 윌리엄은 왕년에 종교재판관으로 일한 적이 있었습니다. 그러나 그는 정통과 이단을 분명히 구분할 수 없었습니다. "죄악을 저지르는 자의 무력함이 바로 신의 무력함이라는 걸 깨달았을 때" 그는 재판관 직책을 그만두었던 것입니다. 윌리엄은 스스로 연쇄살

인 사건을 해결하려고 합니다. 사건의 추적 작업은 윌리엄에게 황제와 교황 사이의 갈등을 해결하는 일보다 더 큰 관심을 북돋웁니다. 더욱이 황제와 교황 사이의 회담이 이단자 문제로 인해 결렬된 다음부터, 그는 집중적으로 사건 수사에 전념합니다. 윌리엄은 여러 가지 단서를 모으고, 은폐된 원고를 해독하거나 암호들을 해명합니다. 이곳 사원의 도서관은 비밀스러운 미로로 이루어져 있는데, 윌리엄은 사건 해결을 위해서 출입이 금지된 도서관에 잠입하기도 합니다. 그러나 그는 유감스럽게도 너무 늦게 살인자를 발견합니다. 눈먼 수사인 호세가 바로 주범으로서, 그는 사건이 해결될 무렵에 도서관 파괴를 위한 도르래 장치를 이미 작동시켜 놓았던 것입니다. 바로 일곱 번째 날에 ― 묵시록에 기술된 반기독교도에 대한 언급처럼 ― 사원은 온통 화염과 연기로 뒤덮여 버립니다. 그곳은 마치 지옥의 승리를 방불케 하듯이 깡그리 잿더미로 화합니다.

6. 보르헤스의 『바벨의 도서관』, 에코의 소설은 책의 책이다: 에코는 호르헤 루이스 보르헤스(Jorge Luis Borges)의 단편 『바벨의 도서관』을 읽고, 미로로 이루어진 도서관을 착안하였습니다(Borges: 55). 도서관은 미로로 이루어진 수직의 정원입니다. 이 정원은 지상의 진리가 아니라 형이상학적인 천상의 진리를 담은 책 한 권을 소장하고 있습니다. 지금까지 이 책을 읽은 자는 인간이 아니라, 바로 신이었습니다. 왜냐하면 그는 책에 실린 세상의 혼돈 및 그 합목적성을 인식할 수 있기 때문이었습니다. 우연이 지배하는 혼돈의 세상에서 인간은 지금까지 자신의 상상대로 하나의 질서를 창안하려고 발버둥 쳤습니다. 인류의 역사는 보르헤스에 의하면 이러한 허무주의적 시도에 다름이 없다고 합니다. 『장미의 이름』은 수없이 많은 인용문들로 이루어져 있습니다. 인용문들은 ― 비유적으로 표현하자면 ― 600페이지의 흙 속에 박힌 수백 개의 보물 조각(혹은 가짜 보석?)처럼 빛을 발하고 있습니다. 성서는 물론이요, 세르반테스, 테오도르 폰타네, E. Th.

A. 호프만, 라베(Raabe), 라블레(Rabelais), 빌란트(Wieland), 토마스 만, 엘리아스 카네티, 미하일 바흐친 등 이루 말할 수 없습니다. 그러므로 그것은 "책에 관한 책"입니다. 그렇다면『장미의 이름』은 진리의 파편들을 새겨 넣은 복합적 조각품인가요, 아니면 서로 맞지 않는 요소를 마구 작위적으로 끼워 맞춘 인용 모조품일까요? 여기서 인용과 표절에 관한 기준이나 차이에 관해 더 이상 말하지 말기로 합시다. 문학작품은 해석학을 논외로 하더라도 다양하게 해석될 수 있습니다. 다만 다음과 같은 입장은 거짓이요 자기기만일 수밖에 없습니다. 즉, 동일한 현실적 맥락에서 "A는 B이다"와 "A는 B가 아니다"라는 두 가지 명제를 참이라고 용인하는 입장 말입니다. 에코는 시기적으로 중세를 문헌학적으로, 잃어버린 서적을 사건의 출발로 설정함으로써 논거 및 증명 사항을 교묘히 삭제하고 있습니다.

7. 인용인가? 표절인가? (1): 이 장에서 우리는 모든 것을 언급할 수는 없습니다. 다만 몇 가지 중요한 사항만을 골라 언급해 보도록 합시다. 첫째, 이 책의 제목은 아벨라르(Abaelard)의 "(이곳에는) 장미가 없다(Nulla rosa est)"에서 따온 것입니다. 그러니까 여기서 우리는 "진리는 다만 기호로 남아 있을 뿐, 그 본질은 찾을 수 없다"는 그의 입장을 읽을 수 있습니다. 필자의 견해로는 소설의 제목을 "장미의 이름"보다는 "장미, 그 이름과 실체"라고 명명하는 게 주제상으로 합당할지 모릅니다. 왜냐하면 에코는 사물의 기표와 기의를 일차적으로 분리함으로써, 현상과 본질의 주종 관계를 부정하고 있기 때문입니다. 둘째, 서문의 내용은 기욤 드 로리(Guillaume de Lorris)와 장 드 묑(Jean de Meung)의『장미에 관한 소설(Le Roman de la rose)』, 크리스틴 드 피잔(Christine de Pisan)의『장미에 관해 말해진 것(Le dit de la Rose)』에서 차용한 것입니다. 전자는 기독교 수사들의 패륜과 고대 그리스에 대한 수업 및 스콜라철학을 내용으로 한 책이며, 후자는 수녀에 의해 집필된 책으로서 장 드 묑의 여성에 대한 적개심

을 역으로 비판한 책입니다. 장미는 피트로 다 모라(Pietro da Mora)에 의하면 세 가지 상징성을 드러낸다고 합니다. 그것은 첫째로 "순교자의 합창(chorus martyrium)"이라고 합니다. 비참하게 살해당하는 순교자의 목에서는 장미처럼 붉은 피가 솟아오릅니다. 둘째로 장미는 "순결한 여성의 성기(virgio virginum)"라고 합니다. 장미는 동서고금을 막론하고 순결의 상징으로 이해되었습니다. 셋째로 "신과 인간 사이의 중개물(mediator Dei et hominum)"이라고 합니다. 단테는 천국의 상을 하나의 장미 모습으로 묘사하였습니다(Bloch 963).

8. 인용인가, 표절인가? (2): 셋째, 주인공 윌리엄이 브루넬루스라는 말을 예리하게 추리하는 내용은 볼테르의 『자디그(Zadig)』에서 나옵니다. 볼테르는 브루넬루스의 이야기를 세르캄비(Sercambi)가 쓴 페르시아의 이야기에서 인용하였는데, 에코가 이를 다시 인용한 셈입니다. 넷째, 소설 전반부에 나오는 윌리엄과 호세 사이에서 오고간 웃음에 관한 대화는 베르나르 클레보(Bernhard Clairvoux)의 『길렐무스에 대한 경구(Apologia ad Gillelmum)』에서 인용된 것입니다. 윌리엄의 말은 베르나르의 주장과 일치하며, 호세의 말은 수가 상트 데니스(Sugar St. Denis)의 주장과 거의 일치합니다(Baumann: 46). 다섯째, 도서관의 미로는 중국을 무대로 한 로베르트 반 훌릭스(Robert van Guliks)의 소설 『미로에서의 살인』에 나타나는 그것과 너무도 흡사합니다. 여섯째, 윌리엄의 제자 아드손의 사랑에 관한 독백은 힐데가르트 폰 빙엔, 장 드 프레캄(Jeans de Frecamp), 토마스 폰 켐펜(Thomas von Kempen)의 고백록에 나오는 대목에서 인용된 것입니다. 예컨대 "모든 동물은 교접 후에는 쓸쓸함을 느낀다(Omne animal triste post coitum)"라는 인용 구절을 생각해 보세요. 이것은 그리스의 의사 갈레노스에 의해 처음으로 사용된 문장입니다.

9. 인용인가, 표절인가? (3): 일곱째, 탐정 소설가 코난 도일은 『바스커빌의 개』라는 소설을 집필하였습니다. 바스커빌이라는 이름이 에코 소설의 주인공의 그것과 같다는 점, 그리고 사건이 11월에 발생하고 있다는 점 등은 결코 우연이 아닙니다. 여덟째, 토마스 만의 소설 『마의 산』은 — 소설 구도상으로 그리고 등장인물을 고려할 때 —『장미의 이름』과 너무도 유사한 면을 보여 주고 있습니다. 유미주의, 동성애에 관한 사항, 치밀한 묘사, 급진적 개혁 및 혁명에 대한 보수주의적 시각 등이 그것들입니다. 이를테면 『마의 산』에서 주인공 한스는 7년간 산속 병원에 머무르는데, 이때 그가 겪는 신비로운 사건들은 7일간에 발생하는 에코의 소설 내용과 유사합니다. 주인공과 사템브리니 사이의 관계는 아드손과 윌리엄 사이의 그것을 연상시키고, 나프타의 교활한 간계는 호세의 그것을 연상시킵니다. 동성애 문제 역시 공통적으로 묘사되고 있으며, 『마의 산』의 주인공 한스와 산샤 부인의 애정 관계는 아드손과 소녀 사이에서 발생한 일시적이지만 강렬한 섹스와 너무나 흡사합니다.

10. 사건의 기호학: 그렇다면 어째서 에코는 수많은 인용문들을 자신의 작품 속에 삽입했을까요? 이는 다음과 같이 두 가지로 설명할 수 있습니다. 첫째, 역사적 사실들은 진리의 파편들로서, 이에서 새로운 가치를 찾아낼 수 있는 것이 아니라, 다만 방법론적으로 재활용할 수 있는 소재나 기호들에 불과하다는 것입니다. 이러한 논리에 의하면 다음과 같은 결론이 도출됩니다. 즉, 진리란 인간에게는 다만 기호로서 받아들여질 뿐이고, 사물의 본질은 찾을 수 없다는 결론 말입니다. 진리와 가치에 관한 문제는 기호와 소재라는 구조주의적 관심사에 의해서 자취를 감추고 있습니다. 그러므로 에코의 소설은 철학적 존재론에서 말하는 현상과 본질의 구분을 인정하지 않고, 사물의 표피적인 면만 강조하고 있음을 우리는 유추할 수 있습니다. 더욱이 에코에게 중요한 것은 진리의 파편 속에 담긴 내용(기의,

signifié)이 아니라, 진리의 파편을 담은 기호 내지는 부호(기표, signifiant)라는 사실입니다. 이로써 에코의 소설은 서구의 이른바 오성 중심주의에 대한 비판의 차원을 넘어서(서영채: 149), 오성의 가치 체계마저 깡그리 부정하고 있습니다. 둘째, 에코는 역사를 인과율에 의해서 전개되지 않는 것으로 파악합니다. 작가는 윌리엄의 혀를 빌려 토마스 아퀴나스(Thomas Aquinas)의 말을 반복하고 있습니다. 즉, "인과관계의 기나긴 사슬을 찾아 내려는 노력은 마치 하늘 위로 마구 지어 올리는 바벨탑과 같이 허황된 일로 보입니다"라는 말이 바로 그것입니다.

11. 역사적 장식용으로서의 인용 혹은 부호: 역사란 그 자체 당대의 진리와 고뇌를 담고 있는 게 아니라, 다만 "인용될 수 있는" 현상적인 소재로서 일회적으로 이용될 뿐입니다. 따라서 에코에게 역사는 현실의 어떤 특정한 문제를 해결하기 위해서 필요한, 어떤 선별적 자료가 되지 못합니다. 역사에 대한 에코의 입장은 이 점에 있어서 미셸 푸코가 『지식의 고고학(L'archéologie du savoir)』에서 주장한 바 있는 입장과 거의 유사합니다. 미셸 푸코에 의하면, 역사는 하나의 구조 속에서 미리 정해진 것이라고 합니다. 여기서 구조란 역사적 진보에 대한 불신 내지는 의심 등으로 인해서 구성될 수 있는 무엇입니다. 가령 윌리엄이 명마(名馬) 브루넬루스의 흔적을 추론하는 것도, 도서관 내부의 "아프리카 끝"에 도달하는 것도 오직 기호를 통한 깨달음을 통해서일 뿐입니다. 특히 후자의 경우, 나중에 언급하겠지만, 논리적 추론이 아니라, 무엇보다도 우연이 크게 작용하고 있습니다. 한마디로 에코의 소설에서 역사적 사건은 현대인들에게 하나의(혹은 다양한) 의미를 시사해 주는 소재가 아닙니다. 그것은 그 자체 아무런 의미가 없는, 장식용으로만 쓰일 수 있는 현상적 소재에 불과합니다. 제반 역사적 사건들은 에코에 의하면 가장 근접한 대상에 대해서만 단순히 연결고리로서 기능할 뿐, 전체적 시스템으로서의 보편적 특징을 전해 주지는

않는다고 합니다. 에코의 이러한 입장의 배후에는 제반 목적론적 역사관 및 유럽의 사고를 지배해 온 전통적 역사철학의 체계를 부정하려는 의도가 감추어져 있습니다. 한마디로 말해서 에코의 소설은 — 주제상으로 그리고 소재의 형상화 방법 등을 모두 고려할 때 — 이른바 포스트모더니즘에서 언급되는 표피적인 특성을 그대로 지니고 있습니다. 또한 그것은 사물의 본질을 찾으려는, 이른바 서구의 전통적 존재론의 기본적 방향을 완전히 배격합니다. 실제로 포스트모더니즘은 소위 지식사회학이 전체주의적인 이데올로기를 지니고 있다고 의심하고, 거짓된 예언자들에 대한 칼 포퍼의 경고에 동조하며, 결국에는 (소위 플라톤, 헤겔, 마르크스에 이르는) 위대한 사상가들의 세계관이 거짓되다고 주장합니다(Schmidt: 12).

12. 종교가 분화되는 이유: 그렇다면 우리는 에코의 소설을 단순한 읽을 거리로 취급해야 할까요? 그렇지는 않습니다. 에코의 소설은 근본적인 취약점에도 불구하고 우리가 간과해서는 안 될 중요한 몇 가지 단초들을 제공해 줍니다. 가령 에코가 묘사한 가톨릭 종파의 변모 과정이라든가 종교적 이단파들의 흐름을 생각해 보세요. 그것은 모든 이데올로기의 발전 과정과 묘하게 평행선을 이루고 있습니다. 가령 중세의 기독교가 이단적 교파들로 분화되는 까닭은 그 자체 종교적 교리 때문이 아니었습니다. 오히려 종교가 분화되는 이유는 주어진 현실의 비참함에 기인합니다. 이는 마르크스주의의 변천 과정과 다를 바 없습니다. 종교적인 교리는 언제나 기득권자들의 금력과 권력을 공고히 하는 데에 이용되어 왔습니다. 그렇기에 그것은 구체적인 현실 속에서 민중을 억압하는 무기로 화하곤 하였습니다. 따라서 누군가 교리를 거부하면서, 아울러 예수의 혁명적 가르침대로 사회를 정화하려 한다면, 이는 이단으로 취급받게 됩니다. 그러니까 사람들은 마음속으로는 금력과 권력을 쌓기 원하지만, 겉으로는 교리나 이데올로기를 내세운다는 것입니다.

13. 더 나은 삶을 위한 노력은 어째서 죽음을 초래하는가?: 그러나 문제는 다음의 사항에 있습니다. 에코는 유토피아를 추구하는 인간의 정신에 대하여 다음과 같이 묘사합니다. 윌리엄은 제자 아드손에게 "보다 나은 삶을 추구하려는 자들의 노력은 어째서 죽음을 초래하는가?"하고 묻습니다. 아드손이 대답하지 못하자, 윌리엄은 "그들의 추종자 때문이지"라는 말을 덧붙입니다. 물론 탁월한 이념은 우매한 민중들의 행위 때문에 때 묻거나 폭력으로 변질될 수 있습니다. 그들의 거룩한 노력이 나쁜 결과를 초래한다고 해서, 우리가 과연 유토피아의 정신을 깡그리 부정할 수 있을까요? 물론 추종자 혹은 밀고자에 의해서 세계를 정화하려는 고결한 이상은 약화되고 배반당하기도 합니다. 돌치노를 생각하지 않더라도 우리는 예수, 토마스 뮌처, 그리고 전봉준 등의 최후에서 많은 것을 발견할 수 있습니다. 그렇다면 그들이 비참하게 최후를 맞았다고 해서, 우리가 그들의 이상을 비난할 수 있을까요? 『장미의 이름』에서 윌리엄은 이성의 힘으로 도서관의 비밀을 밝히려고 노력합니다. 눈먼 호세는 어떠한 일이 있더라도 도서관의 비밀을 지키려고 애씁니다. 마지막에 도서관이 불타버리게 된다는 사실은 그 자체 무척 상징적입니다. 이렇듯 이성의 힘을 빌어서 진리에 도달하려는 윌리엄의 노력은 실패로 돌아가고 맙니다. 도서관이 파괴되고 거대한 화염으로 휩싸인 사원에서 모든 것을 관망하는 "신은 (조금도) 흥분하지 않(Non in commotione Dominus)"고 있습니다.

14. 사랑에 관한 담론: 『장미의 이름』은 전체적으로 고찰할 때 주제상의 하자를 지니고 있으나, 세부적 사항에서 탁월함을 드러내고 있습니다. 첫째로 장미, 즉 사랑에 관한 담론입니다. 아드손은 소설 중반부에서 어느 여자와 육체적 사랑을 나눕니다. 비록 그미는 창녀였으나, 주인공에게 평생 단 한 번의 사랑을 체험하게 해 줍니다. 에코는 아드손이 체험했던 사랑의 감정을 다음과 같이 묘사합니다. "참새 한 마리가 놀란 나머지 푸드

득 날아갈 때 가볍게 떨리는 나뭇가지에서, 마구간에서 생기 있게 뛰어나오는 망아지의 눈빛에서 나는 그미의 모습을 보았다. 잘못 들어선 길을 바로잡아 주던 양떼의 울음소리에서 나는 그미의 목소리를 들었다." 이로써 에코는 인간의 "충동적 본성(appetitus naturalis)"을 종교적 황홀감과 성공적으로 결합시키고 있습니다. 그 밖에 다음과 같은 놀라운 구절이 있습니다. "오늘 아침에 이룬 기쁨이 내 마음속에 영원한 기억으로 머문다면, 사랑은 진리처럼 언제나 내 가까이 머물고, 영원히 내 곁을 떠나 있으리라"(Hidegard von Bingen). 아드손의 소름끼칠 정도로 아름다운 이러한 독백들은 과연 무엇일까요? 그것은 한마디로 사랑의 달콤한 기쁨과 사랑으로 인한 가슴 죄이는 고뇌가 아닌가요? 이렇듯 에코는 지금까지 인류가 겪어 온 온갖 유형의 사랑을 한마디로 요약한 것 같습니다.

15. 혁명에 관한 담론: 또한 돌치노 수사에 대한 에피소드는 혁명에 대한 범례입니다. 역사에 출현했던 혁명가들의 고뇌와 행적 그리고 거사와 실패 등을 생각해 보세요. 가령 창고방장 레미기우스는 소수파에 가담했다가, 돌치노 수사와 함께 죄악으로 가득 찬 세상을 정화하려고 무장봉기를 일으키기도 했습니다. 교황청 사절단으로 이곳에 참석한 베르나르 귀는 이 사실을 알아차리고, 레미기우스에 대한 종교재판을 거행합니다. 레미기우스는 다음과 같이 말합니다. "인간들이란 때로는 너무도 신을 사랑하기 때문에, 너무나 완전한 것을 갈구하기 때문에 죄를 범하지요. 우리는 최후의 심판일에 주께서 세상에 보낸 사절단이라고 스스로 여겼습니다." 레미기우스는 고문의 위협을 받은 뒤, 안타깝게도 자신에 대한 변론을 거의 포기합니다. 그는 다음과 같이 토로합니다. "겁쟁이였으므로 살아남을 수 있었다고 생각하니, 겁쟁이가 오히려 낫다고 생각했지요. (…) 너, 베르나르! 자네는 내가 비겁한 자가 아니라는 걸 스스로 증명할 힘을 주었네! 자네가 수많은 이교도의 황제라면, 나는 순교자들 가운데 가장 겁 많은 자일

세. 자네는 내 영혼이 무얼 믿고 있는지 알아낼 용기를 주었어. 비록 내 육신은 고문의 두려움에 떨고 있지만 말일세. 내게서 많은 것을 요구하지 말게! 죽음의 문턱에서 참아낼 수 있는 것보다 더 큰 용기를 강요하지 말란 말이야! 고문하지 말아 줘! 자네가 원하는 것을 모조리 말할게. 차라리 화형대로 스스로 올라가겠네! 그래서 살이 타 들어가기 전에 숨이 막혀 죽도록! 제발 돌치노가 겪은 고문은 말고, 그냥 곱게 죽여 주게!" 레미기우스에 대한 재판 장면은 동서고금을 막론하고 생각을 달리하는 자(양심범)에 대한 심문 및 고문에 관한 보편적 범례나 다름이 없습니다.

16. 세 명의 등장인물 (1): 소설 속에 등장하는 세 명의 중요한 인물은 윌리엄 바스커빌, 우베르틴 카잘레, 호세 부르고스입니다. 윌리엄은 프란체스코파에 속하는 영국인으로서 로저 베이컨(Roger Bacon)의 과학적 사상을 답습한 관용적 자유주의자입니다. 작품 속에서 그는 자석(磁石)의 기능을 인지하고 있으며, (당시에는 생소하기만 했던) 안경을 직접 사용함으로써, 감추어진 사물의 진리를 추적합니다. 이러한 윌리엄의 입장은 자신의 친구인 윌리엄 오컴(William Ockham)의 유명론(唯名論)과도 일맥상통하고 있습니다. 소설 속에서 주인공 윌리엄은 프란체스코 수사들을 "친구들"로 명명하며, 신의 절대적 자유의지를 강조하고 있습니다. 둘째로 우베르틴 카잘레는 실존 인물입니다. 그는 예수의 가르침을 극기로서 실천하고 서적보다는 도를 중시하는 "소수파(fratres minores)"의 마리아 숭배주의자이자 혁명적 성향을 지닌 신비주의자입니다. 그는 도취의 사랑과 황홀감을 통해서 신에 직접적으로 다가가려고 합니다. 그렇다면 사랑하는 인간의 열망이 향하는 곳이 과연 신성(神性)일까요? 아니면 우베르틴은 자신의 종교적 갈망 속에 도사린 어떤 감각적 충동을 충족시키려고 할까요? 이에 대해 그는 스스로 답변하지 못합니다. 신을 향한 욕망과 육체적 성욕 사이에서 우베르틴은 갈팡질팡하는 모습만을 보여 줍니다. 결국 그는 뒤엉킨

미로에서 하나의 길을 발견하는 일에 조금도 도움을 주지 못할 뿐입니다. 우베르틴 카잘레의 유일한 능력은 사랑의 표시를 드러내기 위해서 이단자로서 화형대에 오르는 행위밖에 없습니다(Wieland: 113). 호세 부르고스는 아리스토텔레스의 『시학』 제2권을 도서관에 은밀히 감추었습니다. 특히 그는 양피지가 아니라, 에스파냐에서 처음으로 생산된 종이로 이루어진 서적을 이탈리아로 유입했습니다. 그는 아리스토텔레스의 『시학』 제2권에다 독약을 묻혀 놓고, 책을 뒤지는 승려들을 차례로 독살시킵니다. 살인 동기는 호세의 두려움 때문이었습니다. 즉, 행여나 민중들이 (책에 실린) 웃음의 정당성을 깨닫게 되면, 모든 종교적 체계가 무너지리라고 호세는 두려워했던 것입니다.

17. 보편적 진리에 대한 추적의 과정: 마지막 장면에서 에코는 웃음에 관한 대화를 미하일 바흐친의 책에서 인용합니다. 호세는 예수의 가르침을 오직 참회와 기도로써 영위하고, 신의 절대적 진리를 밝히려는 인간의 제반 노력들을 한마디로 오만이라고 규정합니다. 윌리엄이 인간의 웃음 속에 담긴 해학적 계몽성을 긍정적으로 평가하는 반면, 호세는 신의 뜻에 복종하는 일이야말로 인간의 경건한 종교 정신이라고 말합니다. 그러므로 호세가 무엇보다도 침묵을 강조하는 것도 그 때문입니다. 한마디로 윌리엄과 호세는 전체적 주제를 고려할 때 가장 중요한 인물입니다. 우리는 여기서 한 가지 문제에 직면하게 됩니다. 연쇄살인에 대한 윌리엄의 사건 수사는 엄밀히 말하자면 보편적 진리에 대한 추적 과정을 지칭하는 것입니다. 윌리엄은 현실 속에 감추어진 진리의 흔적을 추적하며 제반 관련성을 탐지하려고 합니다. 이러한 행동은 우주가 수많은 부호 및 의미 내용으로 이루어져 있다는 유명론의 가설에서 출발한 것입니다. 우주 속에 널려 있는 수많은 의미 내용들은 사물을 대리해서, 인간의 사고 영역 속에 간접적으로 존재합니다. 이에 의하면 세계 속에는 보편적인 것은 존재하지 않

습니다. 보편성은 다만 세상에 관한 언급 속에, 세상에 관한 논리 속에, 그리고 세상을 대하는 인간의 심리적 판단 속에만 도사리고 있습니다. 따라서 사물에 대한 감각적 인지 행위야말로 모든 인식 과정의 출발점이 됩니다. 윌리엄 오컴의 견해에 의하면 신은 세계를 거대한 시계의 톱니바퀴처럼 만들고 난 뒤에 그것을 인간에게 내버려두었다고 합니다. 이러한 사고는 오컴이 살던 시대에 아직 시계가 발명되지 않았다는 점을 고려할 때 과히 독창적입니다. 그러니까 신은 모든 사물을 제각기 따로따로, 다시 말해 상호 무관하게 창조한 셈입니다. 윌리엄 오컴의 이러한 생각은 가령 플로티노스(Plotin)의 유출 이론 내지는 스콜라철학의 숭고한 가치 체계인 보편성 개념과는 위배됩니다. 그렇다면 어떤 사물에 대한 인식이 과연 다른 사물(혹은 사실)에 대한 결론을 도출할 수 있는 도구가 될 수 있을까요? "신이 사물들을 상호 무관한 것들로 창조하였다"는 가설을 인정하는 한, 결코 그럴 수 없을 것입니다. 이러한 의혹은 — 진위 여부를 떠나서 — 인과법칙에도 그대로 적용되고 있습니다.

18. 우연성, 표피적 특성, 그리고 허무주의: 합리적인 방법으로 진리를 밝혀내려는 모든 이성적 노력은 — 호세가 말한 대로 — 그렇게 오만하고도 무가치한 작업일까요?(Kamper: 437). 아니면 이러한 노력이 궁극적으로 거의 성공을 기약하지 못하기 때문에, 우리는 이를 처음부터 포기해야 하는가요? 윌리엄의 입을 통해 나온, "지붕 위에 올라간 뒤에는 사다리를 저버려야 한다"는 비트겐슈타인(Wittgenstein)의 발언은 에코 소설의 중요한 주제들 가운데 하나를 이해하는 데에 핵심이 되는 것입니다. 이 문장은 비트겐슈타인의 『논문(Tractatus)』에 나오는 유명한 발언인데, 비트겐슈타인은 이를 원래 중세의 에크하르트 선사(Meister Eckhart)에게서 도용(盜用)한 것입니다. 인용문에서 "사다리"란 진리의 파편 내지는 (보다 포괄적으로 말하자면) 제반 학문의 방법론을 지칭하는 비유적 표현입니다. 그러니까 진리

란 — 비록 파편적인 것이겠지만 — 그것이 사용되는 순간에 파기될 수 있다고 합니다. 진리의 파편이란 에코의 말대로 거대한 진리와는 무관한, 하나의 불필요한 도구에 불과한 것일까요? 소설의 결말부에서 윌리엄은 지혜를 원용하여 도서관 속으로 들어간 뒤에 제반 살인 사건들의 비밀을 알아냅니다. 그러나 인류에게 지혜를 선사할 수 있는 도서관의 서적들은 결국 호세가 저지른 방화에 의해서 불타버리고 맙니다.

19. 우연에 의한 비밀의 해독: 윌리엄은 우연하게도 살바토레의 헛소리, "말(馬)이라는 단어의 세 번째 음절(Tertius equi)"을 듣고, 도서관 내부의 "아프리카 끝"으로 들어갈 수 있는 단서를 발견하게 됩니다. 이것은 윌리엄의 지적 능력에 의한 것이 아니라, 단지 우연에 의해 도출된 진리일 뿐입니다. 다시 말해, 윌리엄은 처음에 "말이라는 세 번째 음절을" 단순히 "세 번째의 말(馬)"로 잘못 이해했던 것입니다. 만약 기이한 괴물처럼 보이는 수사 살바토레의 헛소리가 아니었더라면, 윌리엄은 결코 신비로운 암호를 해독하지 못했을 것입니다. 그렇다면 거대한 진리란 — 중세 때 사람들이 숙고하던 — 신의 말씀처럼 "밝힐 수 없다"는 뜻을 함축하고 있을까요? 에코가 암시하려고 한 것은 인간의 이성은 다만 파편적인 진리들만을 어렵사리 찾아낼 수 있을 뿐이라는 그러한 가설일까요? 작가는 이에 대해서 명확한 대답을 회피하며, 그저 여러 가지 개연성들만을 열거하고 있을 뿐입니다. 바로 이 점이야말로 에코 소설의 아포리아요, 독자에게 반계몽적 비의성(秘意性)을 느끼게 하는 핵심 사항이 아닐 수 없습니다.

20. 소설 속의 세 가지 전형 (1): 공허함: 에코 소설의 배경인 14세기 이탈리아 역시 가상적으로 만들어진 하나의 허구적 현실입니다. 작가의 말에 의하면, 그것은 "오늘날과 관련될 수도, 관련되지 않을 수도 있다"고 합니다. 가령 연쇄살인 사건은 지어낸 이야기이며, 소수파의 종교개혁 운

동은 이른바 제반 (혁명) 운동에 적용될 수 있는 보편적 스토리라고 합니다. 이와 관련하여 필자는 소설 속의 세 가지 전형을 언급할까 합니다. 이는 아마도 에코의 문학과 포스트모던(탈현대성) 사이의 관계를 간접적으로 시사해 주는 특성들입니다. 그것들은 공허함, 무관성(無關性), 그리고 방관주의로 요약되는데, 이것들은 서로의 견해를 상호 의존적으로 교묘하게 정당화시키고 있습니다. 첫째 사항은 공허함을 가리킵니다. 에코의 소설은 일견 모든 이데올로기, 모든 사상을 용납하는 것 같습니다. "소설 작품은 얼마든지 다양하고 달리 해석될 수 있다"는 입장은 에코의 『열린 예술 작품(das offene Kunstwerk)』이라는 책에서 피력된 바 있습니다. 에코는 "참다운 독자는 텍스트의 비밀이 그 공허함에 있다는 것을 이해하는 사람이다"라고 말하였습니다. 그러나 깊이 생각해 보면, 공허함 속에는 하나의 엄청난 함정이 도사리고 있습니다. 즉, "모든 것을 용인하는 입장(Anything goes)"의 배후에는 모든 것을 금지하려는 저의가 도사리고 있습니다. 물론 어떤 사물에 대한 의심이나 금지 자체가 문제되는 건 아닙니다. 무슨 일을 하든지 일단 주어진 사항들에 대한 의심은 필수적이지요. 그렇지만 에코의 경우 공허함은 모든 것을 무해화(無害化)시키려는 목표로 작용합니다. 다시 말해, 에코는 일견 반독단주의를 내세우지만, 대립되는 두 개의 가치철학으로부터 비판적 가시를 뜯어낸 뒤, 이를 희석시키고 있습니다.

21. 소설 속의 세 가지 전형 (2): 무관성: 소설의 두 번째 전형은 무관성을 가리킵니다. 모든 사물은 에코의 견해에 의하면 기호나 부호에 의해 설명되고 정리될 수 있습니다. 그러니까 사물들은 어떠한 체계나 시스템에 의해서 예정된 게 아니라 우연에 의해서 존재한다는 것입니다. 이로써 역사적 필연은 용인되지 않습니다. 마찬가지로 신의 뜻은 처음부터 존재하지 않으며, 인간의 이성 역시 믿을 만한 게 못된다고 합니다. 이로써 에코가 배격하는 것은 근본적으로 역사적 인과법칙과 변증법이며, 모든 가치

체계의 연관성에 대한 맹목적 신뢰입니다. 바로 이러한 강화된 우연성 때문에 결국 독자들은 주어진 질서에 대해 찬성하지도 반대하지도 못하는, 그러한 묘한 느낌에 휩싸일지 모릅니다. 그렇지만 절대적 우연은 존재하지 않는 법입니다. 우연 속에는 — 아주 적은 양이지만 — (불규칙적 요인으로서의) 이유 내지는 동기가 내재하지 않는가요? 그럼에도 에코는 이러한 원인으로서의 역사, 변증법, 그리고 가치 체계 등을 추호도 용납하지 않습니다. 한마디로 에코는 탈역사주의적 가상 속에서 변증법을 해체시키려 했습니다. 이로써 소설 속에서는 사회적 상황 속의 대립 내지 모순이 그저 양립성과 병존성에 의해 대치되어 있습니다. 무릇 모순 대신에 서로 무관한(?) 병존만이 도사린 곳에서 양극은 부딪치지 않는 법입니다. 이로써 그곳에서 변증법은 아무런 영향을 끼치지 못합니다. 이런 곳에서는 가치판단으로 인한 모순 대신에, 구조주의적 덧셈 뺄셈, 그게 아니라면 기껏해야 블랙박스의 출력(Out-put)과 입력(In-put)만이 중요할 뿐입니다.

22. 소설 속의 세 가지 전형 (3): 방관주의: 소설 속에 도사린 세 번째 전형으로서 우리는 방관주의를 들 수 있습니다. 어쩌면 에코의 소설적 특성 가운데 하나는 한마디로 방관주의로 표현될지 모릅니다. 소설의 화자는 아드손 드 멜크이지만 그의 시각은 철저하게 자신의 시대로부터 벗어나 있습니다. 예컨대 소설 첫 부분에 나오는 아드손 드 멜크의 고서적에 관한 언급 역시 방관주의의 시각에 도움을 주고 있습니다. 모든 문헌들로부터 거리감을 취하는 태도, 어떠한 것도 용인되는 분위기를 생각해 보세요. 이러한 입장에 의하면 "새로움(Novum)"이란 기껏해야 고착된 놀라움으로 이해될 뿐입니다. 다시 말해서 그것은 언제나 동일하게 반복되어 나타나는 상에 불과합니다. 이와 같은 사고의 유형은 — 가령 철학사에서 플라톤의 "재기억(ἀνάμνησις)" 이론에서 출발한 것인데 — 과거지향적 보수주의와 접목되어 있습니다. 그 밖에 수수방관의 거리감은 "그냥 내버려 두라

(let it be)"는 전언으로서 귀족적 냉소주의와 직결됩니다. 급변하는 시대에 거리감을 취했던 괴테의 태도를 상상해 보세요. 세계사의 변화에 대한 그의 냉소주의는 이른바 시정잡배들의 개혁 내지는 혁명으로부터 거리감을 취하려는 귀족들의 비아냥거림을 모방하고 있습니다. 실제로 냉소주의와 귀족주의는 ― 예술사에서 드러나듯이 ― 퇴폐적 예술지상주의에서 활개를 치지 않았습니까? 예컨대 언어유희에 혈안이 되어 있던 비엔나 인상주의를 생각해 보세요. 또한 가치판단 대신에 무엇보다도 미를 추구한 프랑스의 귀족들이 유독 구조주의적 전통을 답습해 나갔던 사실을 생각해 보세요. 결론적으로, 수수방관주의는 이를테면 "모든 게 옳으며, 때로는 모든 게 그르다"라는 모순적 양비론을 잉태시킵니다. 그것은 두 가지 역사적 맥락이 다를 때만 용납될 수 있습니다. 그러나 보편적 가치로서의 양비론은 고대 그리스인들의 격언에 의하면 사기요 자기기만입니다. 소크라테스는 이에 저항하다가 독배를 들지 않았습니까? 그 까닭은 모순적 양비론이 기존의 질서 내지는 수구 세력에 침묵으로 동조하게 하는 기회주의적 논리로 잘못 이용되어 왔기 때문입니다.

참고 문헌

- 마론, 모니카: 슬픈 짐승, 서경하 역, 예문 1997.
- 서영채: 이성 중심주의와 장미, in: 소설의 운명, 서울 1996년,
- 움베르토 에코: 해석이란 무엇인가? 열린책들 1996.
- 움베르토 에코: 장미의 이름, 열린책들 2009.
- 푸코, 미셸: 지식의 고고학, 이정우 역, 민음사 2000.
- Baumann, Hans D. u. a.: Der Film: Der Name der Rose, Weinheim 1986.
- Ernst Bloch: Das Prinzip Hoffnung, Frankfurt a. M. 1985.

- Borges, Jorge Louis: Die Bibliothek von Babel. Stuttgart 1974, S. 47-57.

- Eco, Umberto: Le nom de la rose, Grasset 2012.

- Eco, Umberto: Nachschrift zum "Namen der Rose," München 1984.

- Kamper, Ditmar: Das Ende der Unbescheidenheit, in: Leviathan, H. 3/1983, S. 433-438.

- Schmidt, Burghart: Postmoderne — Strategien des Vergessens, Darmstadt 1987.

- Wieland, Georg: Gottes Schweigen und das Lachen des Menschen, in: Ecos Roseroman, München 1987, S. 97-122.